UKRYTE PIĘKNO

DONNA LEON

UKRYTE PIĘKNO

Przełożył

Marek Fedyszak

NOIR SUR BLANC

Tytuł oryginału
About Face

Copyright © 2009 by Donna Leon and Diogenes Verlag AG, Zürich
All rights reserved

For the Polish edition
Copyright © 2012, Noir sur Blanc, Warszawa
All rights reserved

ISBN 978-83-7392-380-5

Dla Petry Reski-Lando
oraz Lina Lando

Che ti par di quell'aspetto?
Co myślisz o tej twarzy?
Così fan tutte

Mozart

Rozdział 1

Zauważył tę kobietę, gdy szli na kolację. To znaczy, gdy oboje z Paolą przystanęli przed witryną księgarni i Brunetti, przeglądając się w szybie, poprawiał węzeł krawata, ujrzał jej odbicie; przechodziła obok, pod rękę ze starszym mężczyzną, zmierzając w stronę Campo San Barnaba. Zobaczył ją od tyłu, mężczyzna kroczył z lewej strony. Komisarz najpierw zwrócił uwagę na jej włosy, równie jasne jak blond włosy Paoli i upięte nisko w kok. Zanim odwrócił głowę, żeby się dokładniej przyjrzeć, para zdążyła zbliżyć się do mostu prowadzącego na plac.

Jej futro — może gronostajowe, może sobolowe: wiedział jedynie, że było droższe od norek — sięgało tuż powyżej bardzo zgrabnych kostek, a buty miały obcasy stanowczo zbyt wysokie, by chodzić w nich po ulicach wciąż pokrytych płatami śniegu i lodu.

Brunetti rozpoznał mężczyznę, ale nie był w stanie sobie przypomnieć jego nazwiska; naszło go tylko mgliste wspomnienie związanego z nim bogactwa i wpływów. Towarzysz kobiety był od niej niższy i tęższy, staranniej omijał też oblodzone miejsca. U stóp mostu zrobił nagle krok w bok i chwycił za balustradę. Przystanął i powstrzymał w ten sposób rozpędzoną kobietę, która z uniesioną stopą zaczęła obracać się w jego stronę, jeszcze bardziej utrudniając obserwację zaciekawionemu komisarzowi.

— Gdybyś miał ochotę — powiedziała stojąca obok Paola — mógłbyś mi kupić na urodziny nową biografię Williama Jamesa.

Brunetti oderwał wzrok od pary na moście i spojrzał na grubą książkę w głębi wystawy, wskazywaną palcem przez żonę.

— Myślałem, że ma na imię Henry — odparł z powagą na twarzy.

Paola szarpnęła go za rękaw, przyciągając do siebie.

— Nie zgrywajcie głupiego, komisarzu Brunetti. Wiecie przecież, kim jest William James.

Skinął głową.

— Czemu chcesz dostać biografię jego brata?

— Ciekawi mnie jego rodzina i wszystko, co mogło go ukształtować.

Brunetti przypomniał sobie, że ponad dwadzieścia lat wcześniej równie silne zaciekawienie budziła w nim świeżo poznana Paola: natarczywie domagał się informacji o jej rodzinie, upodobaniach, przyjaciołach, o wszystkim, co mogło mu powiedzieć coś więcej o tej cudownej młodej kobiecie, na którą jakimś niezwykłym zrządzeniem losu natrafił między regałami uniwersyteckiej biblioteki. To zaciekawienie wydawało mu się dość normalną reakcją w kontakcie z serdeczną i żyjącą osobą. Ale odczuwać je w stosunku do jakiegoś pisarza, który nie żył od prawie stu lat?

— Dlaczego on cię tak fascynuje? — zapytał nie po raz

pierwszy. Uświadomił sobie przy tym, że mówi jak nadąsany zazdrosny mąż, w którego tak często zmieniał się w reakcji na jej entuzjazm dla amerykańskiego powieściopisarza.

— Dlatego, że rozumie różne rzeczy — odparła.

— Aha — mruknął tylko Brunetti. Zawsze mu się wydawało, że od pisarza można było oczekiwać przynajmniej tyle.

— I dlatego, że dzięki niemu my rozumiemy te rzeczy — dodała.

Podejrzewał, że temat został zamknięty.

Paola uznała zapewne, że poświęcili mu już wystarczająco dużo czasu.

— Chodź. Przecież wiesz, że mój ojciec nie znosi spóźnialskich — przypomniała.

Odeszli od wystawy. Gdy dotarli do stóp mostu, Paola zatrzymała się i spojrzała na męża:

— Wiesz — zaczęła — jesteś naprawdę bardzo podobny do Henry'ego Jamesa.

Brunetti nie wiedział, czy mu to pochlebia, czy go obraża. Na szczęście po latach spędzonych z Paolą nie musiał się przynajmniej zastanawiać, słysząc to porównanie, czy powinien ponownie przemyśleć podstawy, na których opierało się ich małżeństwo.

— Chcesz bowiem zrozumieć różne rzeczy. Prawdopodobnie właśnie dlatego zostałeś policjantem. — To powiedziawszy, przybrała wyraz zadumy. — Ale chcesz również, by zrozumieli je inni. — Odwróciła się i ruszyła dalej mostem, dodając przez ramię: — Tak samo jak on.

Brunetti odczekał, aż dotrze na szczyt mostu, zanim zawołał za nią:

— Czy to znaczy, że tak naprawdę też miałem zostać pisarzem? — Jakże byłoby miło, gdyby przytaknęła.

Zbyła tę sugestię machnięciem ręki, po czym odwróciła się, by powiedzieć:

— Ale dzięki temu życie z tobą jest ciekawe.

To lepsze niż być pisarzem, pomyślał Brunetti, idąc za żoną.

Gdy Paola sięgnęła ręką do dzwonka obok *portone* domu swoich rodziców, komisarz zerknął na zegarek i zapytał:

— Tyle lat minęło, a ty nie masz klucza?

— Nie bądź głuptasem — odparła. — Jasne, że mam. Ale to oficjalna kolacja, lepiej więc przyjść jak prawdziwi goście.

— Czy to znaczy, że musimy się zachowywać jak oni?

Bez względu na to, jakiej odpowiedzi mogła udzielić Paola, wstrzymała się, gdy drzwi uchylił nieznany im obojgu mężczyzna. Uśmiechnął się i otworzył je na oścież.

Paola podziękowała mu i ruszyli przez dziedziniec ku schodom prowadzącym do *palazzo*.

— Bez liberii? — zapytał szeptem zaszokowany Brunetti. — Bez peruk? Mój Boże, dokąd zmierza ten świat? Nim się spostrzeżesz, służba będzie jadać przy głównym stole, a wtedy zaczną znikać srebra. Czym się to wszystko skończy? Tym, że Luciana będzie gonić z tasakiem za twoim ojcem?

Paola przystanęła i odwróciła się do niego w milczeniu. Posłała mu jedno ze swoich Spojrzeń, które stanowiło jej jedyną deskę ratunku w chwilach takiej słownej przesady.

— Si, tesoro? — zapytał jak najsłodszym tonem.

— Poczekajmy tu jeszcze przez chwilę, Guido, aż wypowiesz wszystkie dowcipne uwagi o miejscu moich rodziców w społeczeństwie, a gdy się już uspokoisz, pójdziemy na górę i dołączymy do pozostałych gości. A przy kolacji będziesz się zachowywać jak człowiek w miarę kulturalny. Co ty na to?

Brunetti skinął głową.

— Podoba mi się, szczególnie ta część o człowieku „w miarę kulturalnym".

Paola uśmiechnęła się promiennie.

— Tak też myślałam, mój drogi. — Ruszyła schodami prowadzącymi do wejścia do głównej części *palazzo*, on zaś podążył krok za nią.

Paola już dawno przyjęła zaproszenie ojca i wyjaśniła mężowi, że hrabia Falier pragnie, by jego zięć poznał przyjaciela hrabiny.

Choć Brunetti zaakceptował bez zastrzeżeń miłość swojej teściowej, nigdy nie był pewien, na czym stoi, jeśli chodzi o hrabiego: czy ten uważa go za nadętego wieśniaka, który skradł serce jego jedynaczki, czy za człowieka wartościowego i zdolnego. Pogodził się z tym, że hrabia jest w stanie wierzyć w obie te rzeczy jednocześnie.

Na szczycie schodów stał jeszcze jeden mężczyzna, którego żadne z nich nie znało. Otworzył im drzwi do *pa-*

lazzo z lekkim ukłonem, pozwalając, by spłynęło na nich ciepło pałacowych wnętrz.

Brunetti wszedł za Paolą do środka.

Z głównego *salone*, z którego roztaczał się widok na Canal Grande, doleciał gwar głosów. Mężczyzna w milczeniu wziął ich płaszcze i otworzył drzwi oświetlonej szafy wnękowej. Zerkając do środka, Brunetti ujrzał długie futro wiszące samotnie na końcu jednego z wieszaków, wyróżnione w ten sposób dzięki swojej wartości lub wrażliwości człowieka, który je tam powiesił.

Wabieni głosami ruszyli w głąb domu Falierów. Przestąpiwszy próg salonu, Brunetti spostrzegł, że gospodarze stoją przed środkowym oknem, zwróceni do niego plecami, pozwalając swoim gościom oglądać *palazzi* po drugiej stronie kanału. Brunetti rozpoznał w nich parę, która minęła go na ulicy; chyba że istniał inny przysadzisty siwowłosy mężczyzna, któremu towarzyszyła wysoka blondynka w czarnych szpilkach, z włosami ściągniętymi w misternie upięty kok. Kobieta stała trochę dalej, spoglądając przez okno, i wydawało się, że nie bierze udziału w rozmowie.

Dwie inne pary stały z obu stron jego teściów. Brunetti rozpoznał prawnika hrabiego i jego żonę; drugą parę tworzyli przyjaciółka hrabiny, podobnie jak ona zaangażowana w działalność dobroczynną, oraz jej mąż, który sprzedawał krajom Trzeciego Świata uzbrojenie i urządzenia górnicze.

W trakcie wyraźnie zajmującej rozmowy z siwowłosym mężczyzną hrabia zerknął w bok i spostrzegł córkę. Odstawił kielszek, powiedział coś do swojego rozmówcy i minął go, by podejść do Paoli i Brunettiego. Gdy gospodarz odsunął się od mężczyzny, ten odwrócił się, żeby zobaczyć, co przyciągnęło uwagę Faliera, i wtedy komisarz przypomniał sobie jego nazwisko: Cataldo, Maurizio Cataldo, człowiek, który potrafi ponoć wpłynąć na pewnych urzędników weneckiej administracji. Kobieta dalej patrzyła przez okno, jakby zauroczył ją widok za nim, i nie zdawała sobie sprawy z odejścia hrabiego.

Brunetti i Cataldo, jak często zdarzało się w mieście, nigdy nie zostali sobie przedstawieni, komisarz znał jednak jego życiorys w ogólnym zarysie. Rodzina Cataldów przybyła, jak sądził, z Friuli na początku ubiegłego wieku, wzbogaciła się w okresie faszyzmu, a podczas wielkiego boomu lat sześćdziesiątych stała się jeszcze bogatsza. Branża budowlana? Transport? Brunetti nie był pewny.

Hrabia dotarł do Brunettiego i Paoli, ucałował każde z nich dwa razy na powitanie, po czym odwrócił się do pary, z którą wcześniej rozmawiał, mówiąc:

— Znasz ich przecież, Paolo, ale nie jestem pewien, czy ty ich znasz, Guido. Oboje bardzo pragną cię poznać.

Być może odnosiło się to do Cataldа, który uniósłszy brwi i przekrzywiwszy głowę, z nieskrywanym zaciekawieniem obserwował, jak podchodzą, przenosząc spojrzenie z Paoli na Brunettiego. Jeśli chodzi o kobietę, to nie sposób było wyczytać czegokolwiek z wyrazu jej twarzy, a dokładniej — jej oblicze wyrażało oczekiwanie utrwalone na nim nieodwracalnie przez jakiegoś chirurga plastycznego. Jej usta już na zawsze miały pozostać rozchylone w uśmieszku, jakim obdarza się wnuka służącej.

Chociaż jako oznaka radości prezentował się dość marnie, wargi, na których zastygł, były pełne i mięsiste, a ich ciemna czerwień przypominała kolor wiśni. Oczy ginęły za zasłoną obrzmiałych policzków, na których z obu stron nosa powstały różowe guzy wielkości połówek owocu kiwi. Sam nos zaczynał się nienaturalnie wysoko na czole i był dziwnie płaski, jakby ktoś wygładził go szpachlą.

Nie było widać żadnych zmarszczek ani skaz. Skóra kobiety była gładka jak u dziecka. Blond włosy nie różniły się na pozór niczym od złotych nici, a Brunetti znał się na modzie przynajmniej na tyle, by wiedzieć, że jej sukienka kosztowała więcej niż którykolwiek z jego garniturów.

Musiała to być zatem druga żona Catalda, *La super liftata*, jakaś daleka krewna hrabiny, o której komisarz słyszał kilka razy, ale nigdy wcześniej nie spotkał. Szybko przypomniał sobie wiele plotek towarzyskich, zgodnie z którymi blondynka pochodziła gdzieś z północy i ponoć stroniła od ludzi oraz — nigdy nie wyjaśniono w jakim sensie — była dziwaczką.

— Ach — zaczął hrabia, przerywając bieg myśli Brunettiego. Paola pochyliła się i pocałowała kobietę, a potem uścisnęła dłoń mężczyzny. — Franca, chciałbym, żebyś poznała mojego zięcia Guido Brunettiego, męża Paoli — rzekł do kobiety, po czym zwrócił się do komisarza: — Guido, pozwól, że ci przedstawię Francę Marinello i jej męża Maurizia Cataldo. — Odsunął się w bok i dał sygnał Brunettiemu, by postąpił naprzód, jakby ofiarowywał im tę drugą parę w darze świątecznym.

Brunetti podał rękę kobiecie, której uścisk okazał się

zaskakująco mocny, oraz mężczyźnie, którego dłoń była niezwykle sucha w dotyku.

— *Piacere* — powiedział z uśmiechem, patrząc najpierw na nią, a potem w załzawione niebieskie oczy mężczyzny.

Cataldo skinął głową, ale to jego żona odezwała się pierwsza.

— Pańska teściowa przez te wszystkie lata tak dobrze o panu mówiła. Bardzo mi miło wreszcie pana poznać.

Zanim Brunetti zdążył wymyślić jakąś odpowiedź, prowadzące do jadalni dwuskrzydłowe drzwi otworzyły się od środka i mężczyzna, który odbierał od nich płaszcze, oznajmił, że podano kolację. Gdy wszyscy szli przez salon, komisarz próbował sobie przypomnieć cokolwiek z tego, co hrabina mogła mu powiedzieć o swojej przyjaciółce, ale zapamiętał jedynie, że zaprzyjaźniły się przed wielu laty, gdy Franca Marinello przyjechała studiować w Wenecji.

Widok stołu uginającego się od porcelanowej zastawy i sreber, z ogromnym bukietem kwiatów pośrodku, przypominał mu ostatni posiłek, jaki jadł w tym domu zaledwie dwa tygodnie wcześniej. Wstąpił, żeby przynieść dwie książki hrabinie, z którą w ostatnich latach zaczął wymieniać się lekturami, i zastał u niej swojego syna. Raffi wyjaśnił, że przyszedł odebrać wypracowanie, które przygotował na zajęcia z włoskiego i które babcia postanowiła przeczytać.

Znalazł ich w jej gabinecie, siedzących obok siebie przy biurku, na którym leżało osiem stron wypracowania z naniesionymi uwagami w trzech różnych kolorach. Na lewo od kartek stał talerz z kanapkami, a raczej z tym, co z nich zostało. Gdy Brunetti jadł ostatnią, hrabina objaśniała swój system: czerwony do zaznaczenia błędów gramatycznych; żółty do czasownika *essere* we wszystkich formach, a niebieski do przekłamań lub błędów w interpretacji.

Raffi, który czasami potrafił się żachnąć, gdy ojciec nie zgadzał się z jego poglądami historycznymi bądź gdy Paola poprawiała mu błędy gramatyczne, wydawał się w pełni przekonany, że babcia wiedziała, co pisze, i zajmował się wprowadzaniem jej sugestii do tekstu w laptopie; Brunetti słuchał z uwagą wyjaśnień hrabiny.

Od wspomnień oderwało go mruknięcie Paoli:

— Szukaj swojego imienia. — I rzeczywiście, starannie wypisane karteczki stały podparte przed każdym nakryciem. Szybko odnalazł swoją i z ulgą zauważył, że Paola zasiądzie po jego lewej stronie, między nim a ojcem. Rozejrzał się i stwierdził, że chyba wszyscy znaleźli swoje miejsca. Ktoś lepiej obeznany z zasadami sadzania gości przy stole mógłby się zdziwić, że żony zajmą miejsca tak blisko mężów: należało mieć nadzieję, że uspokoiłby ich fakt, że hrabia i hrabina mieli zasiąść naprzeciwko siebie na końcach prostokątnego stołu. Prawnik hrabiego Renato Rocchetto odsunął krzesło hrabiny i przytrzymał je, gdy siadała. Potem usiadły pozostałe panie, a następnie panowie.

Brunetti znalazł się na wprost żony Catalda, w odległości około metra od jej twarzy. Franca Marinello słuchała słów męża, dotykając niemal skronią jego skroni, lecz komisarz wiedział, że to tylko odwlecze nieuchronne. Paola odwróciła się doń, szepnęła: — *Coraggio* — i poklepała go po udzie.

Gdy odsunęła rękę, Cataldo uśmiechnął się do żony i zwrócił ku Paoli oraz jej ojcu; Franca Marinello spojrzała na Brunettiego.

— Dziś jest strasznie zimno, nieprawdaż? — zaczęła i komisarz przygotował się na kolejną z rozmów przy kolacyjnym stole.

Zanim zdołał znaleźć stosownie nijaką odpowiedź, hrabina przemówiła ze swojego miejsca:

— Mam nadzieję, że nikt nie będzie miał za złe, jeżeli dziś wieczorem zjemy bezmięsną kolację. — Uśmiechnęła się, spojrzała na swoich gości i tonem wskazującym zarówno na rozbawienie, jak i na zakłopotanie dodała: — Zważywszy na dietetyczne dziwactwa mojej rodziny i na to, że było już za późno na dzwonienie z pytaniami w sprawie waszych preferencji kulinarnych, postanowiłam, że najłatwiej będzie po prostu zrezygnować z dań mięsnych i rybnych.

— „Dietetyczne dziwactwa?" — szepnęła Claudia Umberti, żona prawnika. Wydawała się szczerze zaintrygowana. Siedzący obok Brunetti wystarczająco często widywał ją i jej męża na rodzinnych kolacjach, by wiedzieć, że w jej dotychczasowym mniemaniu jedynym dietetycznym dziwactwem wielopokoleniowej rodziny Falierów — pomijając okresowy wegetarianizm Chiary — było domaganie się obfitych porcji i wysokokalorycznych deserów.

Pragnąc niewątpliwie oszczędzić matce zakłopotania sytuacją, w której przyłapano ją na ewidentnym kłamstwie, Paola wyjaśniła milczącym biesiadnikom:

— Ja wolę nie jeść wołowiny; moja córka nie tknie mięsa ani ryb... przynajmniej nie w tym tygodniu; Raffi nie jada nic zielonego i nie lubi serów; a Guido — dodała, pochylając się ku niemu i kładąc dłoń na jego ramieniu — nie zje niczego, jeżeli nie dostanie wystarczająco dużej porcji.

Zebrani przy stole sprawili jej przyjemność dyskretnym śmiechem, a Brunetti pocałował żonę w policzek w dowód poczucia humoru i rycerskości, przyrzekając sobie jednocześnie, że za nic nie przyjmie dokładki. Odwrócił się do niej i nie przestając się uśmiechać, zapytał:

— O co w tym wszystkim chodziło?

— Później ci wyjaśnię — odparła Paola i odwróciła się, żeby zadać grzeczne pytanie ojcu.

Postanowiwszy najwyraźniej nie komentować uwag hrabiny, Franca Marinello powiedziała, gdy Brunetti znowu na nią spojrzał:

— Śnieg na ulicy jest okropnie kłopotliwy.

Brunetti uśmiechnął się, jakby nie zwrócił uwagi na jej buty ani nie wysłuchiwał identycznych uwag przez dwa ostatnie dni.

Zgodnie z zasadami uprzejmej rozmowy, teraz to on miał uczynić nic nieznaczącą uwagę, więc zrobił swoje i odparł:

— Ale za to jaką frajdę mają narciarze.

— I rolnicy — dodała Franca.

— Słucham?

— Tam, skąd pochodzę — powiedziała bez śladu lokalnego akcentu — mamy porzekadło: „Pod śniegiem leży

22

chleb, a pod deszczem głód". — Jej głos miał przyjemne niskie brzmienie: gdyby śpiewała, byłaby kontraltem.

Brunetti, mieszczuch z krwi i kości, uśmiechnął się przepraszająco i rzekł:

— Nie bardzo rozumiem.

Kąciki ust jego rozmówczyni powędrowały ku górze w grymasie, w którym można było rozpoznać zalążki uśmiechu, złagodniał też wyraz jej oczu.

— Ma to oznaczać, że deszcz po prostu spływa, przynosząc jedynie doraźną korzyść, a śnieg leży w górach i topnieje z wolna przez całe lato.

— I stąd ten chleb? — upewnił się Brunetti.

— Tak. Tak przynajmniej kiedyś sądzono. — Zanim zdążył to skomentować, ciągnęła dalej: — Ale ten ostatni opad śniegu tutaj w mieście był wybrykiem natury, wystarczającym tylko na to, by na kilka godzin zamknąć lotnisko; spadło nie więcej niż kilka centymetrów. W Górnej Adydze, skąd pochodzę, w tym roku śnieg w ogóle nie padał.

— Więc narciarze mają się z pyszna? — zapytał z uśmiechem, wyobrażając ją sobie w długim kaszmirowym swetrze i spodniach narciarskich przed kominkiem w jakimś ekskluzywnym ośrodku narciarskim.

— Obchodzą mnie tylko rolnicy — odparła z zaskakującą gwałtownością. Przez chwilę wpatrywała się bacznie w jego twarz, po czym dodała: — „O, zbyt szczęśni rolnicy, gdyby swego stanu znali dobro!"*.

---

* Fragment *Georgików* w przekładzie Anny Ludwiki Czerny (przyp. tłum.).

Brunetti omal się nie zakrztusił.

— To z Wergiliusza, nieprawdaż?

— Z *Georgików* — odparła, taktownie ignorując jego zaskoczenie i wszystko, co sugerowało. — Czytał pan je?

— W szkole. A potem znowu, kilka lat temu.

— Dlaczego? — zapytała uprzejmie, po czym odwróciła głowę, żeby podziękować kelnerowi stawiającemu przed nią talerz z *risotto ai funghi*.

— Nie rozumiem.

— Dlaczego przeczytał je pan ponownie?

— Ponieważ były lekturą szkolną syna i powiedział, że mu się podobają. Pomyślałem więc, że do nich zajrzę. — Uśmiechnął się i dodał: — Odkąd czytałem je w szkole, minęło tyle czasu, że już nic nie pamiętałem.

— No i?

Tak rzadko nadarzała mu się okazja do rozmowy o swoich lekturach, że musiał się zastanowić nad odpowiedzią.

— Muszę przyznać — powiedział, gdy kelner postawił przed nim risotto — że całe to gadanie o obowiązkach prawdziwego właściciela ziemskiego niezbyt mnie zainteresowało.

— Jakie zatem tematy naprawdę pana ciekawią?

— Ciekawi mnie, co klasycy mówią o polityce — odparł Brunetti, spodziewając się nieuniknionego spadku zainteresowania ze strony swojej rozmówczyni.

Franca Marinello podniosła kieliszek, wypiła mały łyk i przechyliła go w stronę komisarza, delikatnie mieszając jego zawartość i mówiąc:

— Nie mielibyśmy tego, gdyby nie prawdziwi właściciele ziemscy. — Wypiła jeszcze jeden łyk i odstawiła kieliszek.

Brunetti postanowił zaryzykować. Unosząc prawą rękę, zatoczył nią niewielki krąg, którym ogarnął, gdyby ktoś był skłonny tak zinterpretować ten gest, stół oraz siedzących przy nim ludzi, a co za tym idzie — *palazzo* i miasto, w którym mieszkali.

— Bez polityki — rzekł — nie mielibyśmy tego.

Ponieważ oczy kobiety nie były w stanie zrobić się okrągłe, o jej zaskoczeniu świadczył stłumiony śmiech. Przeszedł on w dziewczęcy wybuch wesołości, który usiłowała powstrzymać, zasłaniając dłonią usta; mimo to wydobył się z nich chichot, a potem dostała nagłego ataku kaszlu.

Głowy biesiadników odwróciły się ku niej, a mąż Franki oderwał wzrok od hrabiego, by położyć opiekuńczą dłoń na jej ramieniu. Rozmowa zamarła.

Franca skinęła głową, uniosła rękę w nieznacznym geście, by zaznaczyć, że wszystko jest w porządku, po czym wzięła serwetkę i otarła oczy, nie przestając kaszleć. Niebawem kaszel ustał i signora Marinello zrobiła kilka głębokich wdechów, po czym zwróciła się do wszystkich zebranych przy stole:

— Przepraszam. Coś mi wpadło nie tam, gdzie trzeba. — Uścisnęła uspokajająco dłoń męża, po czym powiedziała mu coś, co sprawiło, że się uśmiechnął i powrócił do przerwanej rozmowy z hrabią.

Wypiła kilka łyczków wody ze szklanki, skosztowała risotto i odłożyła widelec.

— O polityce najbardziej lubię czytać u Cycerona —

powiedziała, patrząc na Brunettiego, jakby w ogóle nie przerwali rozmowy.

— Dlaczego?

— Dlatego, że tak dobrze umiał nienawidzić.

Brunetti usiłował skupić uwagę na tym, co mówiła, zamiast na niesamowitych ustach, z których wydobywały się te słowa. I gdy kelnerzy zabierali ich talerze z prawie nietkniętym risotto, oni nadal dyskutowali o Cyceronie.

Franca przeszła do tematu pogardy rzymskiego pisarza do Katyliny i wszystkiego, co symbolizował; mówiła o jego zaciekłej nienawiści do Marka Antoniusza; nie próbowała skrywać swej radości, że Cyceron objął w końcu urząd konsula; zaskoczyła też Brunettiego, mówiąc z wielkim znawstwem o poezji Cycerona.

Kelnerzy sprzątali ze stołu talerze po kolejnym daniu, klopsach warzywnych, gdy mąż signory Marinello odwrócił się do niej i powiedział coś, czego Brunetti nie mógł dosłyszeć. Ona się uśmiechnęła i poświęciła mu całą swoją uwagę. Rozmawiali aż do momentu, gdy zjedzono deser — tort kremowy tak tłusty, że w pełni zrekompensował brak mięsa — i zabrano talerzyki. Komisarz, powróciwszy do konwencji rozmowy towarzyskiej, poświęcił czas żonie avvocato Rocchetto, która poinformowała go o najnowszych skandalach z udziałem administracji Teatro La Fenice.

— ...w końcu postanowiliśmy nie zawracać sobie głowy odnawianiem naszego *abbonamento*. To wszystko jest tak strasznie marne, a na dodatek uparcie wystawiają tę żałosną francuską i niemiecką tandetę — powiedziała, trzęsąc się niemal z dezaprobaty. — W niczym nie różni się od

26

drugorzędnego teatru w jakimś francuskim prowincjonalnym miasteczku — zawyrokowała, machnięciem ręki skazując wenecki teatr, a wraz z nim życie na francuskiej prowincji na zapomnienie. Brunetti wziął sobie do serca sugestię Jane Austen, by — niczym bohater jej powieści — „nie zdzierać niepotrzebnie gardła", i oparł się pokusie spostrzeżenia, że przecież Teatro La Fenice jest drugorzędnym teatrem w prowincjonalnym włoskim miasteczku, więc nie należy się po nim spodziewać Bóg wie czego.

Podano kawę, a potem kelner wędrował wokół stołu z wózkiem zastawionym butelkami grappy i rozmaitych *digestive*. Brunetti poprosił o grappę z Domenisa, która nie zawiodła jego oczekiwań. Odwrócił się do Paoli, żeby zapytać, czy chce skosztować jego trunku, ale ona przysłuchiwała się rozmowie Catalda z jej ojcem. Wsparła brodę na dłoni i komisarz ujrzał na tarczy jej zegarka, że już dawno minęła północ. Powoli przesunął stopę po podłodze, aż natrafił na coś mniej sztywnego od nogi krzesła, i lekko trącił to dwa razy.

Niespełna minutę później Paola zerknęła na zegarek i powiedziała:

— *Oddio*, jutro o dziewiątej na konsultacje przychodzi do mnie student, a jeszcze nie przeczytałam jego pracy. — Pochyliła się nad stołem i poskarżyła się matce: — Mam wrażenie, że spędzam życie, robiąc swoje zadania domowe lub czytając zadania innych.

— I nigdy nie kończąc w terminie — dodał hrabia, ale uczynił to z sympatią i rezygnacją, dając jasno do zrozumienia, że nie mówi tego z wyrzutem.

— My już też powinniśmy chyba pomyśleć o powrocie do domu, *caro*? — powiedziała żona Catalda, uśmiechając się do niego.

Przedsiębiorca skinął głową i wstał od stołu. Ustawił się za krzesłem żony i odsunął je do tyłu, gdy wstawała.

— Dziękuję, panie hrabio — rzekł, pochyliwszy lekko głowę. — Bardzo miło z państwa strony, że nas zaprosiliście. Tym bardziej że mieliśmy szansę poznać państwa rodzinę. — Uśmiechnął się do Paoli.

Serwetki zostały odłożone na stół i avvocato Rocchetto wspomniał coś o tym, że musi rozprostować nogi. Gdy hrabia zapytał Francę Marinello, czy ma polecić, by odwieziono ich do domu jego łodzią, Cataldo wyjaśnił, że jego własna będzie czekała przy *porta d'acqua*.

— W jedną stronę mogę się przejść, ale w tym zimnie i o tak późnej porze wolę wrócić do domu motorówką — dodał.

Parami przeszli przez *salone*, z którego zniknęły już wszelkie ślady napojów, które serwowano do kolacji, w stronę korytarza, gdzie dwójka służących pomogła im włożyć płaszcze. Brunetti zerknął w bok i rzekł cicho do żony: — A mówi się, że trudno dzisiaj o dobry personel. — Paola uśmiechnęła się szeroko, ale ktoś stojący z drugiej strony mimowolnie parsknął śmiechem. Gdy komisarz się odwrócił, zobaczył jedynie obojętne oblicze Franki.

Na dziedzińcu grupka gości pożegnała się uprzejmie. Catalado i jego żona zostali zaprowadzeni do *porta d'acqua* i swojej łodzi; Rocchetto mieszkał z żoną zaledwie trzy domy dalej; trzecia para skręciła w kierunku

Ponte dell'Accademia, obróciwszy w żart propozycję Paoli, że oboje z mężem ich odprowadzą.

Wziąwszy się pod ręce, Brunetti i Paola ruszyli w stronę domu. Gdy mijali wejście na uniwersytet, komisarz zapytał:

— Dobrze się bawiłaś?

Paola przystanęła i spojrzała mu w oczy. Zamiast odpowiedzieć, zapytała ozięble:

— Powiedz, proszę, o co w tym wszystkim chodziło?

— Bardzo przepraszam — odparł wymijająco Brunetti.

— Przepraszasz, bo nie rozumiesz pytania czy dlatego, że spędziłeś wieczór, rozmawiając z Francą Marinello i ignorując resztę towarzystwa?

Gwałtowność pytania tak zaskoczyła komisarza, że jęknął żałośnie:

— Ale ona czyta Cycerona.

— Cycerona? — zapytała równie zdumiona Paola.

— *O państwie* oraz listy, a także mowy oskarżycielskie przeciw Werresowi. A nawet wiersze — odparł. Nagle zziębnięty wziął ją za rękę i ruszył przez most, lecz Paola się ociągała, więc zwolniwszy kroku, zatrzymał się na szczycie.

Paola odsunęła się, żeby widzieć twarz męża z innej perspektywy, ale nie wypuściła jego dłoni z ręki.

— Mam nadzieję, że zdajesz sobie sprawę, że żadna inna żona w tym mieście nie uznałaby tego wyjaśnienia za całkowicie satysfakcjonujące?

Jej stwierdzenie wywołało nagły śmiech Brunettiego.

— Poza tym ciekawie było obserwować tyle osób w pracy.

— Pracy?

— Pracy — powtórzyła i ruszyła w dół mostu.

Gdy komisarz ją dogonił, bez pytania ciągnęła dalej:

— Franca Marinello pracowicie starała się zaimponować ci swoją inteligencją. Ty pracowicie próbowałeś odkryć, jak osoba o jej wyglądzie może czytać Cycerona. Cataldo pracowicie przekonywał mojego ojca do wspólnych inwestycji, a ojciec próbował zdecydować, czy powinien to zrobić.

— Inwestycji? W co? — zapytał Brunetti, porzuciwszy wszelką myśl o Cyceronie.

— W Chinach — odparła.

— *Oddio* — jęknął komisarz, bo nic innego nie przyszło mu do głowy.

Rozdział 2

— Dlaczego, na litość boską, miałby inwestować w Chinach? — zapytał, szczerze zaintrygowany.

Jego pytanie sprawiło, że Paola zatrzymała się przed strażacką stołówką, której okna o tej porze były ciemne i na *calle* nie dolatywała woń jedzenia.

— Dlaczego w Chinach? — powtórzył.

Paola pokręciła głową w udawanym oszołomieniu i rozejrzała się, jakby szukała jakiegoś życzliwego słuchacza.

— Czy ktoś zechciałby mi powiedzieć, kim jest ten człowiek? Chyba widuję go czasem rano, leżącego obok mnie w łóżku, ale to przecież nie może być mój mąż.

— Och, przestań i odpowiedz na moje pytanie — rzekł Brunetti, nagle zmęczony i nie w nastroju do przekomarzania.

— Jak możesz czytać codziennie dwie gazety i nie wiedzieć, dlaczego ktoś miałby ochotę inwestować w Chinach?

Komisarz wziął ją pod ramię i odwrócił w stronę domu. Nie widział sensu w dyskutowaniu o tym na środku ulicy, skoro mogli to robić, idąc, lub później, w małżeńskim łóżku.

— Jasne, że o tym wiem — odparł. — Szybujące w górę wskaźniki gospodarcze, fortuna do zrobienia, giełdowe szaleństwo, którego końca nie widać. Ale dlaczego twój ojciec miałby mieć w tym swój udział?

Poczuł, jak Paola zwalnia kroku, i z obawy przed przystankiem na kolejne retoryczne popisy szedł dalej, zmuszając ją do utrzymania tempa marszu.

— Dlatego, mój drogi, że ma we krwi zamiłowanie do pomnażania kapitału. Dlatego, że od setek lat być Falierem znaczy być kupcem, a być kupcem znaczy robić pieniądze.

— I mówi to — zauważył Brunetti — pani profesor literatury, która twierdzi, że pieniądze jej nie interesują.

— Jest tak dlatego, że jestem ostatnią z rodu. Ostatnią, która nosi to nazwisko. Nasze dzieci noszą twoje. — Zmniejszyła tempo marszu, jak również szybkość wypowiedzi, ale się nie zatrzymała. — Mój ojciec robił pieniądze całe życie, pozwalając w ten sposób mnie i naszym dzieciom na luksus braku zainteresowania ich robieniem.

Brunetti, który tysiące razy grywał ze swoimi dziećmi w monopol, był przekonany, że gen kapitalizmu uformował się w nich zgodnie z rodzinnym wzorcem i że już mieli to zainteresowanie, może nawet zamiłowanie, we krwi.

— I uważa, że tam można zrobić pieniądze? — zapytał, po czym pospiesznie dodał, choćby po to, by nie mogła znowu zapytać, jak może zadawać takie pytania: — W bezpieczny sposób?

Paola znowu odwróciła się do niego.

— Bezpieczny?

— Cóż — odparł, sam rozumiejąc, jak niemądrze to zabrzmiało. — Nie przekraczając granic przyzwoitości?

— Dobrze, że przynajmniej dostrzegasz jakąś różnicę — zauważyła ze zjadliwością długoletniej zwolen-
niczki włoskiej partii komunistycznej.

Brunetti milczał przez chwilę, po czym nagle zatrzymał
się i zapytał:

— O co chodziło z tymi — jak twoja matka je na-
zwała? — „dziwactwami dietetycznymi"? I z tym bezsen-
sownym wyjaśnianiem, czego nie chcą jadać nasze dzieci?

— Żona Catalda jest wegetarianką — odparła
Paola. — A moja matka nie chciała skupiać na niej uwagi,
uznałam więc, że to ja powinnam, jak mawiacie w policji,
„wziąć winę na siebie". — Ścisnęła go za rękę.

— I stąd ta bajka o moim wilczym apetycie? — zapytał
mimowolnie.

Czyżby na ułamek sekundy się zawahała? Tak czy owak,
szarpiąc go za rękę, powtórzyła z uśmiechem:

— Tak. Stąd ta bajka.

Gdyby Brunetti nie polubił Franki Marinello, mógłby
zauważyć, że do zwrócenia na siebie uwagi żadne dziwactwa nie były jej potrzebne. Lecz za sprawą rozmowy
o Cyceronie zmienił opinię, uzmysłowił też sobie, że ta kobieta budzi w nim opiekuńcze uczucia.

Przeszli przed domem Goldoniego, po czym skręcili
w lewo i w prawo i skierowali się ku San Polo. Kiedy
weszli na *campo*, Paola przystanęła i spojrzała w otwartą
przestrzeń placu.

— Jakże dziwnie wygląda taki pusty.

Komisarz uwielbiał ten plac od dzieciństwa z uwagi
na rosnące wokół drzewa i poczucie otwartości; Santi

Giovanni e Paolo był zbyt mały, drogę blokował posąg, a futbolówki często lądowały w kanale; Santa Margherita miała dziwaczny kształt i zawsze panował tam zbyt duży zgiełk, tym bardziej teraz, gdy plac stał się taki modny. Być może sympatia komisarza dla Campo San Polo wynikała z nikłej komercjalizacji placu, sklepy mieściły się bowiem tylko z dwóch jego stron, reszta oparła się pokusom mamony. Kościół oczywiście jej uległ i teraz, odkrywszy, że piękno jest bardziej zyskowne niż łaska, pobierał opłatę za wstęp. Nie żeby w środku było dużo do obejrzenia: kilka Tintorettów, stacje drogi krzyżowej Giandomenica Tiepolo, wszystkiego po trochu.

Poczuł, że Paola szarpie go za rękę.

— Chodź, już prawie pierwsza.

Zgodził się na zaproponowany w tych słowach rozejm i ruszyli dalej w kierunku domu.

Nazajutrz, wyjątkowo, teść komisarza zadzwonił do niego na komendę. Podziękowawszy za kolację, Brunetti czekał, by usłyszeć, co trapi hrabiego.

— No i co sądzisz? — zapytał hrabia.

— O czym?

— O niej.

— O France Marinello? — rzekł Brunetti, próbując ukryć zdziwienie.

— Oczywiście. Cały wieczór siedziałeś naprzeciw niej.

— Nie wiedziałem, że mam ją przesłuchać — zastrzegł komisarz.

— Ale to zrobiłeś — odparł ostro hrabia.

— Niestety tylko w sprawie Cycerona — wyjaśnił Brunetti.

— Tak, wiem — potwierdził hrabia i komisarz zaczął się zastanawiać, czy to zazdrość zabrzmiała w głosie jego teścia.

— A o czym rozmawiałeś z jej mężem?

— O sprzęcie do robót ziemnych — odparł Falier z wyjątkowym brakiem entuzjazmu — oraz innych rzeczach. — Po krociutkiej pauzie dodał: — Cyceron jest nieskończenie bardziej interesujący.

Brunetti przypomniał sobie, że swój egzemplarz mów rzymskiego filozofa otrzymał w prezencie świątecznym od hrabiego, który w dedykacji na stronie tytułowej zapisał, iż to jedna z jego ulubionych książek.

— Ale? — zapytał w reakcji na ton teścia.

— Ale Cyceron ma niewielkie wzięcie wśród chińskich przedsiębiorców. — Hrabia zastanowił się nad swoją obserwacją, a następnie dodał z teatralnym westchnieniem: — Pewnie dlatego, że miał tak mało do powiedzenia o sprzęcie do robót ziemnych.

— Chińscy przedsiębiorcy mają więcej do powiedzenia na ten temat? — zapytał dla zachęty Brunetti.

Hrabia roześmiał się.

— Trudno ci wyzbyć się nawyku przesłuchiwania ludzi, prawda? — Zanim komisarz zdążył zaprotestować, Falier ciągnął dalej: — Owszem, ci nieliczni, których znam, bardzo się tym interesują, zwłaszcza spychaczami. Cataldo, a także jego syn... z pierwszego małżeństwa... który kieruje rodzinną firmą wytwarzającą ciężki sprzęt.

Chiny przeżywają szalony wzrost koniunktury, więc ich firma otrzymuje więcej zamówień, niż jest w stanie zrealizować. W konsekwencji Cataldo zaproponował, bym wszedł z nim w spółkę komandytową.

Brunetti nauczył się przez lata, że najlepszą reakcją na informacje, które jego teść może ujawnić na temat swoich interesów, była wstrzemięźliwość, wymamrotał więc tylko z uprzedzającą grzecznością:

— Rozumiem.

— Ale ciebie to z pewnością mało obchodzi — stwierdził, tak się złożyło, że całkiem trafnie, hrabia. — Co o niej sądzisz?

— Wolno spytać, dlaczego cię to ciekawi?

— Dlatego, że kilka miesięcy temu siedziałem obok niej podczas kolacji. Wcześniej spotykałem ją tutaj przez wiele lat i nigdy tak naprawdę nie rozmawialiśmy. No i przydarzyło mi się to samo co tobie. Zaczęliśmy rozmawiać o artykule, który tamtego dnia ukazał się w gazecie, po czym nagle rozmowa zeszła na *Metamorfozy*. Nie wiem, jak to się stało, ale byłem zachwycony. Tyle lat, a nigdy nie rozmawialiśmy, cóż, nigdy o czymś konkretnym. Zasugerowałem więc Donatelli, by cię usadziła naprzeciw niej. — Potem, niezwykle samokrytycznie, hrabia dodał: — Przez wszystkie te lata musiałeś siedzieć w towarzystwie tylu nudziarzy, toteż uznałem, że należy ci się jakaś odmiana.

— W takim razie dziękuję — odparł Brunetti, postanawiając nie komentować hrabiowskiej oceny swoich znajomych. — To była bardzo ciekawa rozmowa. Ona czytała nawet mowę oskarżycielską przeciw Werresowi.

— Dzielna kobieta — niemal zaszczebiotał hrabia.

— Znałeś ją przedtem?

— Przed ich ślubem czy liftingiem? — zapytał hrabia obojętnym tonem.

— Przed ślubem.

— I tak, i nie. Chodzi o to, że Franca była zawsze raczej przyjaciółką Donatelli niż moją. Jakiś krewny Donatelli poprosił, by miała na nią oko, gdy przyjechała tu studiować. Ni mniej, ni więcej, tylko dzieje Bizancjum. Po dwóch latach musiała jednak wyjechać. Z powodu jakichś kłopotów rodzinnych. Zmarł jej ojciec, więc musiała wrócić do domu i znaleźć zatrudnienie, ponieważ jej matka nigdy nie pracowała. — Dodał wymijająco: — Nie pamiętam wszystkich szczegółów. Zna je pewnie Donatella. — Hrabia chrząknął, po czym usprawiedliwił się: — Wszystko to brzmi niczym streszczenie kiepskiego serialu telewizyjnego. Na pewno chcesz tego słuchać?

— Nigdy nie oglądam telewizji — odparł pełen fałszywego samozadowolenia komisarz — więc mnie to ciekawi.

— No dobrze — rzekł hrabia i ciągnął dalej. — Z tego, co słyszałem... i nie pamiętam czy od Donatelli, czy od innych osób... wynika, że poznała Catalda, będąc modelką... chyba prezentowała futra... a reszta, jak ma w denerwującym zwyczaju mówić moja wnuczka, jest historią.

— Czy częścią tej historii był również rozwód?

— Owszem — odparł z żalem hrabia. — Znam Maurizia od dawna i nie należy do ludzi cierpliwych. Zaproponował żonie ugodę, a ona przystała na to.

Wyrobiony przez dekady ponaglania opornych świadków instynkt podpowiedział Brunettiemu, że hrabia coś przemilcza, zapytał więc:

— Co jeszcze?

Hrabia odpowiedział po długiej przerwie.

— Maurizio był gościem przy moim stole, więc mówię to z przykrością, ale ponoć jest również człowiekiem mściwym i być może ten fakt skłonił jego pierwszą żonę do przyjęcia warunków, jakie zaproponował.

— Niestety słyszałem już tę opowieść — rzekł Brunetti.

— Którą? — zapytał hrabia ostrym tonem.

— Tę samą, którą i ty słyszałeś: starzec, który poznaje młode słodkie stworzenie, odchodzi od żony, żeni się *in fretta e furia*, a potem chyba nie żyją długo i szczęśliwie. — Komisarzowi nie podobało się brzmienie własnego głosu.

— Ale w tym wypadku wcale tak nie jest.

— Dlaczego?

— Dlatego, że oni naprawdę żyją długo i szczęśliwie. — W głosie hrabiego pobrzmiewała taka sama tęsknota jak wtedy, gdy mówił o możliwości spędzenia wieczoru na dyskusji o Cyceronie. — Tak przynajmniej twierdzi Donatella.

Po pewnym czasie teść Brunettiego zapytał:

— Nie niepokoi cię jej wygląd?

— Ująłeś to bardzo delikatnie.

— Nie rozumiem tego. Była śliczną istotą. Naprawdę nie miała powodu tego robić, ale obecnie kobiety mają inne wyobrażenie o... — Hrabia zawiesił głos. — To się stało przed wielu laty. Wyjechali, rzekomo na wakacje, ale nie było ich długo, kilka miesięcy. Nie pamiętam, kto mi o tym powiedział. — Hrabia zawahał się, po czym rzekł: — W każdym razie, gdy już wrócili, Franca wyglądała tak jak teraz. Australia... chyba tam właśnie byli. Ale przecież na operację plastyczną nie jeździ się do Australii, na litość boską.

— Czemu ktoś miałby to robić? — zapytał Brunetti bez namysłu.

— Dałem sobie z tym spokój — odparł po pewnym czasie hrabia.

— Dałeś sobie spokój? Z czym?

— Z próbami zrozumienia, dlaczego ludzie robią różne rzeczy. Choćbyśmy się bardzo starali, nigdy tego nie pojmiemy. Szofer mojego ojca zawsze mawiał: „Mamy tylko jedną głowę, więc o wszystkim możemy myśleć w jeden tylko sposób". — Hrabia roześmiał się, po czym rzekł z nagłym ożywieniem: — Ale dość tych plotek. Chciałem wiedzieć, czy podobała ci się, czy nie?

— Tylko to?

— Raczej nie przyszło mi do głowy, że masz zamiar z nią uciec — odparł ze śmiechem.

— Wierz mi, Orazio, jedna kobieta, która czyta, wystarcza mi w zupełności.

— Wiem, co masz na myśli, dobrze wiem — rzekł hrabia, po czym, nieco poważniej, dodał: — Ale nadal nie odpowiedziałeś na moje pytanie.

— Podobała mi się. Bardzo.

— Czy zrobiła na tobie wrażenie uczciwej kobiety?

— Jak najbardziej — odparł natychmiast Brunetti, bez zastanawiania się nad odpowiedzią. Ale po namyśle dodał: — Czyż to nie dziwne? Prawie nic o niej nie wiem, ale jej ufam, bo lubi Cycerona.

Hrabia znowu się roześmiał, ale tym razem ciszej.

— Rozumiem.

Hrabia rzadko okazywał takie zainteresowanie ludźmi, więc Brunetti zapytał:

— Dlaczego ciekawi cię to, czy ona jest uczciwa?

— Dlatego, że jeżeli ufa swojemu mężowi, to może on jest człowiekiem godnym zaufania.

— A sądzisz, że ufa?

— Przyglądałem się im wczoraj i nie dostrzegłem w nich fałszu. Ona kocha jego, a on ją.

— Ale miłość to nie zaufanie, prawda?

— Jak dobrze usłyszeć chłodne nuty twojego scepty-cyzmu, Guido. Żyjemy w tak sentymentalnych czasach, że chwilami zapominam o swojej wrodzonej intuicji.

— A ona co ci podpowiada?

— Że człowiek potrafi się bez przerwy uśmiechać i mimo to być łajdakiem.

— To z Biblii?

— Chyba z Szekspira.

Komisarz podejrzewał, że rozmowa skończona, ale wtedy hrabia rzekł:

— Zastanawiałem się, Guido, czy mógłbyś mi wy-świadczyć przysługę. W dyskretny sposób.

— Słucham?

— Macie w policji informacje, czasem o wiele lepsze

niż ja. Byłem ciekaw, czy mógłbyś skłonić kogoś, żeby się rozejrzał i sprawdził, czy Cataldo jest człowiekiem, którego chciałbym...

— Obdarzyć zaufaniem? — zapytał prowokacyjnie Brunetti.

— Tym nigdy — odparł hrabia Falier z niewzruszoną pewnością. — Chyba raczej chodzi o stwierdzenie, czy jest człowiekiem, którego chciałbym uczynić swoim wspólnikiem. Strasznie naciska, bym pospieszył się z podjęciem decyzji, a nie wiem, czy moi ludzie zdołają ustalić... — Głos hrabiego ucichł, jakby nie mógł znaleźć słów na sprecyzowanie natury swojego zainteresowania.

— Zobaczę, co mogę zrobić — obiecał Brunetti, uświadamiając sobie, że Cataldo też go interesuje, nie chciał jednak dociekać, z jakiej przyczyny.

Wymienili uprzejmości i zakończyli rozmowę.

Zerknął na zegarek i stwierdził, że przed pójściem do domu na obiad zdąży jeszcze porozmawiać z signoriną Elettrą, sekretarką swojego zwierzchnika. Jeśli ktoś mógł dyskretnie zbadać działalność Catalda, to na pewno ona. Bawił się przez chwilę myślą o tym, by poprosić ją przy okazji o sprawdzenie wszystkiego, co mogłaby znaleźć również na temat jego żony. Poczuł rumieniec zażenowania tym, że pragnie ujrzeć na zdjęciu, jak Franca wyglądała... przed ślubem.

Wejście do biura signoriny Elettry przypomniało mu, że jest wtorek. Ogromny wazon z różowymi francuskimi tulipanami stał na biurku pod oknem. Komputer, w który przed paroma miesiącami pozwoliła wyposażyć swe biuro hojnej i wdzięcznej komendzie — złożony jedynie z cienkiego monitora i czarnej klawiatury — pozostawiał sporo miejsca na jej biurku na równie duży bukiet białych róż. Kolorowe opakowanie bukietu leżało równo złożone w koszu przeznaczonym wyłącznie na papier i biada pracownikowi, który zapomniał i beztrosko wetknął kartkę papieru do normalnego pojemnika na śmieci. Papier; karton; metal; plastik. Brunetti słyszał kiedyś, jak rozmawiała przez telefon z prezesem Vesty, prywatnej spółki, której przyznano — komisarz nie zamierzał dociekać, jakie czynniki mogły wpłynąć na ten wybór — kontrakt na wywożenie śmieci w mieście. Wciąż pamiętał, z jak wyjątkową uprzejmością zwróciła mu uwagę na to, jak wiele sposobów znają śledczy z policji lub, co gorsza, z Guardia di Finanza, by utrudnić kierowanie jego firmą, a także na to, jak kosztowne i kłopotliwe mogłyby być niespodziewane odkrycia, do których często prowadziło urzędowe dochodzenie finansowe.

Po tej rozmowie — ale z pewnością nie w jej wyniku — śmieciarze zmienili harmonogram i zaczęli cumować swą *barca ecologica* co wtorek i piątek rano, odebrawszy papier i tekturę od mieszkańców z okolic Santi Giovanni e Paolo. Drugiego wtorku vice-questore Giuseppe Patta nakazał im odpłynąć, gdy ujrzał zacumowaną tam łódź, i był oburzony *brutta figura* policjantów, których widziano noszących worki z papierem z komendy na barkę.

Signorina Elettra błyskawicznie doprowadziła do tego, że *vice-questore* dostrzegł ogromne korzyści reklamowe, jakie może przynieść podjęcie *eco-iniziativa*, będącej oczywiście wynikiem pełnego zaangażowania dottor Patty w ochronę środowiska naturalnego jego przybranego miasta. W następnym tygodniu „La Nuova" wysłała do komendy nie tylko reportera, ale również fotografa i nazajutrz na pierwszej stronie dziennika zamieszczono wywiad z Pattą, opatrzony dużym zdjęciem u góry. Na zdjęciu nie wynosił wprawdzie worka ze śmieciami do śmietnika na barce, widać było jednak, jak siedzi przy biurku z dłonią ułożoną stanowczo na stercie papierów, jakby chciał zasugerować, że może wyjaśnić udokumentowane w nich sprawy samą siłą woli, i solennie zapewnić, że papiery trafiają do odpowiedniego pojemnika.

Gdy Brunetti wkraczał do sekretariatu, signorina Elettra właśnie wychodziła z gabinetu swojego szefa.

— O, dobrze się składa — powiedziała, ujrzawszy komisarza. — *Vice-questore* chce pana widzieć.

— W sprawie? — zapytał, zapomniawszy na moment o Cataldzie i jego żonie.

— Jest u niego jakiś *carabiniere*. Z Lombardii. — Serenissima przestała istnieć przed ponad dwustu laty, ale ludzie mówiący w jej języku wciąż potrafili, jednym słowem, wyrazić swą podejrzliwość wobec tych wiecznie zaaferowanych lombardzkich parweniuszy. — Niech pan po prostu wejdzie — poradziła, przysuwając się do biurka, by przepuścić go do drzwi gabinetu.

Brunetti podziękował, zapukał i wszedł na wezwanie Patty.

Zastępca komendanta siedział przy biurku, na którym z jednej strony leżała ta sama sterta papierów, która posłużyła za rekwizyt w gazetowych zdjęciach; dla Patty każdy gruby plik dokumentów mógł mieć walor wyłącznie dekoracyjny. Brunetti zauważył siedzącego przed biurkiem mężczyznę; gdy ten usłyszał, że ktoś wchodzi, zaczął wstawać z krzesła.

— Ach, Brunetti — ucieszył się Patta. — To jest maggior Guarino z komendy *carabinieri* w Margherze. — Mężczyzna był wysoki, blisko dziesięć lat młodszy od Brunettiego i bardzo chudy. Z jego twarzy nie schodził niewymuszony uśmiech, a włosy na skroniach już siwiały. Głęboko osadzone oczy nadawały mu wygląd człowieka, który temu, co dzieje się wokół niego, woli się przyglądać z bezpiecznego ukrycia.

Uścisnęli sobie dłonie i wymienili uprzejmości, po czym Guarino odsunął się, żeby Brunetti mógł przejść obok niego do drugiego krzesła ustawionego przed biurkiem *vice-questore*.

— Chciałem, żebyś poznał pana majora — zagaił rozmowę Patta. — Przyjechał sprawdzić, czy możemy mu jakoś pomóc. — Zanim Brunetti zdążył zadać pytanie, jego zwierzchnik dodał: — Od pewnego czasu coraz więcej faktów świadczy o obecności, zwłaszcza na północnym wschodzie, pewnych nielegalnych organizacji. — Zerknął na komisarza, który nie musiał prosić o wyjaśnienia: wiedział o tym każdy, kto czytał gazety — w istocie zaś każdy, kto kiedykolwiek odbył rozmowę w dowolnym barze. Żeby jednak zadowolić szefa, Brunetti uniósł brwi w nadziei, że nada swojemu obliczu pytający wyraz, i Patta wyjaśnił: — Co gorsza... i temu właśnie zawdzięczamy wizytę pana majora... jest coraz więcej dowodów na to, że przejmowane są legalne firmy, szczególnie z branży transportowej. — Jak brzmiała ta historia autorstwa amerykańskiego pisarza o człowieku, który zasnął i obudził się kilkadziesiąt lat później? Czyżby Patta zapadł w sen zimowy w jakiejś grocie, a tymczasem camorra przeniosła się na północ, a on, obudziwszy się, odkrył to dopiero dziś rano?

Brunetti nie spuszczał oczu z Patty i udawał, że nie zwraca uwagi na reakcję siedzącego obok mężczyzny, który chrząknął.

— Maggior Guarino zajmuje się tym problemem od pewnego czasu i jego śledztwo doprowadziło go do Veneto. Jak chyba zdajesz sobie sprawę, Brunetti, teraz dotyczy to nas wszystkich — ciągnął Patta, zgorszony tą nową sytuacją. Słuchając swego szefa, komisarz próbował zrozumieć, czemu poproszono go, żeby do nich dołączył. Transport, przynajmniej ten drogowy lub kolejowy, nigdy nie był przedmiotem zainteresowania weneckiej policji. *Commissario* rzadko miewał styczność z transportem lądowym, przestępczym lub legalnym, nie przypominał sobie również, by miał ją ktokolwiek z jego ludzi.

— ...miałem więc nadzieję, że gdy się poznacie, powstanie pewna synergia — zakończył Patta, używając obcego słowa i znowu dowodząc swej zdolności do głupkowatych wypowiedzi w dowolnym języku.

Guarino chciał odpowiedzieć, lecz dostrzegłszy niezbyt dyskretne spojrzenie Patty na zegarek, chyba się rozmyślił i rzekł:

— Już i tak poświęcił mi pan mnóstwo czasu, *vice-questore*. Nie mogę z czystym sumieniem prosić o więcej. — Słowom tym towarzyszył szeroki uśmiech, życzliwie odwzajemniony przez Pattę. — Może obaj z *commissario* — dodał major, kiwając głową w stronę Brunettiego — powinniśmy o tym porozmawiać, a potem wrócić do pana z prośbą o *input*. — To angielskie słowo zabrzmiało w jego ustach tak, jakby wiedział, co ono znaczy.

Brunetti był zdumiony szybkością, z jaką major opanował do perfekcji umiejętność zwracania się do Patty, i subtelnością jego propozycji. Patta zostałby poproszony o opinię, ale dopiero wtedy, gdy inni odwalą całą robotę: w ten sposób oszczędzono by mu zarówno wysiłku, jak i odpowiedzialności, on sam zaś mógłby przypisać sobie zasługę za wszelkie osiągnięte postępy. Dla Patty byłby to z pewnością najlepszy z możliwych światów.

— Tak, tak — odparł Patta, jakby słowa majora nagle zmusiły go do refleksji nad brzemieniem urzędowych obowiązków. Guarino wstał pierwszy, następnie zrobił to Brunetti. Major rzucił jeszcze kilka uwag; komisarz podszedł do drzwi i czekał, aż skończy, po czym razem opuścili gabinet Patty.

Gdy pojawili się w sekretariacie, signorina Elettra odwróciła się w ich stronę i powiedziała uprzejmie:

— Mam nadzieję, że wasze spotkanie było udane, *signori*.

— Nie mogło być inne, skoro *vice-questore* stanowi tak cenne źródło inspiracji — odparł całkowicie spokojnym głosem Guarino.

Brunetti obserwował, jak sekretarka Patty kieruje uwagę ku mężczyźnie, który to powiedział.

— Rzeczywiście — odparła, posyłając majorowi bardzo bystre spojrzenie. — Tak się cieszę, że kolejna osoba uznaje go za źródło inspiracji.

— Jakże mogłoby być inaczej, *signora*? Czy *signorina*? — zapytał Guarino, zabarwiając swój głos zaciekawieniem lub zdumieniem, że Elettra może wciąż być niezamężną kobietą.

— *Vice-questore* to po aktualnym szefie naszego rządu najbardziej inspirujący mężczyzna, jakiego spotkałam — rzekła z uśmiechem, odpowiadając tylko na pierwsze z jego pytań.

— W to mogę uwierzyć bez trudu — zgodził się Guarino. — Każdy z nich jest na swój sposób charyzmatyczny — dodał i zwracając się do Brunettiego, zapytał: — Możemy gdzieś porozmawiać?

Komisarz skinął tylko głową, bojąc się otworzyć usta, i obaj wyszli z biura.

— Od jak dawna ona pracuje dla *vice-questore*? — zapytał Guarino, gdy wchodzili po schodach.

— Wystarczająco długo, by całkowicie ulec jego czarowi — odparł Brunetti, po czym, na widok miny majora, dodał: — Nie jestem pewien. Od lat. Mam wrażenie, że jest tu od zawsze, choć to nieprawda.

— Czy wszystko by się rozleciało, gdyby jej nie było?

— Tak, niestety, tak.

— Mamy u siebie kogoś podobnego — wyznał major. — Signora Landi: groźna i onieśmielająca Gilda. Wasza signora Landi jest cywilem?

— Owszem — odparł Brunetti, dziwiąc się, że Guarino

47

nie zauważył żakietu zawieszonego niedbale na oparciu jej krzesła. Komisarz słabo znał się na modzie, ale potrafił dostrzec z dwudziestu kroków podszewkę Etro, wiedział też, że w Ministerstwie Spraw Wewnętrznych zazwyczaj nie używa się jej w bluzach mundurowych. Guarino najwyraźniej przeoczył ten trop.

— Mężatka?

— Nie — odparł Brunetti, po czym sam siebie zaskoczył, pytając: — A pan jest żonaty?

Zdążył wyprzedzić oficera, nie usłyszał więc odpowiedzi. Odwrócił się i zapytał:

— Słucham?

— Niezupełnie.

A cóż, u licha, to miało znaczyć? — pomyślał Brunetti.

— Niestety nie rozumiem — rzekł grzecznym tonem.

— Jesteśmy w separacji.

— Aha.

W gabinecie zaprowadził swojego gościa do okna i pokazał mu roztaczający się z niego widok: wiecznie szykowany do renowacji kościół i całkowicie odnowiony dom spokojnej starości.

— Dokąd biegnie ten kanał? — zapytał Guarino, pochylając się i spoglądając w prawo.

— Do Riva degli Schiavoni oraz *bacino*.

— Ma pan na myśli lagunę?

— Cóż, akwen, którym można dotrzeć na lagunę.

— Przepraszam, że gadam jak kmiotek. Wiem, że to duże miasto, a jednak nie mam takiego wrażenia.

— Chodzi o brak samochodów?

Guarino uśmiechnął się i odmłodniał.

— Po części. Ale najdziwniejsza jest ta cisza. — Po długiej chwili spostrzegł, że Brunetti chce coś powiedzieć, i szybko dodał: — Wiem, wiem. Ludzie w miastach na ogół nie znoszą ruchu i smogu, ale niech pan mi wierzy, najgorszy jest hałas. Nigdy, nawet późną nocą czy wczesnym ranem, nie cichnie. Zawsze gdzieś pracuje jakieś urządzenie: autobus bądź samochód, samolot podchodzący do lądowania lub alarm przeciwwłamaniowy.

— Najgorsze, co nas spotyka — rzekł Brunetti ze swobodnym śmiechem — to głośna rozmowa osób przechodzących późną nocą pod naszym oknem.

— Musieliby rozmawiać bardzo głośno, żeby mi to przeszkadzało — stwierdził Guarino i też się roześmiał.

— A to dlaczego?

— Mieszkam na siódmym piętrze.

— Aha. — Taka sytuacja była dla Brunettiego tak nierealna, że nie potrafił wymyślić innej odpowiedzi. Teoretycznie wiedział, że ludzie w miastach mieszkają w wysokich budynkach, ale nie sposób było sobie wyobrazić, by na siódmym piętrze słyszeli jakieś hałasy uliczne.

Wskazał majorowi krzesło i sam usiadł za biurkiem.

— Czego konkretnie oczekuje pan od *vice-questore*? — zapytał, czując, że już czas przejść do konkretów. Wysunął stopą drugą szufladę biurka, po czym oparł na niej skrzyżowane nogi.

Wydawało się, że Guarino się odprężył, widząc ten swobodny gest.

— Niespełna rok temu zwróciła naszą uwagę firma przewozowa w Tesserze, niedaleko lotniska.

Brunetti natychmiast stał się czujny, gdyż miesiąc wcześniej firma ta przyciągnęła uwagę całego regionu.

— Po raz pierwszy się nią zainteresowaliśmy, gdy jej nazwa wypłynęła w trakcie innego śledztwa — kontynuował Guarino. Było to rutynowe kłamstwo, którym Brunetti sam się posługiwał niezliczoną ilość razy, ale nie zwrócił na nie uwagi.

Carabiniere wyprostował nogi i spojrzał w okno, jakby widok fasady kościoła miał mu pomóc w jasnym przedstawieniu wydarzeń.

— Pojechaliśmy tam wówczas, żeby pogadać z właścicielem. Jego rodzina prowadziła tę firmę od pięćdziesięciu lat, a on odziedziczył ją po ojcu. Okazało się, że ma kłopoty: rosnące koszty paliwa, konkurencja zagranicznych przewoźników, pracownicy, którzy strajkowali, ilekroć nie spełniono ich żądań, konieczność zakupu nowych ciężarówek i sprzętu. Zwykłe sprawy.

Brunetti skinął głową. Jeżeli chodziło o tę samą firmę przewozową z Tessery, to finał tej historii zwykły nie był.

— Uczynił więc to, co każdy zrobiłby na jego miejscu: zaczął fałszować księgi — z zaskakującą dla komisarza szczerością i rezygnacją rzekł Guarino i niemal z żalem dodał: — Ale niezbyt dobrze sobie z tym radził. Potrafił prowadzić ciężarówkę, naprawić ją i sporządzić harmonogram odbioru i dostawy przewożonych ładunków, nie był jednak księgowym, więc kontrolerzy z Guardia di Finanza wyczuli, że coś nie gra, gdy tylko zajrzeli do jego dokumentów finansowych.

— Czemu je sprawdzali? — zapytał Brunetti.

Guarino uniósł dłoń w geście, który mógł znaczyć wszystko.

— Aresztowali go?

Maggiore spuścił wzrok, po czym strzepnął ręką z kolana niewidoczny pyłek.

— Niestety sprawa nie jest taka prosta. — To akurat wydawało się Brunettiemu oczywiste: po cóż inaczej Guarino przyjeżdżałby do niego na rozmowę? — Człowiek, który nam o nim doniósł, powiedział, że przewozi rzeczy wzbudzające nasze zainteresowanie — wyjaśnił powoli i dość niechętnie *carabiniere*.

Komisarz przerwał mu, mówiąc:

— Ponieważ nas wszystkich interesuje wiele przewożonych rzeczy, chyba mógłby pan wyrazić się konkretniej.

Ignorując uwagę Brunettiego, Guarino ciągnął:

— Mój znajomy z Guardii powiedział mi, co znaleźli, więc pojechałem porozmawiać z właścicielem. — Major spojrzał na komisarza, po czym odwrócił wzrok. — Zaproponowałem mu układ.

— W zamian za odstąpienie od aresztowania? — zapytał niepotrzebnie Brunetti.

Spojrzenie *carabiniere* było równie gniewne jak nagłe.

— Przecież pan wie, że stale tak się robi. — *Commissario* obserwował, jak major postanawia powiedzieć coś, czego natychmiast pożałuje. — Jestem pewien, że też to robicie. — Spojrzenie Guarina od razu złagodniało.

51

— Owszem — odparł spokojnie Brunetti, po czym dodał, żeby zobaczyć, jak zareaguje jego rozmówca: — I skutek nie zawsze jest zgodny z oczekiwaniami.

— Co pan wie o tej sprawie? — zapytał *carabiniere*.

— Nic ponad to, co właśnie mi pan wyjawił, *maggiore*. — Gdy Guarino milczał, Brunetti zapytał: — I co się potem stało?

Major jeszcze raz odchylił rękę, by strzepnąć jakiś pyłek z kolana, po czym zapomniał o tym i położył na nim dłoń.

— Zginął z rąk rabusiów — odparł w końcu.

Szczegóły tej sprawy zaczęły powracać we wspomnieniach komisarza. Ponieważ do Tessery z Mestre było bliżej niż z Wenecji, sprawę przydzielono komendzie w Mestre. Patta przeszedł samego siebie w staraniach o to, by wenecka policja nie została wciągnięta w dochodzenie, twierdząc, że brakuje mu ludzi i są wątpliwości jurysdykcyjne. Brunetti rozmawiał wówczas o zabójstwie ze znajomymi z policji w Mestre. Ich zdaniem wyglądało to na sfuszerowany rabunek bez żadnych tropów.

— Zawsze przychodził wcześnie — ciągnął Guarino, nadal nie racząc podać nazwiska mężczyzny, co zirytowało komisarza. — Co najmniej godzinę przed kierowcami i resztą pracowników. Strzelili do niego. Trzy razy. — *Carabiniere* spojrzał na Brunettiego. — Pan oczywiście to wie. Pisały o tym wszystkie gazety.

— Owszem — odparł nieudobruchany *commissario*: Guarino zwlekał z ujawnieniem faktów. — Ale nic nie wiem ponad to, co w nich wyczytałem.

— Ktokolwiek to zrobił — kontynuował major — zdążył przeszukać jego biuro lub zrobił to po zabójstwie. Próbowali otworzyć sejf w ścianie... bez powodzenia... przeszukali mu kieszenie i zabrali wszystkie pieniądze, jakie miał przy sobie. Oraz zegarek.

— Więc to wyglądało na rabunek? — zapytał Brunetti.

— Tak.

— Podejrzani?

— Żadnych.

— Rodzina?

— Żona, dwoje dorosłych dzieci.

— Związani z firmą?

Guarino pokręcił głową.

— Syn jest lekarzem w Vicenzie. Córka księgową i pracuje w Rzymie. Żona to nauczycielka, za parę lat ma przejść na emeryturę. Gdy jego zabrakło, wszystko się rozpadło. Firma nie przetrwała tygodnia. — *Carabiniere* spostrzegł zmarszczone czoło Brunettiego. — Wiem, że w dobie informatyki to brzmi niewiarygodnie, ale żaden z naszych ludzi nie mógł znaleźć wykazu zamówień, tras, odbiorów i dostaw ani nawet rejestru kierowców. Pewnie miał to wszystko w głowie. W całej dokumentacji panował bałagan.

— Cóż więc zrobiła wdowa? — zapytał beznamiętnie komisarz.

— Nie miała wyboru: zamknęła firmę.

— Tak po prostu? — zdziwił się Brunetti.

— A co innego mogła zrobić? — odpowiedział pytaniem major, jakby nieomal prosił komisarza, by potrakto-

53

wał wyrozumiale brak doświadczenia tej kobiety. — Mówiłem panu, że to nauczycielka. W szkole podstawowej. Nie miała pojęcia o biznesie. Była to jedna z tych jednoosobowych firm, którymi tak umiejętnie kierujemy.

— Dopóki ta osoba nie umiera — zauważył z żalem komisarz.

— Zgadza się — odparł Guarino i westchnął. — Ona chce ją sprzedać, ale nikt nie jest zainteresowany kupnem. Ciężarówki są stare, a teraz nie ma klientów. Najlepsze, na co może liczyć, to że jakaś inna firma kupi ciężarówki, a jej uda się znaleźć chętnego na wynajem garażu, ale i tak skończy, sprzedając to wszystko za bezcen. — Guarino umilkł, jakby przekazał wszystkie informacje, na których przekazanie był przygotowany. Brunetti zdał sobie sprawę, że *carabiniere* nie powiedział ani słowa o tym, co zaszło między nimi w okresie ich znajomości i, w pewnym sensie, współpracy.

— Czy trafnie zakładam, że rozmawialiście nie tylko o tym, że oszukiwał na podatkach? — zapytał. Jeżeli nie, to Guarino nie miał powodu tutaj być, chociaż raczej nie trzeba mu było zwracać na to uwagi.

Major odmierzył w odpowiedzi jedno słowo:

— Tak.

— I że przekazał panu informacje o czymś więcej niż o stanie rozliczeń z fiskusem? — Brunetti stwierdził, że głos uwiązł mu w krtani. Na litość boską, czemu po prostu nie może powiedzieć, co jest grane: poprosić o to, czego potrzebuje? Z pewnością bowiem nie przyszedł tu gawędzić o urzekającej ciszy miasta ani o urokach signory Landi.

Guarino zadowolił się chyba dotychczasowymi wyjaśnieniami. W końcu, nie próbując ukryć rozdrażnienia, Brunetti zapytał:

— Może mógłby pan przestać marnować mój czas i wyjaśnić cel swojej wizyty?

Rozdział 3

Było rzeczą oczywistą, że Guarino czekał, aż wyczerpią się zasoby cierpliwości komisarza, ponieważ odpowiedział bez wahania i dość spokojnie:

— Policja uznała, że zginął wskutek nieudanego włamania, które zakończyło się morderstwem. — Zanim Brunetti zdążył zapytać, jak policja zinterpretowała trzy strzały, Guarino pospieszył z wyjaśnieniem: — Sugerowaliśmy im takie podejście. Nie sądzę, by ich to w ogóle obchodziło. Załatwienie sprawy w ten sposób przypuszczalnie było dla nich łatwiejsze.

I prawdopodobnie zapewniło błyskawiczne zejście tego morderstwa z afisza, pomyślał Brunetti, ale zamiast to skomentować, zapytał:

— Co pana zdaniem się stało?

I znowu szybkie zerknięcie na kościół, strzepnięcie wyimaginowanego pyłku z kolana, po czym odpowiedź:

— Moim zdaniem, cokolwiek się stało, przynajmniej jeden z nich czekał na właściciela. Na jego ciele nie było innych śladów przemocy.

Brunetti wyobraził sobie czekających mężczyzn i ich

zainteresowanie tym, co wiedziała niepodejrzewająca niczego ofiara.

— Sądzi pan, że coś im wyjawił?

Guarino spojrzał ostro i odparł:

— Mogli to z niego wyciągnąć, nie robiąc mu krzywdy. — Zawahał się, jakby przywoływał wspomnienie nieboszczyka, i dodał z wyraźną niechęcią: — Byłem jego kontaktem, osobą, z którą rozmawiał. — Komisarz zdał sobie sprawę, że to tłumaczy rozdrażnienie Guarina. *Carabiniere* odwrócił wzrok, jakby czuł się nieswojo na wspomnienie tego, z jaką łatwością skłonił zamordowanego mężczyznę do zwierzeń. — Nietrudno było go przestraszyć. Gdyby zagrażali jego rodzinie, powiedziałby im wszystko, czego chcieli.

— Czyli co?

— Że z nami rozmawiał — odparł Guarino po chwili bardzo nieznacznego wahania.

— Jak w ogóle się w to wplątał? — zapytał Brunetti, w pełni świadom tego, że major jeszcze nie wyjaśnił, w co takiego był zamieszany nieboszczyk.

Carabiniere skrzywił się lekko.

— O to właśnie zapytałem go podczas pierwszej rozmowy. Odparł, że gdy firma zaczęła źle funkcjonować, wykorzystał oszczędności, własne i żony, a potem próbował wziąć pożyczkę w banku. Kolejną: jedną zaciągnął wcześniej. Oczywiście jego wniosek odrzucono. Właśnie wtedy przestał rejestrować przewozy i płatności, nawet wówczas, gdy otrzymywał je czekiem lub przelewem. — Pokręcił głową w niemej krytyce takiego szaleństwa. — Jak już panu mówiłem, był amatorem. Odtąd przyłapanie go było tylko kwestią czasu. — Z wyraźnym żalem, jakby wyrzucał nieboszczykowi jakieś drobne wykroczenie, dodał: — Powinien był zdawać sobie z tego sprawę. — Potarł w roztargnieniu czoło i ciągnął dalej: — Twierdził, że początkowo bardzo się bał, bo wiedział, jak marny z niego księgowy. Ale był zdesperowany i... — *Maggiore* zawiesił głos, po czym podjął swą opowieść na nowo: — Kilka tygodni później... tak mi powiedział... w biurze odwiedził go jakiś mężczyzna, który słyszał, że może być zainteresowany pracą na własną rękę, bez przejmowania się kwitami, a jeśli tak, to ma dla niego zlecenie. — Brunetti milczał, więc Guarino ciągnął dalej. — Mężczyzna, z którym rozmawiał, mieszka tutaj. — Poczekał na reakcję komisarza, po czym dodał: — Właśnie dlatego tu jestem.

— Kto to taki?

Carabiniere podniósł rękę, jakby chciał odsunąć od siebie to pytanie.

— Nie wiemy. Powiedział, że ten mężczyzna nigdy się nie przedstawił, a on nie pytał. Istniały konosamenty na wypadek, gdyby zatrzymano ciężarówki, ale wszystko, co na nich napisano, było fałszem. Powiedział mi o tym, o miejscu przeznaczenia, o ładunkach przewożonych w ciężarówkach.

— A co w nich przewożono?

— To nieistotne. Przyszedłem tu, ponieważ został zamordowany.

— Mam wierzyć, że jedno nie ma żadnego związku z drugim?

— Nie. Ale proszę, żeby mi pan pomógł znaleźć jego zabójcę. Ta druga sprawa pana nie dotyczy.

— Jego zabójstwo też mnie nie dotyczy — odparł łagodnie Brunetti. — Mój zwierzchnik zadbał o to, gdy do niego doszło: uznał, że to sprawa okręgowa i należy ją prowadzić w Mestre, które sprawuje nadzór administracyjny nad Tesserą — dodał z zamierzoną drobiazgowością.

Guarino wstał po to tylko, żeby podejść do okna, tak jak czynił Brunetti w trudnych chwilach. On wpatrywał się w kościół, a komisarz — w ścianę gabinetu.

Carabiniere wrócił i znowu usiadł na krześle.

— Jedyne, co wiem od niego o tym mężczyźnie, to to, że był młody... blisko trzydziestoletni... przystojny i ubrany w drogie rzeczy. Chyba użył słowa „po szpanersku".

Brunetti powstrzymał się przed stwierdzeniem, że większość trzydziestoletnich Włochów jest przystojna i ubrana w drogie rzeczy. Zamiast tego zapytał:

— Skąd wiedział, że tamten tu mieszka? — Coraz trudniej było mu ukryć rosnące niezadowolenie z faktu, że Guarino unika konkretów.

— Niech pan mi wierzy. To prawda.

— Nie jestem pewien, czy to to samo.

— Co?

— Wierzenie panu i wierzenie pańskim informacjom.

Maggiore zastanawiał się nad tym stwierdzeniem.

— Raz, gdy ten człowiek był z wizytą w Tesserze, w momencie gdy wchodzili do biura, ktoś do niego zadzwonił. Wrócił na korytarz, żeby porozmawiać, ale nie zamknął za sobą drzwi. Wskazywał drogę swojemu rozmówcy i kazał mu popłynąć „jedynką" do San Marcuola i zatelefonować, gdy wysiądzie. Tam mieli się spotkać.

— Na pewno mówił o San Marcuola? — zapytał Brunetti?

— Tak.

Guarino zerknął na komisarza i znowu się uśmiechnął.

— Chyba powinniśmy przestać się przekomarzać — rzekł. Wyprostował się na krześle i zapytał: — Zaczniemy wszystko od nowa, Guido? — Na potwierdzające skinienie Brunettiego dodał: — Mam na imię Filippo. — Wypowiedział je niczym propozycję zawarcia pokoju i Brunetti postanowił tak to potraktować.

— A jak się nazywał ten nieboszczyk? — nie ustępował w swej dociekliwości.

Guarino odparł bez wahania:

— Ranzato. Stefano Ranzato.

Bardziej szczegółowe wyjaśnienie przyczyn upadku Ranzata z pozycji przedsiębiorcy do roli najpierw oszusta podatkowego, a potem szpiega i wreszcie trupa zabrało majorowi trochę czasu. Gdy skończył, Brunetti zapytał, jak gdyby wcześniej *maggiore* nie odmówił odpowiedzi w tej sprawie:

— A co było w ciężarówkach?

Zdawał sobie sprawę, że nadszedł moment prawdy: albo Guarino mu powie, albo nie. Był bardzo ciekaw, jakiego wyboru dokona major.

— Nigdy nie wiedział, co przewozi — odparł *carabiniere*, po czym widząc minę Brunettiego, dodał: — Tak przynajmniej mi mówił. Nigdy go o tym nie informowano, a kierowcy też nic nie mówili. Otrzymywał telefon, po czym wysyłał ciężarówki tam, gdzie mu kazano. Wszystko było w porządku: zgodnie z konosamentami. Twierdził, że bardzo często wszystko wydawało mu się legalne, przewozy odbywały się z fabryki do pociągu lub z magazynu do portu w Trieście bądź Genui. I że na początku było to dla niego prawdziwym wybawieniem — Brunetti usłyszał, jak *carabiniere* zająknął się przy tym słowie — ponieważ wpływów nie odnotowywano w księgach. — Komisarz miał wrażenie, że Guarino bardzo chętnie siedziałby u niego bez końca, rozmawiając o firmie nieboszczyka. Przerwał mu pytaniem:

— Wszystko to nie tłumaczy jednak, dlaczego tutaj trafiłeś, prawda?

Zamiast odpowiedzieć, Guarino rzekł:

— Myślę, że to daremna pogoń.

— Spróbuj wyrażać się trochę bardziej konkretnie, a wtedy być może zajmiemy się tą sprawą — zaproponował Brunetti.

— Pracuję dla Patty — odparł major z nagłym wyrazem zmęczenia na twarzy, po czym dodał tytułem wyjaśnienia: — Czasem wydaje mi się, że wszyscy pracują dla niego. Aż do dzisiejszego spotkania nie znałem jego nazwiska, ale rozpoznałem go natychmiast. Jest moim szefem i przypomina większość tych, których miałem. Twój po prostu przez przypadek też nazywa się Patta.

— Miałem kilku o innych nazwiskach, tyle że charakter mieli taki sam — odparł Brunetti.

Uśmiech majora w odpowiedzi na jego słowa pomógł im obu znowu się rozluźnić.

Guarino odetchnął z ulgą, spostrzegłszy, że Brunetti zrozumiał, i ciągnął dalej:

— Mój szef... to znaczy mój Patta... wysłał mnie tu w poszukiwaniu człowieka, który odebrał telefon w biurze Ranzata.

— Liczy zatem, że popłyniesz do San Marcuola, staniesz przed kościołem, wykrzykniesz „Ranzato" i sprawdzisz, kto ma minę winowajcy?

— Nie — odparł z powagą Guarino. Podrapał się po uchu i rzekł: — Żaden z ludzi w moim wydziale nie jest wenecjaninem. — W reakcji na zaskoczoną minę komisarza dodał: — Niektórzy z nas pracują tu od lat, ale to nie to samo, co urodzić się w tym mieście. Wiesz o tym. Sprawdziliśmy rejestry aresztowanych w poszukiwaniu kogoś, kto mieszka koło San Marcuola i ma na koncie akty przemocy, ale jedyni dwaj, jakich znaleźliśmy, są w mamrze. Potrzebujemy więc pomocy miejscowych, takich informacji, jakie wy macie lub możecie zdobyć, a my nie potrafimy.

— Nie wiesz, gdzie szukać tego, czego chcesz się dowiedzieć — zauważył komisarz, rozkładając przed sobą dłoń. — Ja zaś nie wiem, co przewożono w tych ciężarówkach — ciągnął dalej, wyciągając drugą. Poruszył nimi w górę i w dół niczym szalami wagi.

Guarino posłał mu spokojne spojrzenie, po czym rzekł:

— Nie wolno mi o tym mówić.

Zachęcony jego szczerością, Brunetti zmienił kierunek rozmowy.

— Rozmawiałeś z jego rodziną?

— Nie. Jego żona jest zdruzgotana. Człowiek, który

62

z nią rozmawiał, powiedział, że na pewno nie udawała. Nie miała pojęcia o tym, co robił. Jej syn też nie, a córka przyjeżdża do domu tylko dwa lub trzy razy w roku. — Major pozwolił komisarzowi ocenić przez chwilę tę informację, a potem dodał: — Ranzato powiedział mi, że oni nie wiedzą, i wierzyłem mu. I nadal wierzę.

— Kiedy z nim rozmawiałeś? Mam na myśli ostatnią rozmowę.

Guarino spojrzał mu prosto w oczy.

— Dzień przedtem, zanim umarł. To znaczy został zamordowany.

— No i?

— Powiedział, że chce to zakończyć, że przekazał nam już wystarczająco dużo informacji i nie chce tego dłużej robić.

— Z tego, co mi powiedziałeś — stwierdził beznamiętnie Brunetti — nie wydaje mi się, by tych informacji było dużo. — Guarino udał, że tego nie słyszał, więc komisarz postanowił wbić mu szpilę i rzekł: — Równie mało otrzymuję od ciebie.

Carabiniere znowu zignorował przytyk. Brunetti zapytał:

— Sprawiał wrażenie zdenerwowanego?

— Nie bardziej niż zwykle — odparł spokojnie Guarino, dodając niemal niechętnie: — Nie był człowiekiem odważnym.

— Tylko nieliczni z nas są odważni.

Major spojrzał na niego ostro i wydawało się, że zbył to spostrzeżenie wzruszeniem ramion.

— Tego nie wiem — odparł — ale Ranzato do odważnych nie należał.

— Przecież nie miał ku temu powodu, prawda? — zapytał komisarz, broniąc tyleż nieboszczyka, co tej zasady. — Siedział po uszy w kłopotach: najpierw oszukiwał na podatkach, co zmusiło go do złamania prawa, potem został przyłapany przez Guardia di Finanza, która przekazała go *carabinieri*, oni zaś zmusili go do niebezpiecznych działań. Nie miał żadnego powodu, by być odważnym.

— Wygląda na to, że strasznie mu współczujesz — zauważył Guarino, w którego ustach zabrzmiało to jak zarzut.

Tym razem to Brunetti wzruszył ramionami i nic nie powiedział.

Rozdział 4

Wobec milczenia Brunettiego Guarino postanowił odejść od tematu cech charakteru nieboszczyka.

— Powiedziałem już, że nie mam prawa przekazywać ci pełnych informacji o przewożonych ładunkach — rzekł z czymś więcej niż odrobiną surowości.

Komisarz oparł się chęci zauważenia, że wszystko, co Guarino powiedział od początku rozmowy, wyraźnie o tym świadczyło. Oderwał wzrok od swojego gościa i spojrzał ku oknu. Przez pewien czas *carabiniere* nie przerywał ciszy. Brunetti odtworzył w myślach całą rozmowę i niewiele z tego, co usłyszał, przypadło mu do gustu.

Cisza się przedłużała, lecz Guarino nie zdradzał oznak zdenerwowania tym faktem. Po niezmiernie, jak mu się wydawało, długim czasie Brunetti ściągnął nogi z szuflady i postawił je na podłodze. Pochylił się ku mężczyźnie siedzącemu po drugiej stronie biurka i zapytał:

— Czy przywykłeś do kontaktów z tępymi ludźmi?

— Tępymi?

— Tępymi. Wolno kojarzącymi.

Guarino spojrzał, niemal wbrew swej woli, na komisarza, który uśmiechnął się do niego beznamiętnie, po czym z powrotem skupił uwagę na kontemplowaniu widoku za oknem.

— Chyba tak — odparł w końcu major.

— Z czasem pewnie wchodzi to w krew — zauważył dość uprzejmie Brunetti, choć nie raczył się uśmiechnąć.

— Wiara, że wszyscy są tępakami?

— Coś w tym rodzaju, owszem, a przynajmniej, że zachowują się tak, jakby nimi byli.

Guarino zastanowił się nad tym i w końcu rzekł:

— Tak, rozumiem. Obraziłem cię?

Brwi komisarza uniosły się i opadły jakby samowolnie; prawa ręka zakreśliła w powietrzu łuk.

— Rzeczywiście — rzekł *carabiniere* i umilkł.

Przez wiele minut siedzieli w kojącej ciszy, dopóki major jej nie przerwał:

— Ja naprawdę p r a c u j ę dla Patty. — Wobec braku reakcji Brunettiego Guarino dodał: — Cóż, dla mojego Patty. On zaś nie upoważnił mnie do mówienia komukolwiek o tym, co robimy.

Brak upoważnienia nigdy poważnie nie przeszkadzał komisarzowi w profesjonalnym zachowaniu, powiedział więc zupełnie życzliwym głosem:

— W takim razie możesz wyjść.

— Co?

— Możesz wyjść — powtórzył komisarz, wskazując drzwi ruchem ręki równie przyjaznym jak głos. — A ja wrócę do swoich obowiązków, które z przyczyn administracyjnych, jak już ci wyłuszczyłem, nie obejmują dochodzenia w sprawie morderstwa signora Ranzato. — Guarino pozostał na krześle. Brunetti dodał: — Twoja opowieść była bardzo ciekawa, ale nie mam dla ciebie żadnych informacji i nie widzę powodu, by pomóc ci znaleźć to, czego tak naprawdę szukasz.

Gdyby go spoliczkował, Guarino nie byłby bardziej zaskoczony. I obrażony. Zaczął wstawać, ale opadł z powrotem na krzesło i spojrzał na komisarza. Twarz majora nagle spłonęła rumieńcem zażenowania albo gniewu; Brunettiemu było to zupełnie obojętne. W końcu *carabiniere* rzekł:

— Nie mamy przypadkiem jakiegoś wspólnego znajomego? Może zadzwonisz do tego człowieka i z nim porozmawiasz?

— Zwierzę, warzywo czy minerał? — zapytał komisarz.

— Słucham?

— Kiedyś grały w to moje dzieci. Do kogo powinniśmy zadzwonić: do księdza, lekarza czy pracownika opieki społecznej?

— Może do jakiegoś prawnika?

— Któremu ufam? — zapytał Brunetti, wykluczając tym samym tę możliwość.

— Do dziennikarza?

Po namyśle komisarz rzekł:

— Jest ich kilku.

— Dobrze, w takim razie sprawdźmy, czy uda nam się znaleźć takiego, którego obaj znamy.

— I który nam obu ufa?

— Tak — odparł Guarino.

— I myślisz, że to mi wystarczy? — zdziwił się Brunetti, zabarwiając głos niedowierzaniem.

— Przypuszczam, że to by zależało od naszego wybrańca — zauważył łagodnie Guarino.

Przeanalizowawszy kilka nazwisk, które nic nie mówiły jednej lub drugiej stronie, odkryli, że obaj znają i darzą zaufaniem Beppego Avisani, rzymskiego dziennikarza śledczego.

— Pozwól, że do niego zadzwonię — zaproponował Guarino, obchodząc biurko i stając obok komisarza.

Brunetti wybrał numer Avisaniego na swym biurowym telefonie i przycisnął guzik włączający głośnik.

Telefon zadzwonił cztery razy, po czym dziennikarz odebrał i podał swoje nazwisko.

— Beppe, *ciao*, to ja, Filippo — rzekł Guarino.

— Dobry Boże, czy Republika Włoska jest w niebezpieczeństwie i mam jedną jedyną szansę ocalenia jej, odpowiadając na twoje pytania? — zapytał dziennikarz z udawanym namaszczeniem. Potem, naprawdę serdecznie, dodał: — Jak się masz, Filippo? Nie będę pytał, co robisz, ale powiedz, jak się masz?

— Świetnie. A ty?

— Tak dobrze, jak można się spodziewać — odparł Avisani, popadając w ton rozpaczy, który Brunetti tak często słyszał u niego na przestrzeni lat. Potem, rozpromieniając się, ciągnął dalej: — Nigdy nie dzwonisz bez potrzeby, oszczędź więc nam czasu i mów, o co chodzi. — Jego słowa były szorstkie, ale ton łagodny.

— Jestem w towarzystwie twojego znajomego — wyjaśnił Guarino. — I chciałbym, żebyś mu powiedział, że można mi zaufać.

— To dla mnie zbyt duży zaszczyt, Filippo — odparł Avisani z figlarną pokorą. Usłyszeli szelest papieru, po czym z głośnika znowu dobiegł głos dziennikarza: — *Ciao*, Guido. Na moim aparacie wyświetlił się wenecki numer, z notesu wyczytałem właśnie, że to komenda, a przecież Bóg mi świadkiem, iż jesteś tam jedyną osobą, która obdarzyłaby mnie zaufaniem.

— Mogę mieć nadzieję, że powiesz, iż tylko mnie tutaj byś zaufał?

Avisani roześmiał się.

— Pewnie żaden z was w to nie uwierzy, ale miewałem już dziwniejsze telefony.

— A więc? — zapytał Brunetti, próbując nie tracić czasu.

— Zaufaj mu — odparł bez wahania i dalszych wyjaśnień dziennikarz. — Znam Filippa od dawna i należy mu ufać.

— To wszystko?

— Wystarczy — rzekł Avisani i odłożył słuchawkę. Guarino usiadł z powrotem na krześle.

— Zdajesz sobie sprawę, czego jeszcze dowiodła ta rozmowa? — zapytał Brunetti.

— Tak — odparł major — tego, że mogę ci ufać. — Skinął głową, wydawało się, że przyswaja sobie tę informację, po czym kontynuował poważniejszym głosem: — Mój wydział bada przestępczość zorganizowaną, a zwłaszcza jej przenikanie na północ. — Chociaż *carabiniere* mówił szczerze i chyba wreszcie mówił prawdę, komisarz zachowywał ostrożność. Guarino zakrył twarz dłońmi i wykonał gest obmywania. Brunetti pomyślał wtedy o szopach praczach, próbujących wypłukać pokarm przed spożyciem. Szopy pracze, nieuchwytne stworzenia.

— Ponieważ problem jest tak złożony, postanowiono podejść do niego, stosując nowe metody.

Komisarz podniósł ostrzegawczo dłoń i zauważył:

— To nie jest zebranie. Możesz używać normalnego języka.

Guarino parsknął niezbyt przyjemnym dla ucha śmiechem.

— Po siedmiu latach pracy w miejscu, w którym pracuję, nie jestem pewien, czy jeszcze wiem, jak to się robi.

— Spróbuj. To wyrabia charakter.

Jakby w próbie usunięcia z pamięci wszystkiego, co dotychczas mówił, *carabiniere* wyprostował się na krześle i zaczął po raz trzeci:

— Niektórzy z nas usiłują im przeszkodzić w przenosinach na północ. Chyba trudno mieć nadzieję, że to się uda. — Wzruszył ramionami i mówił dalej: — Mój wydział stara się ich powstrzymać przed robieniem pewnych rzeczy, gdy już tutaj dotrą.

Brunetti zdał sobie sprawę, że sednem wizyty majora są owe wciąż nieujawnione „pewne rzeczy".

— Na przykład przed przewożeniem ładunków, których nie należy przewozić? — zapytał.

Przyglądał się, jak jego gość zmaga się z nawykiem powściągliwości, nie chciał go w żaden sposób zachęcać.

Potem, jakby nagle zmęczył się tą zabawą w kotka i myszkę z komisarzem, Guarino dodał:

— Przewożeniem, ale nie kontrabandą. Śmieci.

Komisarz z powrotem oparł stopy na brzegu wysuniętej szuflady i rozsiadł się wygodnie w fotelu. Przez pewien czas przyglądał się bacznie drzwiom *armadio* i w końcu zapytał:

— Tym wszystkim kieruje camorra, prawda?

— Na południu, oczywiście.

— A tutaj?

— Jeszcze nie, ale jest coraz więcej dowodów jej aktywności. Nie jest jednak jeszcze tak źle jak w Neapolu.

Brunetti pomyślał o artykułach na temat dotkniętego nieszczęściem miasta, uparcie wypełniających łamy gazet w okresie świąt Bożego Narodzenia, o górach niewywiezionych śmieci, sięgających niekiedy pierwszych pięter budynków. Któż nie oglądał w telewizji, jak zrozpaczeni mieszkańcy palą nie tylko cuchnące sterty odpadków, ale i kukłę swojego burmistrza? I któż nie był wstrząśnięty widokiem wojska posłanego, by przywrócić porządek w czasach pokoju?

— Co teraz? — zapytał. — ONZ-towscy rozjemcy?

— Mogliby mieć gorzej — odparł Guarino, po czym gniewnie dodał: — Naprawdę mają gorzej.

Ponieważ śledztwo w sprawie ekomafii prowadzili *carabinieri*, komisarz zawsze reagował na tę sytuację jako obywatel, jeden z bezradnych milionów, które oglądały w wiadomościach telewizyjnych śmieci tlące się na ulicach oraz ministra ochrony środowiska udzielającego reprymendy neapolitańczykom za to, że nie segregują śmieci, i burmistrza poprawiającego stan środowiska naturalnego zakazem palenia w publicznych parkach.

— Czy właśnie w to był zamieszany Ranzato?

— W zasadzie tak — odrzekł major. — Ale nie w sprawę worków na ulicach Neapolu.

— Więc w co?

Guarino znieruchomiał, jakby jego nerwowe ruchy były objawem wcześniejszej pokrętności w odpowiedziach na pytania Brunettiego i teraz przestały być potrzebne.

— Część jego ciężarówek jeździła do Niemiec i Francji, żeby zabrać ładunek, przewieźć go na południe, a potem wrócić tutaj z owocami i warzywami. — Chwilę później dawny Guarino dodał: — Nie powinienem był ci o tym mówić.

— Raczej nie jeździły po worki ze śmieciami z ulic Paryża i Berlina — zauważył nieporuszony komisarz.

Carabiniere pokręcił głową.

— Odpady przemysłowe, chemiczne lub... — zaczął wyliczać Brunetti.

Guarino dokończył za niego:

— ...lub medyczne, często radiologiczne.

— I dokąd one trafiały?

— Część do portów, a stamtąd do każdego państwa Trzeciego Świata, które chciało je przyjąć.

— A reszta?

Zanim major odpowiedział, podciągnął się na krześle.

— Śmieci są zostawiane na ulicach w Neapolu. Na tamtejszych wysypiskach i w spalarniach nie ma już miejsca, ponieważ zajmują się one spalaniem tego, co przyjeżdża z północy. Nie tylko z Lombardii i Veneto, ale również z każdej fabryki, która jest skłonna zapłacić za ich wywóz i brak dociekliwości.

— Ile takich dostaw zrealizował Ranzato?

— Mówiłem ci już, że słabo sobie radził z prowadzeniem rejestrów.

— I nie mogłeś... — zaczął Brunetti. Cofnął się przed użyciem słowa „zmusić" i zadowolił: — ...zachęcić go, żeby ci powiedział?

— Nie.

Komisarz zachował milczenie.

— Podczas jednej z naszych ostatnich rozmów wyznał, że żałuje niemal, iż nie mogę go aresztować i przeszkodzić mu w tym, co robi.

— Wtedy pisała już o tym cała prasa, prawda?

— Tak.

— Rozumiem.

Głos Guarina złagodniał.

— Wtedy byliśmy już... niezupełnie przyjaciółmi, ale kimś w tym rodzaju i rozmawiał ze mną otwarcie. Początkowo się mnie bał, ale pod koniec bał się ich i tego, co mu zrobią, jeżeli się dowiedzą, że z nami rozmawia.

— Wygląda na to, że się dowiedzieli.

Słowa komisarza lub jego ton powstrzymały Guarina, który w milczeniu posłał mu surowe spojrzenie.

— Chyba że to był napad rabunkowy — rzekł po chwili całkiem spokojnie, sygnalizując, że najlepszą miarą ich przyjaźni jest pozorne zaufanie.

— Oczywiście.

Brunetti, choć z natury był człowiekiem litościwym, nie tolerował spóźnionych wyrzutów sumienia: większość ludzi — choćby temu stanowczo zaprzeczali — od początku wiedziała, w co się pakuje.

— Od razu musiał wiedzieć, z kim lub przynajmniej z czym ma do czynienia — zauważył. — I czego od niego oczekują. — Mimo wszystkich zapewnień Guarina Brunetti sądził, że Ranzato doskonale zdawał sobie sprawę z tego, co przewożą jego ciężarówki. Poza tym całe to gadanie o żalu było właśnie tym, co ludzie chcieli usłyszeć. Zawsze zdumiewała go ludzka skłonność do ulegania czarowi skruszonego grzesznika.

— Być może to prawda, ale tego mi nie powiedział — odparł *maggiore*, przypominając Brunettiemu, jak opiekuńczy sam się stał w stosunku do ludzi, których wykorzystywał, czasem wbrew ich woli, jako informatorów.

Guarino mówił dalej.

— Twierdził, że chce przestać dla nich pracować. Nie powiedział, co go skłoniło do podjęcia tej decyzji, ale cokolwiek stało się przyczyną, było jasne... przynajmniej dla mnie... że nie dawało mu to spokoju. Wtedy właśnie wspomniał, że chce zostać aresztowany. Żeby to się mogło skończyć.

Komisarz powstrzymał się przed sugestią, że rzeczywiście się skończyło. Nie zadał sobie również trudu, by zauważyć, że świadomość niebezpieczeństwa bardzo często sprowadza ludzi na drogę cnoty. Tylko jakiś pustelnik mógł pozostać nieświadomy *emergenza spazzatura*, które przyciągnęło uwagę całego kraju w ostatnich tygodniach życia Ranzata.

Czy Guarino miał zakłopotaną minę? Czy może zirytowała go nieczułość Brunettiego? Żeby podtrzymać rozmowę, komisarz zapytał:

— Kiedy dokładnie rozmawiałeś z nim po raz ostatni?

Major przechylił się na krześle i wyjął mały czarny notes. Otworzył go i polizał palec wskazujący, po czym szybko przerzucił kartki.

— To było siódmego grudnia. Pamiętam, bo powiedział, że jego żona chce, by następnego dnia poszedł z nią na mszę. — Nagle ręka mu opadła i notes plasnął o jego udo. — *Oddio* — szepnął.

Pobladł nagle, zamknął oczy i zacisnął usta. Przez chwilę Brunetti myślał, że *carabiniere* może zemdleć. Albo się rozpłakać.

— Co się stało, Filippo? — zapytał, opuszczając stopy na podłogę i pochylając się do przodu z na wpół uniesioną ręką.

Guarino zamknął notes. Położył go na kolanach i nie odrywając od niego wzroku, rzekł:

— Pamiętam. Powiedział, że jego żona ma na imię Immacolata i że ósmego, w swoje imieniny, zawsze chodzi na mszę.

Brunetti nie miał pojęcia, dlaczego ta informacja okazała się tak przygnębiająca dla *carabiniere*, dopóki ten nie dodał:

— Powiedział mi, że to jedyny dzień w roku, w którym prosiła, by szedł z nią na mszę i przyjmował komunię. Tak więc następnego ranka miał zamiar iść do spowiedzi, przed nabożeństwem. — Guarino podniósł notes i wsunął go z powrotem do kieszeni.

— Mam nadzieję, że poszedł — rzekł odruchowo Brunetti.

Rozdział 5

Potem żaden z nich nie wiedział, co powiedzieć. Brunetti wstał i podszedł na moment do okna, by się uspokoić, jak również po to, żeby zapewnić chwilę spokoju majorowi. Będzie musiał powtórzyć Paoli, co powiedział, jak wymknęło mu się to zupełnie nieświadomie.

Usłyszał, jak Guarino chrząka i — jakby obaj zawarli dżentelmeńską umowę, by zakończyć dyskusję o Ranzacie i o tym, co mógł wiedzieć — mówi:

— Powiedziałem ci już: ponieważ został zabity, a jedynym ogniwem łączącym go z mężczyzną, dla którego pracował, jakim dysponujemy, jest wzmianka o San Marcuola, potrzebna nam twoja pomoc. Tylko wy tutaj, w Wenecji, możecie nam powiedzieć, czy mieszka tu ktoś, kto mógłby być zamieszany w... w podobny proceder. — Nie zabrzmiało to jak koniec wypowiedzi, więc Brunetti zachował milczenie. Po chwili *carabiniere* dodał: — Nie wiemy, kogo szukamy.

— Czy signor Ranzato pracował tylko dla tego jednego człowieka? — zapytał komisarz, odwracając się twarzą do majora.

— Tylko o nim mi powiedział — odparł Guarino.

— To nie to samo, prawda?

— Myślę, że tak. Pamiętaj, że jeśli nawet się nie zaprzyjaźniliśmy, to przynajmniej staliśmy się sobie bliscy. Rozmawialiśmy o wszystkim.

— Na przykład?

— Powiedziałem mu, że ma wielkie szczęście, że jest mężem kobiety, którą tak bardzo kocha — rzekł Guarino głosem, który zadrżał przy ostatnim słowie.

— Rozumiem.

— I mówiłem to poważnie — dodał major, a Brunetti dostrzegł w tym wyznaniu niechętne samoobjawienie. — Nie chodziło mi o zdobycie jego zaufania. — Poczekał, by się upewnić, że Brunetti zrozumiał tę różnicę, po czym dodał: — Może tak sytuacja wyglądała na początku, ale z upływem czasu nasze wzajemne stosunki się zmieniły.

— Poznałeś jego żonę albo widziałeś ją?

— Nie. Ale jej zdjęcie stało na biurku. Chciałbym z nią porozmawiać, ale nie możemy się z nią kontaktować ani zdradzić, że kiedykolwiek kontaktowaliśmy się z nim.

— Skoro go zabili, to chyba już o tym wiedzieli, nie sądzisz? — zapytał Brunetti, nieskory do okazania litości.

— Być może — przyznał dość niechętnie Guarino, po czym poprawił się, dodając: — Prawdopodobnie. — Jego głos stał się nieco mocniejszy. — Ale takie są zasady. Nie możemy uczynić niczego, co mogłoby ją narazić.

— Oczywiście — rzekł komisarz i powstrzymał się przed spostrzeżeniem, że tym zajęto się już w całej rozciągłości. Wrócił za biurko. — Nie wiem, na ile będziemy w stanie ci pomóc, ale rozpytam się i obejrzę akta. Muszę przyznać, że w tej chwili nikt mi nie przychodzi na myśl. — Z faktu, że użył zwrotu „rozpytam się", można było wywnioskować, że wszystkie działania poza zwykłym przejrzeniem akt będą podejmowane pobieżnie i prywatnie: rozmowy z informatorami, aluzje, pogawędki w barach. — Jednakże — dodał Brunetti — Wenecja nie jest najlepszym miejscem do wyszukiwania informacji o przewozach towarów ciężarówkami.

Guarino zerknął na komisarza, na próżno doszukując się sarkazmu w jego słowach.

— Będę wdzięczny za wszystkie informacje, jakich możesz mi udzielić — rzekł. — Nie wiemy, co począć. Zawsze tak jest, gdy próbujemy pracować w miejscu, gdzie nie wiemy... — Majorowi odjęło mowę.

Komisarz pomyślał, że *carabiniere* równie dobrze mógł się powstrzymać przed wypowiedzeniem słów „komu możemy zaufać", jak i zupełnie innych.

— Dziwne, że nigdy nie urządził tego tak, byś mógł się przyjrzeć temu człowiekowi — zauważył. — Ostatecznie wiedziałeś o nim od dawna.

Guarino milczał.

Brunetti zdał sobie sprawę, że należałoby zadać mnóstwo pytań. Czy kiedykolwiek zatrzymano którąś ciężarówkę i poproszono kierowcę o okazanie dokumentów? A gdyby doszło do wypadku, to co?

— Rozmawiałeś z tymi kierowcami?

— Tak.

— No i?

— I niewiele nam pomogli.

— Co to znaczy?

— Mogło się zdarzyć, że jeździli tam, gdzie kazano im jeździć, i nie zastanawiali się nad tym. — Mina Brunettiego dowodziła, jak wiarygodne jest dla niego to wyjaśnienie, więc Guarino dodał: — Albo że zamordowanie Ranzata pomogło wymazać to z ich wspomnień.

— Myślisz, że warto spróbować się tego dowiedzieć?

— Wydaje mi się, że nie. Ludzie tutaj nie mają bezpośrednich doświadczeń w kontaktach z camorrą, ale już się nauczyli nie sprawiać jej kłopotów.

— Jeżeli tak jest już teraz, to nie ma szans ich powstrzymać, prawda?

Guarino wstał i nachylił się nad biurkiem, żeby uścisnąć dłoń Brunettiemu.

— Możesz się ze mną skontaktować w komendzie w Margherze.

Komisarz podał mu rękę.

— Rozpytam się.

— Byłbym wdzięczny. — *Carabiniere* posłał Brunettiemu przeciągłe spojrzenie, skinął głową, jakby mu wierzył, ruszył szybko do drzwi i spokojnie wyszedł na korytarz.

— Ojej! Ojej! Ojej! — mruknął pod nosem Brunetti. Przez jakiś czas siedział przy biurku, zastanawiając się nad tym, co usłyszał, po czym zszedł do biura signoriny Elettry. Gdy wchodził, uniosła wzrok znad monitora. Zimowe słońce wlewało się przez okno, oświetlając róże, które komisarz widział wcześniej, oraz jej bluzkę, przy której róże wyglądały na nieświeże.

— Jeżeli ma pani czas, chciałbym poprosić, żeby pani coś sprawdziła — powiedział.

— Dla pana czy dla maggior Guarino? — zapytała.

— Chyba dla nas obu — odparł, świadom ciepła, z jakim wymówiła nazwisko tamtego.

— W grudniu jakiś człowiek nazwiskiem Ranzato, Stefano Ranzato, został zabity w swoim biurze w Tesserze — wyjaśnił. — Podczas napadu rabunkowego.

— Tak, pamiętam — odparła, a potem zapytała: — Czy *maggiore* kieruje śledztwem?

— Tak.

— Jak mogę wam pomóc? — zapytała.

— Major ma powody, żeby sądzić, iż zabójca mieszka niedaleko San Marcuola. — Guarino mówił mu coś trochę innego, ale było to w miarę zgodne z prawdą. — *Maggiore*, jak zauważyłaś, nie jest wenecjaninem. Okazuje się również, że w jego oddziale nie ma wenecjan.

— O! — wykrzyknęła. — Nieskończona mądrość *carabinieri*.

— Sprawdzili już rejestry aresztowań dla okolic San Marcuola — ciągnął dalej Brunetti, jakby jej nie słyszał.

— Za przestępstwa z użyciem przemocy czy za napaści? — zapytała Elettra.

— Wydaje mi się, że za jedne i drugie.

— Czy *maggiore* powiedział coś jeszcze o mordercy?

— Że miał około trzydziestu lat, był przystojny i ubrany w kosztowne rzeczy.

— Cóż, to ogranicza ich liczbę do blisko miliona.

Brunetti nie raczył odpowiedzieć.

— San Marcuola, co? — upewniła się Elettra. Siedziała przez jakiś czas w milczeniu. Czekając, komisarz spostrzegł, jak dotyka mankietu i guzika, na który był zapięty. Było po jedenastej, a mimo to na żadnym ze sztywnych mankietów jej bluzki nie było widać zmarszczek. Czy powinien ją przestrzec przed ryzykiem skaleczenia nadgarstków o ich ostre brzegi?

Sekretarka Patty przechyliła głowę i zerknęła na kawałek ściany nad drzwiami gabinetu szefa, jedną ręką leniwie rozpinając i zapinając ten sam mankiet.

— W grę mogą wchodzić lekarze — zauważył po pewnym czasie Brunetti.

Spojrzała nań z nieskrywanym zdziwieniem i uśmiechnęła się.

— Ach, oczywiście — powiedziała z uznaniem. — O tym nie pomyślałam.

— Nie wiem, czy Barbara... — podpowiedział komisarz, wspominając o jej siostrze, lekarce, która rozmawiała już z nim w przeszłości, lecz zawsze wyraźnie rozróżniała, co mogła i czego nie mogła powiedzieć policji.

Signorina Elettra odpowiedziała natychmiast.

— Nie sądzę, byśmy musieli ją pytać. Znam dwóch lekarzy, którzy mają w pobliżu gabinety. Ich zapytam. Ludzie z nimi rozmawiają, może więc coś słyszeli. — W odpowiedzi na spojrzenie Brunettiego dodała: — Barbara i tak właśnie ich by zapytała.

Komisarz skinął głową i rzekł:

— Zapytam na dole w pokoju odpraw. — Siedzący tam policjanci znali życiorysy mieszkańców okolic, które patrolowali. Odwracając się do wyjścia, zawahał się, jakby coś sobie przypomniał, i dodał: — I jeszcze jedno, *signorina*.

— Słucham, *commissario*.

— Chodzi o wątek innego śledztwa, cóż, niezupełnie śledztwa, lecz sprawy, o której zbadanie mnie poproszono. Chciałbym, żeby pani spróbowała dowiedzieć się czegoś o tutejszym przedsiębiorcy Maurizio Cataldzie.

Jej „aha" mogło oznaczać cokolwiek.

— I o jego żonie, jeśli coś o niej wiadomo.

— To Franca Marinello, panie komisarzu? — upewniła się, pochyliwszy głowę nad kartką, na której zapisała nazwisko Cataldo.

— Owszem.

— Coś szczególnego?

— Nie — zaprzeczył Brunetti, po czym natychmiast wyjaśnił: — To, co zwykle: firma, inwestycje.

— Interesuje pana ich życie osobiste, *commissario*?

— Nie, nieszczególnie — odparł komisarz i szybko dodał: — Jeżeli jednak znajdzie pani coś, co może być interesujące, proszę to odnotować, dobrze?

— Przyjrzę się.

Podziękował jej i wyszedł.

Rozdział 6

Wracając po schodach do swojego gabinetu, Brunetti pobiegł myślami od nieboszczyka do ludzi, których spotkał na uroczystej kolacji poprzedniego wieczoru. Uznał, że sprawa wypytywania Paoli o plotki — chyba najlepiej uczciwie nazwać to po imieniu — krążące o Cataldzie i jego żonie — może poczekać do końca obiadu.

Styczeń ukazał tego roku swe nieżyczliwe oblicze i nękał miasto wilgocią i zimnem. Szare chmury, które poskąpiły górom śniegu a zarazem utrzymywały temperaturę na poziomie wystarczająco wysokim, by tworzyła się mgła, lecz nie padał deszcz, zasnuły niebo nad północnymi Włochami.

Tym samym na ulicach od tygodni utrzymywał się brudny pył, mimo że co wieczór pokrywała je kleista warstwa skroplonej pary. Jedyna *acqua alta*, cztery dni wcześniej, przesunęła tylko ziemię i warstwę brudu, a ulice nie stały się od tego czystsze. Powietrze napływające od strony lądu, nierozproszone przez borę lub tramontanę, stopniowo przesunęło się na wschód i teraz rozprzestrzeniło się po całym mieście, codziennie podnosząc poziom zanieczyszczeń i pokrywając Wenecję chemicznymi miazmatami nieokreślonego rodzaju.

W reakcji na tę sytuację Paola poprosiła, by ściągali buty przed wejściem, tak więc podest przed drzwiami dostatecznie dobrze wskazywał, czy cała reszta rodziny dotarła do domu przed nim.

— Superdetektyw — powiedział głośnym szeptem, schylając się, żeby rozsznurować buty; ustawił je obok siebie na lewo od drzwi i wszedł do mieszkania.

Usłyszał głosy w kuchni i skierował się ku nim, poruszając się bezgłośnie.

— Ale w gazecie piszą — głos Chiary był pełen zażenowania i niemałej irytacji — że przekroczone zostały prawnie dopuszczalne granice. Tak tu jest napisane. — Brunetti usłyszał plaśnięcie dłoni o gazetę. — Co to znaczy „prawnie dopuszczalne"? — ciągnęła. — A jeśli poziomy zanieczyszczeń przekraczają dozwoloną granicę, to kto ma coś z tym zrobić?

Komisarz pragnął zjeść obiad w spokoju, a potem poplotkować z żoną. Nie miał zbytniej ochoty na udział w rozmowie, w której, jak się obawiał, zostanie obarczony odpowiedzialnością za obowiązujące prawo lub za to, na co ono pozwala.

— A jeśli oni nie potrafią nic na to poradzić, to co my mamy zrobić, przestać oddychać? — zakończyła Chiara, a zaciekawienie Brunettiego obudził ton, którego Paola używała do własnych najbardziej lirycznych pasaży, pełnych potępienia i oburzenia.

Zaciekawiony tym, jak pozostali domownicy odpowiedzą na pytanie córki, przysunął się bliżej drzwi.

— O wpół do trzeciej muszę się spotkać z Gerolamem — przerwał jej Raffi głosem, który w odróżnieniu od głosu jego siostry brzmiał beztrosko. — Chciałbym więc szybko zjeść i zanim wyjdę, zrobić zadanie z matmy.

— Cały otaczający nas świat się wali, a ty potrafisz myśleć wyłącznie o swoim żołądku — odezwał się dziewczęcy głos.

— Och, nie wygłupiaj się, siostro — odparł Raffi. — To tylko kolejna odsłona tej samej historii, jak oddawanie kieszonkowego, żeby ratować chrześcijańskie niemowlęta, gdy chodziliśmy do szkoły podstawowej.

— W t y m domu nie będzie ratowania chrześcijańskich niemowląt — zawyrokowała Paola.

Na szczęście obie pociechy Brunettich odpowiedziały śmiechem, więc komisarz wybrał ten moment, żeby wejść do kuchni.

— O, jaki spokój i harmonia przy stole — rzekł, zajmując swoje miejsce i spoglądając na rondle stojące na kuchence naprzeciw. Pociągnął łyk wina, a ponieważ mu smakowało, wypił kolejny i odstawił kieliszek. — Cóż to za ulga i radość dla mężczyzny wrócić po całym dniu ciężkiej pracy na spokojne łono kochającej rodziny.

— To na razie dopiero połowa dnia, *papà* — zauważyła Chiara głębokim sędziowskim głosem, pukając w szkiełko swojego zegarka.

— I wiedzieć, że nigdy nikt mu nie zaprzeczy — nie dawał za wygraną Brunetti — i że każde jego słowo będzie uznane za perłę intelektu, a każda wypowiedź uszanowana za mądrość.

Chiara odsunęła talerz, położyła głowę na stole i nakryła ją dłońmi.

— Zostałam porwana w dzieciństwie i zmuszona do zamieszkania z szaleńcami.

— Tylko jednym — stwierdziła Paola, podchodząc do stołu z miską. Na talerze Raffiego oraz męża nałożyła łyżką duże porcje makaronu i mniejszą na swój. Tymczasem Chiara usiadła prosto, jej talerz wrócił na swoje miejsce i Paola napełniła go kolejną dużą porcją.

Postawiła miskę na stole, podeszła do kuchenki i wzięła pokrywkę.

— *Mangia, mangia* — powiedziała, zbliżając się do stołu z parmezanem.

Wszyscy czekali, aż usiądzie, i nikt nie zaczął jeść, dopóki nie posypali serem makaronu.

Ruote: Brunetti uwielbiał je. Razem z *melanzane* i ricottą w sosie pomidorowym wydawały się idealnym daniem z makaronu.

— Czemu *ruote*? — zapytał.

Paola wyglądała na zaskoczoną.

— Czemu co?

— Czemu używasz *ruote* z tym sosem? — wyjaśnił komisarz, nabijając na widelec jedno z makaronowych kółek i podnosząc je, żeby się baczniej przyjrzeć.

Paola popatrzyła na swój talerz, jakby zaskoczył ją ten akurat kształt makaronu.

— Ponieważ... — zaczęła, po czym trąciła kółko sztućcem. — Ponieważ...

Odłożyła widelec i wypiła łyk wina. Spojrzała na męża i wyjaśniła:

— Nie mam pojęcia, ale właśnie ich zawsze używam. Po prostu *ruote* pasują do tego rodzaju sosu. — Potem, z prawdziwą troską, zapytała: — Nie lubisz ich?

— Wręcz przeciwnie — odparł. — Wydają się idealne, ale nie wiem, dlaczego tak jest, i byłem ciekaw, czy ty wiesz.

— Przypuszczam, że Luciana zawsze używała *ruote* z sosami zawierającymi drobne kawałki pomidorów. — Nadziała kilka na widelec i podniosła. — Nie potrafię wymyślić lepszego wyjaśnienia.

— Mogę dostać dokładkę? — zapytał Raffi, chociaż pozostali nie zjedli jeszcze połowy swoich porcji. Dla niego kształt makaronu był mniej istotny od ilości.

— Oczywiście — odparła Paola. — Jest całe mnóstwo.

Gdy Raffi nakładał sobie na talerz, Brunetti zapytał, choć wiedział, że zapewne będzie tego żałował:

— O czym mówiłaś, Chiaro, gdy przyszedłem? Coś o ograniczeniach prawnych?

— *Micropolveri* — odparła Chiara, nie przestając jeść. — *Professoressa* mówiła o tym dzisiaj w szkole, że istnieją maleńkie cząstki gumy, chemikaliów i Bóg jeden wie czego jeszcze, i wszystkie one unoszą się w powietrzu, a my to wszystko wdychamy.

Brunetti skinął głową i nałożył sobie jeszcze trochę makaronu.

— Przeczytałam więc gazetę, gdy dotarłam do domu, i było w niej napisane... — odłożyła widelec i sięgnęła ręką, żeby podnieść gazetę z podłogi. Była rozłożona, a oczy Chiary pobiegły do fragmentu artykułu, który miała na myśli. — Proszę — powiedziała i głośno przeczytała:

— ...ple-ple-ple, „stężenie *micropolveri* zwiększyło się do poziomu pięćdziesiąt razy przekraczającego dozwoloną normę".

Rzuciła gazetę z powrotem na podłogę i spojrzała na ojca.

— Tego właśnie nie rozumiem: skoro granica jest określona przez prawo, to co się dzieje, gdy jest tak znacznie przekraczana?

— Albo, na przykład, dwukrotnie — dodała Paola.

Brunetti odłożył widelec i rzekł:

— Sądzę, że to sprawa dla Protezione Civile.

— Mogą kogoś aresztować? — upewniła się Chiara.

— Nie, nie sądzę — odparł Brunetti.

— Zmusić do zapłacenia grzywny?

— Chyba też nie.

— W takim razie, jaki jest cel wprowadzania prawnych ograniczeń, jeżeli nie można zrobić niczego ludziom, którzy łamią prawo? — zapytała gniewnym głosem Chiara.

Brunetti kochał tę dziewczynę od chwili, gdy dowiedział się o jej istnieniu, od momentu, gdy Paola powiedziała mu, że spodziewa się ich drugiego dziecka. Miłość ta kazała komisarzowi oprzeć się pokusie powiedzenia córce, że żyją w kraju, gdzie łamiącym prawo nigdy nie spadł włos z głowy.

Zamiast tego rzekł:

— Przypuszczam, że Protezione Civile złoży formalne *denuncia* i ktoś zostanie poproszony o wszczęcie śledztwa. — Ten sam odruch, który zamknął mu wcześniej usta, pomógł teraz Brunettiemu powstrzymać się przed spostrzeżeniem, że znalezienie jednego winowajcy okaże się niemożliwe w sytuacji, gdy większość fabryk robiła, co chciała, a silniki stojących w porcie statków wycieczkowych przez cały ten czas zanieczyszczały morze.

— Przecież już przeprowadzono śledztwo, bo jak inaczej zdobyto te dane? — zapytała Chiara, jakby to jego właśnie obarczała odpowiedzialnością, po czym natychmiast dodała: — I co mamy zrobić do czasu, aż rzeczywiście je przeprowadzą... przestać oddychać?

Brunetti poczuł nagły zachwyt, słysząc, jak w głosie córki pobrzmiewają echa retoryki jego żony; pojawił się nawet ten stary wiarus logiki, pytanie retoryczne. Ta dziewczyna przysporzy jeszcze wielu kłopotów, jeżeli tylko zdoła podtrzymać swą pasję i oburzenie.

Jakiś czas później Paola weszła z kawą do salonu i wręczyła mężowi filiżankę, mówiąc:

— Posłodzona.

Usiadła obok niego. Drugi dział „Il Gazzettino" leżał otwarty na stole w miejscu, gdzie położył ją Brunetti.

— Jakież to rewelacje przynoszą nam dzisiaj? — zapytała, wskazując skinieniem głowy gazetę.

— Toczy się śledztwo w sprawie korupcji dwóch zarządców miasta — odparł komisarz i wypił łyk kawy.

— Więc postanowili pominąć pozostałych? — zapytała. — Ciekawe dlaczego?

— Więzienia są przepełnione.

— Aha. — Paola dopiła kawę. Odstawiła filiżankę i powiedziała: — Cieszę się, że nie tłumiłeś entuzjazmu Chiary.

— Wydawało mi się — odparł Brunetti, stawiając pustą filiżankę na gazetowym obliczu premiera — że nie potrzebuje żadnej zachęty. — Rozsiadł się wygodnie, przez chwilę myślał o córce i rzekł: — Cieszę się, że ją to tak złości.

— Ja też — przytaknęła Paola. — Sądzę jednak, że nie powinniśmy pokazywać tego po sobie.

— Naprawdę uważasz, że to potrzebne? Ostatecznie, odziedziczyła chyba tę skłonność po nas.

— Wiem — przyznała Paola — ale rozsądniej jest tego nie ujawniać. — Przez chwilę przyglądała się bacznie jego twarzy, po czym dodała: — Prawdę mówiąc, jestem zaskoczona twoją aprobatą, tym, że jest tak wyraźna. — Paola poklepała go dwa razy po udzie. — Pozwoliłeś jej się pieklić i niemal słyszałam, jak odhaczasz w myślach błędy w stosowanej przez nią logice.

— Twój ulubiony *argumentum ad absurdum* — rzekł Brunetti z nieskrywaną dumą.

Gdy Paola odwróciła się do męża, na jej twarzy malował się szczególnie idiotyczny uśmieszek.

— Ten najbardziej raduje moje serce.

— Myślisz, że postępujemy słusznie?

— Robiąc to?

— Ucząc ich tak przewrotnej argumentacji?

Choć Brunetti próbował nadać swej wypowiedzi lekki ton, nie zdołał ukryć prawdziwej troski. — Przecież jeżeli ktoś nie zna zasad logiki, będzie mu się wydawało, że są sarkastyczni, a ludzie tego nie lubią.

— Szczególnie gdy słyszą to z ust nastolatki — dodała Paola. Po chwili, jakby próbując rozwiać swe obawy, zapewniła: — Tak czy owak, niewiele osób zwraca uwagę na to, co inni mówią podczas dyskusji. Może więc martwimy się niepotrzebnie.

Siedzieli w milczeniu przez jakiś czas, dopóki Paola nie powiedziała:

— Rozmawiałam dziś z ojcem. Ma trzy dni na podjęcie decyzji w sprawie tej spółki z Cataldem. Pytał, czy zdołałeś się czegoś o nim dowiedzieć.

— Nie — odparł Brunetti, powstrzymując się przed uwagą, że odkąd został o to poproszony, nie minęła jeszcze doba.

— Mam mu to powiedzieć?

— Nie. Poprosiłem już signorinę Elettrę, żeby spróbowała coś znaleźć — rzekł komisarz, po czym, wiedząc, ile razy usprawiedliwiał się w ten sposób, dodał wymijająco: — Pojawił się inny problem. Ale może jutro będzie coś miała. — Dopiero po pewnym czasie zapytał: — Twoja matka dużo o nich mówi?

— O obojgu?

— Tak.

— Wiem, że bardzo chciał się rozwieść z pierwszą żoną. — Głos Paoli był całkowicie obojętny.

— Jak dawno temu?

— Ponad dziesięć lat. Był już po sześćdziesiątce. — Brunetti sądził, że Paola nic więcej nie powie, ale po przerwie, która mogła być zamierzona, usłyszał: — A ona miała zaledwie trzydzieści.

Komisarz ograniczył się do krótkiego „Aha" i zanim wymyślił sposób na zapytanie o Francę Marinello, Paola powróciła do pierwotnego tematu:

— Ojciec nie mówi mi o swoich przedsięwzięciach, ale jest zainteresowany Chinami i chyba postrzega to jako szansę.

Brunetti postanowił uniknąć drugiej rundy dyskusji o tym, czy inwestowanie w Chinach jest etyczne.

— A Cataldo? — zapytał. — Co twój ojciec mówi o nim?

Paola poklepała go po udzie w całkowicie przyjazny sposób, jak gdyby Franca Marinello zniknęła z pokoju.

— Niewiele, przynajmniej mnie. Znają się od dawna, ale nie sądzę, by kiedyś współpracowali. Chyba nie darzą się wielką sympatią, ale to są interesy — powiedziała, a on miał wrażenie, że słyszy jej tatusia.

— Dzięki.

Paola pochyliła się nad stolikiem i zabrała filiżanki. Wstała i spojrzała na męża.

— Pora, byś wziął miotłę i wrócił do stajni Augiasza.

Rozdział 7

Gdy wrócił do stajni, panował tam względny spokój. Po czwartej przyszedł do niego kolejny z komisarzy, żeby się poskarżyć na porucznika Scarpę, który nie chciał przekazać akt dotyczących zabójstwa dwulatka w San Leonardo.

— Nie mogę pojąć, dlaczego to robi — powiedziała Claudia Griffoni, która pracowała w komendzie od zaledwie sześciu miesięcy i jeszcze nie w pełni poznała porucznika i jego zwyczaje.

Chociaż pochodziła z Neapolu, jej powierzchowność przeczyła wszelkim stereotypom rasowym: była wysoką smukłą blondynką o niebieskich oczach i cerze tak jasnej, że musiała wystrzegać się słońca. Mogłaby pozować do plakatu reklamującego rejsy wycieczkowe do Skandynawii, gdyby jednak naprawdę pracowała na statku, doktorat z oceanografii kwalifikowałby ją na stanowisko bardziej odpowiedzialne niż funkcja hostessy. Podobnie jak mundur, który miała na sobie — jeden z trzech, które uszyła, żeby uczcić swój awans na komisarza. Siedziała naprzeciw niego, wyprostowana na krześle, skrzyżowawszy długie nogi. Komisarz bacznie przyjrzał się krojowi bluzy jej munduru, krótkiej i obcisłej, z szytymi ręcznie klapami.

Nogawki spodni, cieszące oko swą długością, ciasno opinały kostki.

— Czy dlatego, że nie otrzymał tej sprawy, chce spowolnić nasze śledztwo i jeszcze bardziej utrudnić znalezienie zabójcy? — zapytała Griffoni. — Czy chodzi o jakąś osobistą urazę do mnie, o której nic nie wiem? A może po prostu nie lubi kobiet? Albo kobiet w policji?

— Może kobiet w policji, które przewyższają go stopniem? — dorzucił swoje trzy grosze Brunetti, ciekaw, jak ona zareaguje, ale też przekonany, że właśnie z tego powodu Scarpa stale próbuje podważyć jej autorytet.

— Dobry Jezu! — wykrzyknęła, odchylając głowę do tyłu, jakby chciała zwrócić się z apelem do nieba. — Nie dość, że muszę to znosić ze strony morderców i gwałcicieli, to jeszcze mam z tym do czynienia w kontaktach ze współpracownikami.

— Chyba nie po raz pierwszy — zauważył zaciekawiony komisarz. Zastanawiał się, jak signorina Elettra zareaguje na krój munduru pani komisarz.

Griffoni spojrzała z powrotem na Brunettiego i odparła:

— Każdą z nas to dość często spotyka.

— Co wtedy robicie?

— Niektóre próbują załatwić ten problem kokieterią. Pewnie był pan tego świadkiem. Prosimy, żeby pomogli zażegnać rodzinny spór, a oni zachowują się tak, jakbyśmy proponowały im randkę.

Brunetti rzeczywiście widział takie sytuacje.

— Albo stajemy się brutalne i próbujemy przebić ich chamstwem i agresywnością.

Komisarz skinął z uznaniem głową. Gdy Griffoni nie wyjawiła trzeciego sposobu, zapytał:

— Albo?

— Albo nie pozwalamy, żeby nas to doprowadzało do szału i po prostu staramy się robić swoje.

— A jeżeli nic nie poskutkuje?

— Cóż, sądzę, że można byłoby zastrzelić sukinsynów.

Brunetti roześmiał się na głos. Odkąd ją poznał, nigdy nie próbował sugerować, jak mogłaby poradzić sobie ze Scarpą. Co więcej, nigdy nie chciał udzielać tego typu rad. Przez lata pracy nauczył się, że większość sytuacji zawodowych i towarzyskich bardzo przypomina przepływ wody po nierównym podłożu: prędzej czy później się unormują. Z biegiem czasu ludzie na ogół uznają, kto jest alfą, a kto betą. Wyższa ranga w połączeniu z determinacją pomagały, ale nie zawsze tak było. Nie wątpił, że w końcu commissario Griffoni okiełzna porucznika Scarpę, ale zarazem miał pewność, że porucznik znajdzie jakiś sposób, by musiała za to zapłacić.

— Pracuje tutaj równie długo jak *vice-questore*, prawda?

— Tak. Przyszli tu razem.

— Chyba nie powinnam tego mówić, ale nigdy nie ufałam Sycylijczykom. — Claudia Griffoni, podobnie jak wielu neapolitańczyków z klasy wyższej, była wychowywana w rodzinie mówiącej po włosku zamiast w lokalnym dialekcie, nauczyła się go jednak od przyjaciół oraz w szkole i od czasu do czasu używała neapolitańskich wyrażeń. Zawsze jednak ujmowała je w ironiczny cudzysłów, oddzielając językowo od włoszczyzny, którą posługiwała się równie wykwintnie jak najbieglejsi w tej mierze rozmówcy Brunettiego. I dlatego ktoś, kto jej nie znał, sądził, że jej nieufność wobec południowców jest nieufnością osoby pochodzącej z północy Włoch, a już z pewnością mieszkającej na północ od Florencji.

Komisarz zdawał sobie sprawę, że ta uwaga jest dla niego sprawdzianem: gdyby się z nią zgodził, mogłaby go zaliczyć do określonej kategorii; w przeciwnym razie zostałby zaliczony do innej. Ponieważ nie należał do żadnej z nich — albo należał do obu — postanowił odpowiedzieć pytaniem:

— Czy to znaczy, że niebawem zasili pani szeregi Lega Nord?

Tym razem to ona wybuchnęła głośnym śmiechem, po czym, jakby nie zauważając, że nie chciał połknąć haczyka, zapytała:

— Czy porucznik ma tutaj przyjaciół?

— Przez pewien czas pracował z Alvisem nad jakimś specjalnym projektem unijnym, ale zanim cokolwiek zrobili i zanim ktokolwiek mógł się zorientować, co w ogóle mają robić, obcięto fundusze. — Brunetti zastanawiał się przez chwilę, po czym dodał: — Co do przyjaciół, to nie jestem pewien. Wydaje się, że niewiele o nim wiadomo. Wiem za to, że woli nie utrzymywać tutaj z nikim stosunków towarzyskich.

— Nie wygląda na to, by wenecjanie byli najbardziej gościnnymi ludźmi na świecie — zauważyła, uśmiechając się, żeby złagodzić wymowę tych słów.

Komisarz był tak zaskoczony, że znacznie bardziej obronnym tonem, niż zamierzał, rzekł:

— Nie wszyscy tutaj są wenecjanami.

— Wiem, wiem — odparła, unosząc dłoń w pojednawczym geście. — Wszyscy są bardzo mili i życzliwi, ale ta życzliwość kończy się w drzwiach, gdy kończymy pracę.

Gdyby Brunetti nie był człowiekiem żonatym, stanąłby na wysokości zadania i od razu zaprosił ją na kolację, ale te czasy minęły, a reakcja Paoli na jego zachowanie wobec Franki Marinello stanowiła dostatecznie żywe wspomnienie, by go powstrzymać przed zaproszeniem tej bardzo atrakcyjnej kobiety dokądkolwiek.

Kres jego niepewności położyło przybycie Vianella.

— Ach, to tutaj jesteś — rzekł inspektor, zwracając się do Brunettiego. Zauważył jednak obecność kobiety i zasygnalizował to skinieniem głowy i ruchem ręki, który w innych czasach można by uznać za pozdrowienie.

Zatrzymał się w połowie drogi do biurka komisarza i rzekł:

— Gdy przyszedłem, widziałem się z signoriną Elettrą. Prosiła, bym przekazał, że rozmawiała z lekarzami w San Marcuola i niebawem przyjdzie na górę, żeby ci o tym opowiedzieć. — Gdy Brunetti podziękował skinieniem głowy, inspektor dodał: — Ludzie na dole powiedzieli mi, że z nimi rozmawiałeś. — Dostarczywszy wiadomość, Vianello skrzyżował ręce, sygnalizując, że nie zamierza opuścić gabinetu zwierzchnika, dopóki ten nie wyjawi mu sensu tej wiadomości.

Zaciekawienie Griffoni było równie wyraźne i to zmusiło Brunettiego do wskazania inspektorowi krzesła.

— Dziś rano gościłem tu jednego *carabiniere* — zaczął wyjaśniać i opowiedział im o wizycie Guarina, zabójstwie Ranzata i o mężczyźnie, który mieszkał niedaleko San Marcuola.

Dwoje pozostałych funkcjonariuszy siedziało przez pewien czas w milczeniu, dopóki Griffoni nie zapytała zapalczywie:

— Na litość boską, czy nie mamy dość kłopotów z własnymi śmieciami? Teraz jeszcze przywożą je z zagranicy? — Zaskoczyła ich swoim wybuchem — podczas rozmów na temat przestępczych zachowań zwykle była spokojna. Milczenie przeciągało się, aż w końcu wyjaśniła zupełnie innym głosem: — Dwie moje kuzynki zmarły w zeszłym roku na raka. Jedna z nich, Grazia, była trzy lata młodsza ode mnie. Mieszkała niecały kilometr od spalarni w Taranto.

— Przykro mi — rzekł ostrożnie Brunetti.

Griffoni uniosła dłoń, po czym powiedziała:

— Pracowałam nad tą sprawą, zanim tu przyjechałam. Nie sposób pracować w Neapolu i nie wiedzieć o śmieciach. Ich sterty piętrzą się na ulicach, a my wciąż uganiamy się za ludźmi tworzącymi nielegalne wysypiska: w okolicach Neapolu, gdziekolwiek spojrzysz, widzisz śmieci.

— Czytałem o Taranto. Widziałem zdjęcia owiec na polach — rzekł Vianello, zwracając się wprost do niej.

— Wygląda na to, że one też zdychają na raka — odparła normalnym głosem. Pokręciła głową, zerknęła w stronę obserwującego ją Brunettiego i zapytała: — Idziemy tym tropem czy to sprawa *carabinieri*?

— Oficjalnie ich — odparł. — Ale skoro szukamy tego człowieka, też jesteśmy w to zaangażowani.

— Czy *vice-questore* musi to zatwierdzić? — zapytała obojętnie.

Zanim Brunetti zdążył odpowiedzieć, do gabinetu weszła signorina Elettra. Pozdrowiła komisarza, uśmiechnęła się do inspektora i skinęła głową Griffoni. Brunetti wcielił się w jednego z bohaterów Dickensa, często wspominanych przez Paolę, który oceniał każdą sytuację, analizując „skąd wieje wiatr". Podejrzewał, że tym razem z północy.

— Rozmawiałam z jednym z tamtejszych lekarzy, *commissario* — powiedziała przesadnie oficjalnym tonem. — Ale nikt nie przychodzi mu do głowy. Powiedział, że zapyta swojego kolegę, gdy ten zjawi się w pracy.

Jakie szczęście, pomyślał komisarz, że w ciągu tych wszystkich lat nigdy nie poniechali oficjalnego „pan" i „pani" w swoich kontaktach: doskonale pasowało to do tej bardzo chłodnej wymiany zdań.

— Dziękuję, *signorina*. Proszę mnie poinformować o tym, co on pani powie, dobrze? — poprosił.

Sekretarka Patty spojrzała na nich po kolei i dodała:

— Oczywiście, *commissario*. Mam nadzieję, że niczego nie przeoczyłam. — Zerknęła na komisarz Griffoni, jakby ją zachęcała, by wzięła to do siebie.

— Dziękuję, *signorina* — rzekł Brunetti. Uśmiechnął się, zerknął do nowego kalendarza na swoim biurku i nasłuchiwał jej zmierzających do drzwi kroków i trzasku zamka.

Uniósł wzrok na tyle późno, by nie widzieć spojrzenia, które wymienili między sobą Griffoni i Vianello. Policjantka wstała z krzesła:

— Chyba wrócę na lotnisko — oświadczyła i zanim któryś z nich zdążył zapytać, dodała: — Do sprawy, nie na miejsce.

— Sprawy bagażowych? — Brunetti, który kierował poprzednimi śledztwami, zapytał z westchnieniem znużenia.

— Przepytywanie bagażowych przypomina wysłuchiwanie największych przebojów Elvisa: słuchało się ich setki razy, śpiewanych na różne sposoby i przez różnych wykonawców, i nie chce się ich słyszeć znowu — odparła znużonym głosem. Podeszła do drzwi, odwróciła się do nich i dodała: — Ale wiadomo, że i tak się usłyszy.

Gdy wyszła, Brunetti zdał sobie sprawę z tego, jak zmęczył go ten dzień, spędzony na bezczynnym wysłuchiwaniu różnych rzeczy, jakie mówią mu ludzie. Powiedział inspektorowi, że jest późno, i zaproponował, by poszli do domu. Vianello spojrzał wprawdzie najpierw na zegarek, ale potem wstał i stwierdził, że to doskonały pomysł. Gdy *ispettore* zniknął za drzwiami, komisarz postanowił wpaść do pokoju odpraw i przed wyjściem skorzystać z dostępu do komputera, żeby sprawdzić, ile sam zdoła się dowiedzieć o Cataldzie. Policjanci byli przyzwyczajeni do tych wizyt i zawsze dbali o to, by jeden z młodszych funkcjonariuszy zostawał wówczas w pokoju. Tym razem jednak poszukiwania okazały się dość proste i wkrótce komisarz dysponował sporą liczbą linków do artykułów prasowych.

Niewiele z nich powiedziało mu więcej, niż wcześniej powiedział hrabia. W starym numerze „Chi" znalazł zdjęcie Catalda pod rękę z Francą Marinello z okresu przed ich ślubem. Wydawało się, że stoją plecami do morza na tarasie lub balkonie; Cataldo, ubrany w jasnopopielaty lniany garnitur, był barczysty i miał poważną twarz. Ona miała na sobie białe spodnie oraz czarną koszulkę z krótkimi rękawami i wyglądała na bardzo szczęśliwą. Ekran monitora miał wystarczająco wysoką rozdzielczość, by Brunetti mógł się przekonać, jak śliczną była wówczas dziewczyną; zbliżała się chyba do trzydziestki, blond włosy, wyższa od swojego przyszłego męża. Jej twarz robiła wrażenie — komisarz musiał przez chwilę pomyśleć, zanim znalazł właściwe słowo — dobrodusznej. Uśmiech był wstydliwy, rysy regularne, oczy niebieskie jak morze za jej plecami.

— Piękna dziewczyna — mruknął pod nosem. Dotknął klawisza, by przewinąć artykuł do dalszej lektury, i obraz zniknął z ekranu.

Tego było już za wiele: musiał mieć własny komputer. Wstał, powiedział siedzącemu najbliżej policjantowi, że komputer szwankuje, i poszedł do domu.

Rozdział 8

Nazajutrz rano Brunetti skorzystał z biurowego telefonu i zadzwonił do *carabinieri* w Margherze po to tylko, żeby usłyszeć, iż majora Guarino nie ma i nie będzie do końca tygodnia. Komisarz odsunął na bok myśl o *carabiniere* i powrócił do pomysłu zakupu komputera. Czy gdy już go kupi, będzie mógł nadal liczyć, że signora Elettra znajdzie to, czego nie da się znaleźć? Czy wtedy będzie od niego oczekiwać załatwienia podstawowych spraw, takich jak... jak znajdowanie numerów telefonu i sprawdzanie rozkładu jazdy tramwajów wodnych? Gdy już będzie mógł to sam robić, ona przypuszczalnie założy, że komisarz z łatwością znajdzie kartoteki medyczne podejrzanych bądź prześledzi przelewy bankowe na rozmaite konta numeryczne i transfery dokonywane z tych kont. Będzie jednak wówczas mógł nie tylko zacząć szukać informacji, ale również uzyska łatwiejszy dostęp do gazet: bieżących numerów i starych wydań, dowolnie przez siebie wybranych. Tylko co z możliwością dotknięcia papieru „Il Gazzettino", z tym cierpkim zapachem druku, z czarnymi smugami, które zostawiał na prawej kieszeni wszystkich jego marynarek?

No i co — jak musiał przyznać w duchu — z tym delikatnym przypływem dumy, gdy otwierał swój egzemplarz na pokładzie *vaporetto* i zaświadczał w ten sposób, że jest obywatelem tego spokojnego mieszczańskiego świata? Kto przy zdrowych zmysłach oprócz wenecjanina czytałby „Il Gazzettino"? *Il Giornale delle Serve*. Zgoda, to b y ł a gazeta służących. I co z tego? Dzienniki krajowe często były równie źle zredagowane, pełne nieścisłości, niedokończonych zdań i błędnie opisanych fotografii.

Signorina Elettra wybrała akurat ten moment na pojawienie się w drzwiach jego gabinetu. Spojrzał na nią i rzekł:

— Uwielbiam „Il Gazzettino".

— Zawsze może pan skorzystać z gościny w Palazzo Boldù, *dottore* — odparła, podając nazwę miejscowego zakładu psychiatrycznego. — Chyba przydałby się wypoczynek, a już z pewnością zakaz czytania.

— Dziękuję, *signorina* — powiedział uprzejmie, po czym przeszedł do sprawy, na której przemyślenie miał cały poprzedni wieczór. — Chciałbym mieć tutaj w gabinecie komputer.

Tym razem sekretarka Patty nawet nie próbowała zamaskować swojej reakcji.

— Pan?!

— Owszem. Taki płaski, jak ten, który pani ma u siebie.

Dzięki temu wyjaśnieniu zyskała czas na zastanowienie się nad życzeniem Brunettiego.

— Niestety one są strasznie drogie, panie komisarzu — zastrzegła.

— Nie wątpię — odparł. — Ale z pewnością jest jakiś sposób, by można było za niego zapłacić z budżetu na materiały biurowe. — Im dłużej o tym myślał i rozmawiał, tym bardziej potrzebował komputera, i to takiego jak jej, nie tego szmelcu, którym musieli się zadowolić funkcjonariusze z parteru.

— Jeżeli nie ma pan nic przeciwko temu, *commissario*, to chciałabym mieć kilka dni na rozważenie tej sprawy. I znaleźć sposób na jej załatwienie.

Brunetti wyczuł w jej przychylnym tonie szansę zwycięstwa.

— Oczywiście — odparł z wylewnym już teraz uśmiechem. — W jakiej sprawie pani przyszła?

— Chodzi o signora Cataldo — odparła, pokazując niebieską papierową teczkę.

— A tak — rzekł, przywołując ją gestem ręki i na wpół wstając z fotela. — Co pani znalazła? — O swoich próbach poszukiwań nie wspomniał ani słowem.

— Cóż, panie komisarzu — powiedziała, podchodząc do krzesła. Gdy siadała, wyćwiczonym ruchem przygładziła spódnicę. Położyła zasznurowaną teczkę na biurku i dodała: — Cataldo jest bardzo zamożnym człowiekiem, ale o tym pewnie pan już wie. — Brunetti podejrzewał, że wie o tym całe miasto, ale skinął głową, żeby ją zachęcić do dalszych wyjaśnień. — Majątek odziedziczył po ojcu, który zmarł, zanim Cataldo skończył czterdzieści lat. To ponad trzydzieści lat temu, w okresie największego boomu. Wykorzystał go do inwestycji i ekspansji.

— Inwestycji w co?

Elettra przysunęła do siebie teczkę. Otworzyła ją i przeczytała:

— Ma fabrykę koło Longarone, która wytwarza drewniane panele. Okazuje się, że w Europie istnieją tylko dwie takie fabryki. Oraz cementownię w tym samym rejonie. Stopniowo ociosują jakąś górę i przerabiają wydobytą skałę na cement. W Trieście ma flotę towarowców oraz firmę przewozową, która działa na trasach krajowych i międzynarodowych. Agencję sprzedaży buldożerów i ciężkiego sprzętu do robót ziemnych, a także pogłębiarek. I dźwigów. — Gdy Brunetti milczał, dodała: — Tak naprawdę zdobyłam jedynie listę jego firm; nie zaczęłam jeszcze badać ich finansów.

Brunetti uniósł prawą dłoń.

— Tylko jeżeli nie okaże się to zbyt trudne, *signorina*. — Gdy sekretarka Patty uśmiechnęła się szeroko na myśl o znikomym prawdopodobieństwie takiej sytuacji, komisarz zapytał: — A tutaj, w mieście?

Signorina Elettra przewróciła kartkę i odparła:

— Jest właścicielem czterech sklepów przy Calle dei Fabbri i dwóch budynków przy Strada Nuova. Wynajęto je dwóm restauratorom, a na górze są cztery mieszkania.

— Wszystkie wynajęte?

— W rzeczy samej. Jeden ze sklepów przeszedł w zeszłym roku w inne ręce i krąży pogłoska, że nowy właściciel musiał zapłacić ćwierć miliona euro *buonuscita*.

— Samego odstępnego?

— Tak. A czynsz wynosi dziesięć tysięcy.

— Na miesiąc?!

— Sklep znajduje się przy Calle dei Fabbri i mieści na dwóch kondygnacjach — wyjaśniła, zdoławszy przybrać ton lekkiej urazy, że zakwestionował podaną cenę bądź dokładność oszacowania. Zamknęła teczkę i usiadła wygodnie.

Jeżeli prawidłowo odczytał wyraz jej twarzy, to miała mu jeszcze coś do zakomunikowania, zapytał więc:

— To nie wszystko?

— Krążą opinie...

— Opinie?

— Na jej temat.

— Jego żony?

— Tak.

— Jakiego rodzaju opinie?

Sekretarka Patty założyła nogę na nogę.

— Może przesadziłam, panie komisarzu, i chodzi raczej o to, że gdy wymieniane jest jej nazwisko, pojawiają się pewne sugestie lub zapada znaczące milczenie.

— Śmiem twierdzić, że dotyczy to wielu osób w tym mieście — zauważył Brunetti, starając się, by nie zabrzmiało to sztucznie.

— Z pewnością, panie komisarzu.

Brunetti postanowił wznieść się ponad zwykłe plotki, przyciągnął więc teczkę do siebie, uniósł ją i zapytał:

— Zdążyła się pani zorientować, ile jest w sumie wart?

Zamiast odpowiedzieć, Elettra przyglądała się bacznie jego twarzy, jakby właśnie zadał jej interesującą zagadkę.

— Słucham? — rzekł dla zachęty, a gdy nie odpowiedziała, zapytał: — O co chodzi?

— O ten zwrot, panie komisarzu.

— Który zwrot?

— „W sumie wart".

Speszony Brunetti mógł jedynie wyjaśnić:

— Chodzi o łączną wartość różnych jego aktywów, prawda?

— Owszem, panie komisarzu, w znaczeniu finansowym sądzę, że tak.

— Jest jakieś inne znaczenie? — zapytał Brunetti ze szczerym zakłopotaniem.

— Cóż, Cataldo jest „w sumie wart" również jako człowiek, mąż, pracodawca, przyjaciel. — Widząc minę komisarza, dodała: — Tak, wiem, że nie to miał pan na myśli, ale to ciekawe, jak wszyscy używamy tego określenia, by wskazać jedynie zamożność jakiejś osoby. — Dała Brunettiemu szansę skomentowania lub podważenia swoich słów, a gdy z niej nie skorzystał, dodała: — To takie powierzchowne, jakby jedyną znaczącą rzeczą, jaka nas określa, było to, ile mamy forsy.

U osoby o mniej bujnej wyobraźni niż signorina Elettra te spekulacje mogły być wyszukanym sposobem na przyznanie się, że nie zdołała wykryć wszystkich aktywów Cataldo. Jednak Brunetti, dobrze znający meandry jej umysłu, rzekł tylko:

— Moja żona mówiła o kimś, kto ma we krwi „zamiłowanie do pomnażania kapitału". Może wszyscy je mamy. — Położył teczkę na biurku i odsunął ją od siebie.

— Tak — zgodziła się. Powiedziała to takim tonem, jakby nie podobało się jej, że musi przyznać mu rację.

— Czego jeszcze się pani dowiedziała? — zapytał komisarz, przypominając, o czym rozmawiali.

— Że przez ponad trzydzieści lat był mężem Giulii Vasari, a potem się z nią rozwiódł — odparła, sprowadzając ich z powrotem do świata spraw osobistych.

Brunetti postanowił poczekać na dalsze informacje, uważał bowiem nadmierne zainteresowanie obecną żoną Catalda lub stwarzanie wrażenia, że już się o niej czegoś dowiedział, za niestosowne.

— Jak pan wie, Franca Marinello jest znacznie młodsza od męża, ponad trzydzieści lat. Krąży plotka, że poznali się, gdy zabrał żonę na pokaz mody, na którym Marinello prezentowała futra. — Elettra zerknęła na komisarza, ale ten nie zareagował. — Bez względu na to, jak się poznali, najwyraźniej stracił dla niej głowę — ciągnęła. — Po niespełna miesiącu zostawił żonę i przeprowadził się do własnego mieszkania. — Sekretarka Patty przerwała, po czym wyjaśniła: — Mój ojciec znał Catalda, więc część tych informacji uzyskałam od niego.

— Znał czy zna? — upewnił się Brunetti.

— Sądzę, że zna. Ale tak naprawdę nie jest jego przyjacielem, a tylko jednym ze znajomych.

— Co jeszcze powiedział pani ojciec?

— Że rozwód nie był łatwy i przyjemny.

— Rozwody rzadko takie są.

Signorina Elettra skinęła głową na znak zgody i rzekła:

— Słyszał, że Cataldo zwolnił swojego adwokata, ponieważ ten spotkał się z adwokatem jego żony.

— Myślałem, że to normalne w takich sprawach —

zauważył komisarz. — Że adwokaci rozmawiają z adwokatami.

— Zwykle tak jest. Ojciec powiedział tylko, że Cataldo zachowywał się fatalnie, ale nie wyjaśnił, co to znaczy.

— Rozumiem.

Brunetti zauważył, że sekretarka Patty ma zamiar wstać, i zapytał:

— Dowiedziała się pani o niej czegoś jeszcze?

Czyżby Elettra pilnie przypatrywała się jego twarzy, zanim odpowiedziała na pytanie?

— Niewiele poza tym, co panu mówiłam, komisarzu. Nie odgrywa większej roli w towarzystwie, choć oczywiście jest bardzo znana. — Potem, jakby po namyśle, dodała: — Kiedyś uważano, że jest bardzo nieśmiała.

— Rozumiem — rzekł tylko komisarz, choć to sformułowanie go zaciekawiło. Znowu spojrzał na teczkę, lecz jej nie otworzył. Usłyszał, jak sekretarka Patty wstaje. Uniósł wzrok i się uśmiechnął. — Dziękuję.

— Mam nadzieję, że lektura przypadnie panu do gustu, bez względu na to, jak bardzo brak temu dyscypliny intelektualnej artykułów z „Il Gazzettino" — powiedziała i wyszła.

Rozdział 9

Brunetti zmusił się do przeczytania kilku stron z informacjami dotyczącymi majątku Catalda: firm, które były jego własnością i którymi zarządzał, rad, w których zasiadał, akcji i obligacji, które trafiały do rozmaitych portfeli inwestycyjnych przedsiębiorcy. Przez cały czas pozwalał, by część jego myśli płynęła, dokąd chciała, czyli z pewnością nie do tekstu z niebieskiej teczki. Adresy sprzedawanych i nabywanych nieruchomości, oficjalne ceny sprzedaży, udzielone i spłacone kredyty hipoteczne, dywidendy pieniężne i opłacone akcjami; wiedział, że dla niektórych powyższe szczegóły są ekscytujące i ta myśl niezmiernie go przygnębiła.

Pamiętał, jak w dzieciństwie bawił się w berka, goniąc za przyjaciółmi, patrząc, jak skręcają w znane i nieznane mu *calli*. Nie, bardziej przypominało to śledzenie podejrzanego w początkach jego policyjnej kariery: obserwował jedną osobę, sprawiając wrażenie, że ciekawi go wszystko, co mijał po drodze. Tak właśnie było, gdy odczytywał kolejne sumy: jego rachmistrzowski umysł rejestrował i wyławiał z pamięci niektóre kwoty składające się na łączną wartość majątku Catalda, natomiast łowieckie ucho, wbrew jego woli, stale powracało do opowieści Guarina. Oraz do rzeczy, których major nie zdołał powiedzieć.

Odłożył teczkę i z biurowego telefonu zadzwonił do Avisaniego. Tym razem wymianę uprzejmości ograniczył do niezbędnego minimum i głosem pełnym udawanej życzliwości rzekł:

— Ten twój przyjaciel, z którym wczoraj rozmawialiśmy... mógłbyś się z nim skontaktować i poprosić, żeby do mnie zadzwonił?

— Czyżbym wyczuwał pierwsze drobne rysy na gmachu szczerości waszego wzajemnego oddania? — zapytał dziennikarz.

— Nie — odparł ze śmiechem zaskoczony Brunetti — ale poprosił mnie o przysługę, a w jego biurze powiedziano mi, że wróci dopiero w przyszłym tygodniu. Zanim będę mógł spełnić jego prośbę, muszę znowu z nim pogadać.

— On to potrafi — przyznał Avisani.

— Co?

— Przekazać za mało informacji. — Gdy komisarz nie dał się sprowokować, dziennikarz dodał: — Chyba mogę się z nim skontaktować. Poproszę, żeby dzisiaj do ciebie zadzwonił.

— Czekam, aż ściszysz głos i dodasz zagadkowo: „Jeżeli może".

— To się chyba rozumie samo przez się? — zapytał dość sensownie Avisani, po czym odłożył słuchawkę.

Brunetti zszedł do baru przy Ponte dei Greci i wypił kawę, na którą nie miał specjalnej ochoty; nie chciał, żeby mu smakowała, dlatego za słabo ją posłodził i szybko wypił. Potem poprosił o szklankę wody mineralnej, na którą z uwagi na pogodę też nie miał ochoty, i zdegustowany faktem, że nie może się skontaktować z majorem Guarino, wrócił do biura.

Nieboszczyk — Ranzato — pewnie spotykał się z tym drugim mężczyzną niejeden raz, a mimo to Brunetti miał wierzyć, że Guarino nie raczył nigdy poprosić go o rozwinięcie znaczenia słów „dobrze ubrany" i nigdy też nie dowiedział się o nim niczego więcej? Jak obaj się porozumiewali, organizując przewozy? Telepatycznie? No i co z płatnościami?

I wreszcie fakt, że to jedno przestępstwo skupia na sobie tak dużo uwagi. „Śmierć każdego człowieka" i cała ta poezja, o której stale mówiła Paola. Tak, było to prawdą, przynajmniej w abstrakcyjnym, poetyckim sensie, lecz śmierć jednego mężczyzny, choćby nas wszystkich miała umniejszyć, tak naprawdę niewiele już dla świata znaczyła, podobnie jak nie liczyła się dla władz, chyba że wiązała się z jakąś grubszą sprawą lub dziennikarze dobrali się do tematu i go nagłośnili. Brunetti nie znał najnowszych krajowych statystyk — zostawiał to Patcie — lecz wiedział, że wykrywa się sprawców niespełna połowy popełnionych morderstw i ta liczba zmniejsza się niemal wprost proporcjonalnie do czasu ich tropienia.

Minął już miesiąc, a Guarino dopiero teraz zainteresował się informacją o mężczyźnie mieszkającym koło San Marcuola. Brunetti odłożył pióro i zadumał się nad tym faktem. Albo się nie przejmowali, albo ktoś...

Zadzwonił telefon i komisarz postanowił odpowiedzieć „*Sì*", zamiast przedstawić się swoim imieniem.

— Guido! — radośnie powiedział Guarino. — Cieszę się, że cię jeszcze zastałem w biurze. Podobno chciałeś ze mną porozmawiać.

Choć Brunetti wiedział, że *carabiniere* mówi do wszystkich, którzy mogą słuchać ich rozmowy, radosny ton Guarina sprawił, że komisarz nie dbał o pozory.

— Musimy o tym jeszcze raz porozmawiać. Nie powiedziałeś mi, że...

— Słuchaj, Guido — przerwał mu major, mówiąc bardzo szybko i nie tracąc dobrego humoru — ktoś tu czeka na rozmowę ze mną, ale to zajmie tylko kilka minut. Może spotkamy się w barze, w którym bywasz?

— W barze... — zaczął mówić Brunetti, lecz Guarino znowu mu przerwał.

— Wiesz gdzie. Będę tam mniej więcej za piętnaście minut. — W słuchawce zapadła cisza.

Co Guarino robił w Wenecji i skąd wiedział o barze przy moście? Komisarz nie chciał tam wracać, nie miał ochoty na kolejną kawę, na kanapkę czy na jeszcze jedną szklankę zimnej wody, ani nawet na kieliszek wina. Potem jednak naszła go myśl o szklance gorącego ponczu, wyciągnął płaszcz z *armadio* i wyszedł.

Sergio właśnie podsuwał Brunettiemu szklankę z gorącym trunkiem na kontuarze, gdy zadzwonił telefon na zapleczu baru. Barman przeprosił, mruknął coś na temat swojej żony i wymknął się drzwiami do drugiego pomiesz-

czenia. Zgodnie z oczekiwaniami komisarza wrócił po niespełna minucie i rzekł:

— To do pana, *commissario*.

Brunetti z przyzwyczajenia uśmiechnął się promiennie,
a odruch fałszu podsunął mu słowa:

— Mam nadzieję, Sergio, że ci to nie przeszkadza.
Czekałem na telefon, ale musiałem się napić czegoś ciepłego, więc poprosiłem, żeby mu kazano zadzwonić tutaj.

— Jasne, *commissario*. To żaden kłopot. Zawsze do
usług — odparł barman i cofnął się, żeby wpuścić Brunettiego do pokoiku na zapleczu.

Słuchawka leżała obok starego ciężkiego aparatu, prze-
starzałego modelu z okrągłą tarczą. Komisarz podniósł słuchawkę, opierając się chęci wetknięcia palca w mały otwór
i obrócenia tarczy.

— Guido?

— Tak.

— Przepraszam za ten melodramat. O co chodzi?

— O twojego zagadkowego mężczyznę, tego dobrze
ubranego, który powiedział, że spotka się z kimś we
wspomnianym przez ciebie miejscu.

— Słucham.

— Czemu usłyszałem od ciebie jedynie, że był dobrze
ubrany?

— Tak właśnie mi powiedziano.

— Przez ile miesięcy rozmawiałeś z tym gościem,
który zginął?

— ...Długo.

— I powiedział ci tylko tyle, że ten drugi facet jest dobrze ubrany?

— Owszem.

— Nie pomyślałeś o tym, by poprosić o więcej szczegółów?

— Nie sądziłem, że to...

— Gdy skończysz to zdanie, rozłączę się.

— Słucham?

— Pomyślałem, że powinienem cię ostrzec. Powiedz to, a ja odłożę słuchawkę.

— Dlaczego?

— Dlatego, że nie lubię być okłamywany.

— Ja nie...

— Dokończ to zdanie, a wtedy też się rozłączę.

— Naprawdę?

— Zacznij od nowa. Co jeszcze ci powiedział o mężczyźnie, z którym rozmawiał.

— Czy ktoś w waszym domu ma własny adres e-mailowy?

— Moje dzieci. Czemu pytasz?

— Chcę ci wysłać jedno zdjęcie.

— Nie do moich dzieci. Tego nie możesz zrobić.

— Może w takim razie do twojej żony?

— W porządku. Na uniwersytet.

— Paola, kropka, Falier, małpa, Ca'Foscari w jednym ciągu, kropka, it?

— Zgadza się. Skąd znasz ten adres?

— Wyślę je jutro rano.

— Czy ktoś jeszcze wie o tym zdjęciu?

— Nie.

— Z jakiegoś powodu?

— Wolałbym nie wdawać się w wyjaśnienia.

— To jedyny trop, jakim dysponujesz?

— Nie, ale nie byliśmy w stanie go zbadać.

— A pozostałe?

— Żaden nie doprowadził do celu.

— Jeżeli coś znajdę, jak mam się z tobą skontaktować?

— Czy to znaczy, że to zrobisz?

— Tak.

— Dałem ci mój numer.

— Powiedzieli, że cię nie ma.

— Niełatwo mnie zastać.

— A adres, którego będziesz jutro używał?

— Nie.

— W takim razie jak?

— Zawsze mogę do ciebie zadzwonić pod ten numer.

— Owszem, ale ja nie mogę przenosić tutaj swojego gabinetu, żeby czekać na twój telefon. Jak mam się z tobą kontaktować?

— Zadzwoń pod ten sam numer, zostaw wiadomość, powiedz, że nazywasz się Pollini i o której zatelefonujesz ponownie. Wtedy zadzwonię do ciebie pod ten numer.

— Pollini?

— Tak. Ale dzwoń z automatu, dobrze?

— Następnym razem masz mi powiedzieć, co jest grane. Co naprawdę jest grane.

— Ale powiedziałem...

— Filippo, mam znowu grozić przerwaniem połączenia?

117

— Nie. Muszę jednak to przemyśleć.

— Przemyśl to teraz.

— Powiem ci to, co mogę.

— Słyszałem to już wcześniej.

— Wierz mi, nie chcę, żeby to się odbywało w ten sposób. Ale tak jest lepiej dla wszystkich zainteresowanych.

— Dla mnie też?

— Dla ciebie też. Muszę kończyć. Dzięki.

Rozdział 10

Odkładając słuchawkę, Brunetti spojrzał na swą dłoń, żeby sprawdzić, czy drży. Nie — była niewzruszona niczym skała. Poza tym tajemniczość *carabiniere* budziła w nim raczej rozdrażnienie niż strach. Co teraz — zostawianie wiadomości w butelkach i spławianie ich Canal Grande? Wcześniej Guarino wydawał się dość rozsądnym człowiekiem i przyjmował sceptycyzm Brunettiego ze spokojem, po cóż więc upierał się przy tych bezsensownych Bondowskich sztuczkach?

Podszedł do drzwi i zapytał Sergia:

— Mogę zatelefonować?

— *Commissario* — odparł barman, rozkładając dłonie — niech pan dzwoni, dokąd chce. — Sergio, ciemnoskóry i niemal kwadratowy, zawsze przypominał mu niedźwiedzia, bohatera jednej z pierwszych przeczytanych książek. Ponieważ miał on w zwyczaju obżerać się miodem, pokaźny brzuch Sergia jeszcze bardziej ich do siebie upodabniał. I, podobnie jak ów niedźwiedź, barman był życzliwy i wielkoduszny, chociaż przejawiał skłonność do wydawania od czasu do czasu groźnych pomruków.

Brunetti wykręcił pierwsze pięć cyfr numeru domowego telefonu, ale odłożył słuchawkę na widełki. Wyszedł z pokoju na zapleczu i wrócił na swój stołek przy barze. Jego szklanka zniknęła.

— Ktoś wypił mój poncz?

— Nie, *commissario*. Pomyślałem, że będzie zbyt zimny.

— Mógłbyś mi zrobić jeszcze jedną porcję?

— Nic prostszego — odparł barman i ściągnął z półki butelkę.

Dziesięć minut później rozgrzany Brunetti wrócił do gabinetu, skąd zatelefonował do domu.

— *Sì* — odebrała Paola.

Zastanawiał się, kiedy przestała się przedstawiać.

— To ja. Wybierasz się jutro do swojego biura?

— Tak.

— Możesz drukować zdjęcia przesyłane na twój komputer?

— Oczywiście — odparła i usłyszał ledwie powstrzymywane westchnienie.

— Dobrze. Jedno powinno dotrzeć do ciebie pocztą elektroniczną. Mogłabyś mi je wydrukować i ewentualnie powiększyć?

— Guido, przecież mogłabym dostać się do swojej poczty z domu — odparła tonem wystudiowanej cierpliwości, który rezerwowała na wyjaśnianie oczywistości.

— Wiem — powiedział, chociaż nie pomyślał o tym. — Ale chciałbym to utrzymać...

— Poza domem? — zasugerowała Paola.

— Tak.

— Dziękuję. — Roześmiała się. — Nie chcę wnikać w to, jakie masz pojęcie o technice komputerowej, ale dziękuję przynajmniej za to.

— Nie chcę, żeby dzieci... — zaczął tłumaczyć.

— Rozumiem — ucięła. — Do zobaczenia — dodała ciszej i rozłączyła się.

Usłyszał jakiś hałas przy drzwiach swojego gabinetu i gdy spojrzał w ich stronę, ku swemu zaskoczeniu ujrzał Alvisego.

— Ma pan chwilkę, *commissario*? — zapytał z uśmiechem, spoważniał, po czym znowu się uśmiechnął. Niski i chuderlawy Alvise był najmniej ujmującym funkcjonariuszem sił policyjnych; jego intelekt doskonale harmonizował z brakiem fizycznej sprawności. Przyjazny i życzliwy, Alvise zwykle chętnie z każdym gawędził. Paola, spotkawszy go raz, powiedziała, że przywodzi jej na myśl człowieka, o którym pewien angielski poeta powiedział: „Wieczny uśmiech zdradza pustkę w jego głowie".

— Oczywiście, Alvise. Wejdź, proszę. — Alvise dopiero niedawno pojawił się z powrotem w pokoju odpraw, spędziwszy pół roku na pracy w symbiozie z porucznikiem Scarpą w jakimś sponsorowanym przez Unię Europejską oddziale zwalczającym przestępczość, którego charakter nie został nigdy dokładnie określony.

— Wróciłem, panie komisarzu — rzekł Alvise, siadając.

— Tak, wiem. — Błyskotliwość myśli i zwięzłość wyjaśnień nie należały do cech, z którymi kojarzono Alvisego, tak więc jego deklaracja mogła się odnosić do powrotu z tymczasowej misji lub, co nie było dla komisarza tajemnicą, z baru na rogu.

Alvise rozejrzał się po gabinecie, jakby widział go po raz pierwszy. Komisarz był ciekaw, czy policjant uznał, że musi ponownie zaprezentować się swojemu zwierzchnikowi. Milczenie przeciągało się, lecz Brunetti postanowił poczekać i sprawdzić, co Alvise ma do powiedzenia. Policjant odwrócił się, żeby spojrzeć na otwarte drzwi, potem na komisarza, a następnie znowu na drzwi. Po kolejnej minucie milczenia pochylił się do przodu i zapytał:

— Pozwoli pan, że zamknę drzwi, *commissario*?

— Oczywiście, Alvise — odparł Brunetti, zastanawiając się, czy pół roku spędzone z porucznikiem w maleńkim gabinecie uczyniło go wrażliwym na przeciągi.

Alvise podszedł do drzwi, wystawił głowę na korytarz i spojrzał w obie strony, zamknął cicho drzwi i wrócił na swoje krzesło. Znowu zapadła cisza, lecz Brunetti oparł się odruchowej chęci rozpoczęcia rozmowy.

— Jak powiedziałem, panie komisarzu, wróciłem — rzekł w końcu Alvise.

— A ja, jak już powiedziałem, wiem o tym.

Alvise gapił się na Brunettiego, jakby nagle zdał sobie sprawę, że to jemu przypadło w udziale wyrwanie się z tego kręgu niemożności nawiązania kontaktu. Zerknął na drzwi, odwrócił się do komisarza i wyznał:

— Ale jest tak, jakbym nie wrócił, panie komisarzu. — Ponieważ Brunetti nie ponaglał go, policjant musiał ciągnąć dalej. — Inni funkcjonariusze, panie komisarzu, chyba nie są zadowoleni z mojego powrotu. — Na jego gładkiej twarzy malowała się wyraźna konsternacja.

— Dlaczego tak twierdzisz?

— Cóż, nikt nic nie powiedział. O moim powrocie. — Alvise zdołał sprawić, by w jego głosie zaskoczenie mieszało się z bólem.

— A czego się po nich spodziewałeś?

Alvise próbował się uśmiechnąć, ale mu nie wyszło.

— No wie pan, komisarzu, czegoś w rodzaju „Witaj z powrotem" albo „Fajnie, że znowu tu jesteś". Czegoś w tym rodzaju.

Czy on myślał, że wrócił z wyprawy do Patagonii?

— Przecież byłeś na miejscu, Alvise. Pomyślałeś o tym?

— Wiem, panie komisarzu. Ale nie byłem częścią oddziału. Nie byłem zwykłym funkcjonariuszem.

— Przez pewien czas.

— Tak, wiem, panie komisarzu, tylko przez pewien czas. Ale to był rodzaj awansu, prawda?

Brunetti złożył dłonie i przycisnął zęby do kłykci. Gdy już mógł to zrobić, oderwał od nich usta i odparł:

— Sądzę, że mogłeś to tak traktować. Lecz, jak sam twierdzisz, wróciłeś.

— Owszem, ale byłoby dobrze, gdyby się przywitali lub okazali zadowolenie z tego, że mnie widzą.

— Może chcą się przekonać, czy łatwo ci będzie ponownie dostosować się do rytmu pracy oddziału — zasugerował Brunetti, chociaż nie miał pojęcia, co to znaczy.

— Przyszło mi to do głowy, panie komisarzu — rzekł Alvise i się uśmiechnął.

— Świetnie. W takim razie jestem pewien, że to już wszystko — stwierdził Brunetti szorstko i z naciskiem. — Daj im trochę czasu, żeby mogli znowu przywyknąć do twojej obecności. Przypuszczalnie są ciekawi, jakie nowe pomysły przynosisz ze sobą. — Och, jaką ogromną stratę poniosła włoska scena, gdy wybrałem karierę w policji, pomyślał komisarz.

Uśmiech Alvisego stał się jeszcze szerszy i po raz pierwszy, odkąd policjant wszedł do gabinetu, wydawał się szczery.

— Och, tego nie chciałbym im robić, panie komisarzu. Przecież jesteśmy w starej sennej Wenecji, prawda?

Usta Brunettiego znowu powędrowały ku kłykciom.

— Tak. Dobrze, że o tym pamiętasz, Alvise. Powoli! Na razie po prostu postaraj się powrócić do dawnych sposobów załatwiania spraw. Pewnie trochę potrwa, zanim się dostosują, ale na pewno wrócą do przytomności. Gdybyś chciał dziś po południu zaprosić Riverrego na drinka, to mógłbyś zapytać go, co się działo, i niejako przedstawić się na nowo. Zawsze byliście przyjaciółmi, prawda?

— Tak, panie komisarzu. Ale to było, zanim zostałem awa... zanim otrzymałem misję.

— Cóż, tak czy owak, zaproś go. Zabierz go do Sergia i pogadaj z nim szczerze. Nie śpiesz się. Może gdybyście przez kilka dni jeździli na patrole, byłoby mu łatwiej — rzekł Brunetti, odnotowując w pamięci, że ma poprosić Vianella o dopilnowanie, by tych dwóch znowu pracowało razem, do diabła z ideą skutecznego patrolowania miasta.

— Dziękuję, panie komisarzu — powiedział Alvise, wstając z krzesła. — Pójdę zaraz na dół i go zaproszę.

— Świetnie — odparł Brunetti, uśmiechając się szeroko z radości, że Alvise zaczyna już przypominać swoje dawne wcielenie. — Witaj z powrotem, Alvise — dodał, poddając się nagłemu impulsowi.

Policjant stanął na baczność i energicznie zasalutował.

— Dziękuję, panie komisarzu. Dobrze jest wrócić.

Rozdział 11

Sprawy służbowe i myśl o zamordowanym mężczyźnie, którego Brunetti nigdy nie spotkał, towarzyszyły mu w drodze do domu i przy kolacji. Paola zauważyła to podczas posiłku, gdy mąż nie pochwalił ani nie skończył *coda di rospo* z krewetkami królewskimi i pomidorami, a gdy poszedł poczytać do salonu, zostawił nieopróżnioną butelkę graminé.

Mycie naczyń zabrało jej dużo czasu. Gdy dołączyła do niego, stał przy oknie, spoglądając na anioła na szczycie kampanili bazyliki San Marco, widocznego na południowym wschodzie. Postawiła kawę na stoliku przed kanapą i zapytała:

— Chciałbyś napić się grappy?

Pokręcił głową, ale nic nie odpowiedział. Stanęła obok męża, a gdy nie objął jej ramieniem, delikatnie trąciła go biodrem.

— O co chodzi?

— Chyba nie powinienem cię w to wciągać — rzekł w końcu.

Paola odwróciła się od niego i poszła usiąść na kanapie. Wypiła łyk kawy.

— Przecież wiesz, że mogłam odmówić.

— Ale nie odmówiłaś — powiedział, po czym usiadł obok niej.

— O co w tym wszystkim chodzi?

— O tego mężczyznę zamordowanego w Tesserze.

— Tyle to sama wyczytałam z gazet.

Brunetti podniósł swą filiżankę.

— A wiesz — stwierdził po pierwszym łyku — może jednak napiłbym się grappy. Zostało coś z gai? Albo z barolo?

— Tak — odparła, rozsiadając się wygodniej na kanapie. — Mnie też przynieś kieliszek, dobrze?

Wrócił szybko, z butelką i dwoma kieliszkami. Gdy pili, powtórzył jej prawie wszystko to, co powiedział mu Guarino, wyjaśniając na końcu, z jakiego powodu nazajutrz otrzyma w poczcie zdjęcie. Próbował również wyjaśnić własne sprzeczne odczucia co do wciągnięcia go w śledztwo Guarina. To nie była jego sprawa — dochodzenie prowadzili *carabinieri*. Może pochlebiała mu ich prośba o pomoc, a jego próżność w niczym nie różniła się od próżności Patty połechtanej tym, że uznano go za „szefa". A może chodziło o pragnienie zademonstrowania, że potrafi zrobić coś, co nie udało się innym służbom.

— Jedno zdjęcie nie ułatwi signorinie Elettrze poszukiwań — przyznał Brunetti. — Chciałem jednak zmusić Guarina do działania, nawet jeśli służyło to jedynie temu, że przyznał, iż mnie okłamywał.

— A w każdym razie zatajał informacje — poprawiła go Paola.

— Niech ci będzie — zgodził się z uśmiechem.

— I chce, żebyś mu pomógł dowiedzieć się, czy ktoś, kto mieszka koło San Marcuola, jest zdolny do... do czego?

— Myślę, że interesuje go przestępczość z użyciem przemocy. Ostatecznie najprawdopodobniej uważa, że mężczyzna ze zdjęcia to zabójca. Albo że przynajmniej jest w to zamieszany.

— Ty też tak sądzisz?

— Za mało o tym wiem, by cokolwiek sądzić. Wiem jedynie, że ten człowiek nakłonił Ranzata do nielegalnych przewozów, że dobrze się ubiera i umówił się z kimś na spotkanie na przystani przy San Marcuola.

— Wydawało mi się, że powiedziałeś, że tam mieszka.

— Cóż, niezupełnie.

Paola zamknęła oczy w ostentacyjnym pokazie anielskiej cierpliwości i zauważyła:

— Nigdy nie wiem, czy to oznacza potwierdzenie, czy zaprzeczenie.

Brunetti uśmiechnął się.

— W tym wypadku oznacza, że tak zakładałem.

— Dlaczego?

— Dlatego, że powiedział, że kiedyś wieczorem spotkał się tam z kimś, a to właśnie robimy, gdy ktoś do nas przyjeżdża: spotykamy się z nim na *imbarcadero* koło miejsca naszego zamieszkania.

— Tak — potwierdziła Paola, po czym dodała: — panie profesorze.

— Nie wygłupiaj się. To oczywiste.

Paola przechyliła się na bok, ujęła go prawą dłonią pod brodę i delikatnie obróciła jego głowę ku sobie.

— Oczywiste jest również to, że opinia, iż ktoś jest dobrze ubrany, może być wieloznaczna.

— Słucham? — zapytał komisarz, a jego ręka znieruchomiała w drodze ku butelce grappy. — Nie wiem, o czym mówisz. Poza tym powiedział też, że ten mężczyzna był ubrany po szpanersku, cokolwiek to znaczy.

Paola bacznie przyjrzała się twarzy męża, jakby oglądała oblicze obcego człowieka.

— To, co uważamy za „szpanerskie" czy nawet „dobre" ubranie, zależy od tego, jak sami się ubieramy, nie uważasz?

— Nadal nie rozumiem — odparł Brunetti, podnosząc butelkę.

Paola zbyła machnięciem ręki propozycję kolejnego kieliszka grappy i zapytała:

— Pamiętasz tę sprawę... pewnie sprzed dziesięciu lat... gdy przez tydzień co wieczór musiałeś jeździć do Favaro, żeby przesłuchiwać jakiegoś świadka?

Komisarz zastanawiał się przez chwilę, przypomniał sobie tę sprawę, te bezustanne kłamstwa i ostateczne niepowodzenie.

— Tak.

— Pamiętasz, jak *carabinieri* przywozili cię z powrotem i wysadzali przy Piazzale Roma, a ty płynąłeś stamtąd „jedynką" do domu?

— Owszem — odparł, zastanawiając się, do czego zmierza. Czyżby sugerowała, że ta sprawa też stwarza identyczny klimat niepowodzenia, który sam zaczynał odczuwać?

— A pamiętasz ludzi, których, jak twierdziłeś, widujesz co wieczór na *vaporetto*? Te podejrzane typy z łatwymi blondynkami? Mężczyzn w skórzanych kurtkach i kobiety w skórzanych minispódniczkach?

— O mój Boże — rzekł Brunetti, uderzając się dłonią w czoło tak mocno, że dosłownie odrzuciło go na oparcie kanapy. — Wy, którzy macie oczy, a nie widzicie — dodał.

— Proszę, Guido, nie zaczynaj znowu cytować Biblii.

— Przepraszam. Chyba przeżyłem zbyt duży szok — odparł z szerokim uśmiechem. — Jesteś genialna. Ale przecież wiem o tym od lat. No jasne. Casinò. Spotkaliby się przy San Marcuola i poszli razem, nieprawdaż? Oczywiście. Genialna, genialna.

Paola uniosła dłoń w geście wyraźnie fałszywej skromności.

— Guido, to nie jest absolutnie pewne.

— Tak, to tylko jedna z możliwości — zgodził się komisarz. — Ale to brzmi rozsądnie, a przynajmniej pozwala mi na jakieś działania.

— Działania? — zdziwiła się Paola.

— Tak.

— Takie jak wspólne wyjście do Casinò?

— Wspólne?

— Wspólne.

— Dlaczego wspólne?

Podsunęła mu kieliszek, a on napełnił go kolejną porcją

grappy. Wypiła, skinęła głową w dowód uznania równie wielkiego jak uznanie męża, po czym odparła:

— Dlatego, że nikt nie wzbudza większego zainteresowania w kasynie niż samotny mężczyzna.

Brunetti zaczął protestować, ale Paola przerwała jego sprzeciw, unosząc swój kieliszek.

— Nie może po prostu spacerować, gapiąc się na ludzi przy stolikach i nie obstawiając, prawda? Chyba nie ma lepszego sposobu, by rzucać się w oczy? A jeżeli rzeczywiście zacznie grać, to co zrobi? Spędzi noc, przegrywając nasze mieszkanie? — Gdy spostrzegła, że twarz mu się rozjaśnia, zapytała: — Ostatecznie nie można chyba liczyć na to, że signorina Elettra ujmie to w rachunku za wyposażenie biura, prawda?

— Chyba nie — przyznał Brunetti, kapitulując na całej linii.

— Mówię poważnie, Guido — powiedziała Paola, odstawiając kieliszek. — Gdy tam będziesz, musisz wyglądać na odprężonego, a jeżeli pójdziesz sam, będziesz wyglądał jak policjant na łowach, a w każdym razie jak mężczyzna na łowach. Jeżeli wybierzesz się ze mną, możemy przynajmniej rozmawiać, śmiać się i sprawiać wrażenie, że dobrze się bawimy.

— Czy to znaczy, że nie będziemy się dobrze bawić?

— A czy można się dobrze bawić, obserwując, jak ludzie tracą pieniądze przez hazard?

— Nie wszyscy tracą — zauważył Brunetti.

— Tak jak nie wszyscy skaczący z dachu łamią nogi — odpaliła Paola.

— Co to ma znaczyć?

— To znaczy, że kasyno zarabia pieniądze, a zarabia dlatego, że ludzie je tracą. Uprawiając hazard. Może nie tracą ich co wieczór, ale w końcu zawsze tracą.

Brunetti bawił się myślą, by wypić jeszcze jeden mały kieliszek, ale mężnie odsunął ją od siebie i rzekł:

— W porządku. Ale możemy jeszcze się dobrze zabawić?

— Dopiero jutro wieczór — odparła Paola.

Komisarz postanowił zaufać szczęściu, licząc na to, że ktoś w kasynie rozpozna młodego mężczyznę ze zdjęcia, które Paola przyniosła do domu z uczelni, chociaż w tych okolicznościach bogini Fortuna, z pewnością zmuszona znosić inne, bardziej naglące prośby, chyba nie była właściwą adresatką. Zdawał sobie również sprawę, że nawet jeśli odkryje tożsamość tego młodzieńca lub go znajdzie, to będzie mógł tylko przekazać tę wiadomość Guarinowi, sprawdziwszy wcześniej ewentualnie, czy jest notowany w rejestrze karnym. Nawet w sytuacji, gdy znowu rządziła prawica, fakt znalezienia się na zdjęciu nie był jeszcze przestępstwem.

Bez względu na to, jak często Brunetti przypominał sobie, że jest zwykłym obywatelem przybyłym do kasyna w towarzystwie swojej małżonki, wiedział, iż jako człowiek, który w ostatnich latach kierował dwoma policyjnymi śledztwami w sprawie Casinò, nie może przejść niezauważony.

Gdy przyszli, mężczyzna w recepcji rozpoznał go natychmiast. Najwyraźniej jednak administracja kasyna nie żywiła do niego urazy i został potraktowany jak VIP, choć nie przyjął gratisowego *fiche*, który mu zaproponowano. Wykupił sztony za pięćdziesiąt euro i połowę dał Paoli.

Nie był tu od lat, a przynajmniej od czasu, gdy ostatnim razem aresztował dyrektora kasyna. Zmieniło się niewiele: rozpoznał część krupierów, z których dwaj — podejrzani o stworzenie systemu umożliwiającego oszukanie kasyna na sumę, której nikt nie zdołał obliczyć, idącą być może w miliony, a z pewnością w setki tysięcy euro — trafili do aresztu razem z dyrektorem. Oskarżono ich, uznano za winnych, skazano, a teraz wrócili do swej krupierskiej służby cywilnej. Mimo towarzystwa Paoli komisarz zaczął podejrzewać, że nie będzie się tutaj dobrze bawił.

Ruszyli w stronę stołów do ruletki, jedynej gry, która nie wymagała umiejętności liczenia kart lub określania szans na cokolwiek, dzięki czemu Brunetti czuł się zdolny do udziału w niej. Postaw pieniądze. Wygraj. Przegraj.

Gdy podeszli, przyjrzał się bacznie ludziom zgromadzonym wokół jednego ze stołów, szukając twarzy, którą widział jedynie z półprofilu. Zdjęcie, które przyszło tego rana — bez wyjaśnienia kiedy, gdzie lub przez kogo zostało zrobione — nie było zbyt dobrej jakości. Przedstawiało gładko ogolonego mężczyznę, który wyglądał na trzydzieści parę lat. Stał przy barze z filiżanką w dłoni, rozmawiając z kimś niewidocznym. Miał krótkie ciemne włosy, szatyn lub brunet — ostrość wykonanego *telefonino* zdjęcia była zbyt mała, żeby to stwierdzić. Ukazywało tylko jeden policzek i jedną brew opadającą pod tak ostrym kątem, że przypominała rysy postaci z kreskówek. Nie dało się ocenić wzrostu mężczyzny, był jednak średniej budowy ciała. Nie sposób też było rozpoznać jakości ubrania: krawata, marynarki i jasnej koszuli.

Brunetti i Paola stali przez kilka minut na obrzeżach kręgu ludzi przyciągniętych magiczną siłą koła fortuny, wsłuchani w klekot wirującej kulki. Potem rozległ się stłumiony stuk, gdy kulka wpadła do przegródki, i zaległa cisza: porażka nie wywoływała nawet westchnień, a zwycięstwo przechodziło niezauważone. Jakże wyzbyci entuzjazmu są ci ludzie, pomyślał Brunetti, jak pozbawiona smaku jest ich radość.

Kilku przegranych nieubłagana fala gry wyrzuciła poza krąg obstawiających; inni, wśród nich Brunetti i Paola, zajęli ich miejsce. Nie zawracając sobie głowy patrzeniem, gdzie kładzie szton, komisarz umieścił go na planszy. Czekał, obserwując twarze graczy po drugiej stronie stołu, skupionych na krupierze, potem zaś, gdy tylko kulka opuściła jego dłoń, na tarczy.

Paola stała u boku męża, obejmując jego ramię, gdy kulka zatrzymała się na siódemce i żeton komisarza powędrował za wieloma innymi do wąskiej szczeliny nicości. Była tym tak przybita, jakby stracił nie dziesięć euro, lecz dziesięć tysięcy. Stali tam podczas kilku następnych spinów, po czym zostali wyparci przez niecierpliwie wyczekujących własnej przegranej, którzy stali z tyłu.

Przenieśli się do innego stołu i przez kwadrans obserwowali fale napływających i odchodzących hazardzistów. Uwagę komisarza przyciągnął stojący naprzeciw bardzo młody mężczyzna — pewnie niewiele starszy od Raffiego. Za każdym razem, w chwili gdy krupier zapowiadał koniec obstawiania, umieszczał stos sztonów na dwunastce i za każdym razem je tracił.

Brunetti bacznie przyglądał się jego młodzieńczo delikatnej twarzy. Pełne i lśniące wargi chłopaka przypominały usta jednego ze zdziczałych świętych z płócien Caravaggia. Jednak jego oczy, które powinny były błyszczeć, choćby z bólu spowodowanego wielokrotną stratą, były nieobecne i mętne niczym oczy posągu. Nie raczył też zerknąć na swoje sztony, które wybierał na chybił trafił: czerwone, żółte, niebieskie. W ten sposób nigdy nie stawiał identycznej sumy, chociaż stos sztonów na ogół miał wysokość mniej więcej dziesięciu sztuk.

Ciągle przegrywał, a gdy leżące przed nim sztony zniknęły, sięgnął do kieszeni marynarki i wyjął z niej kolejną garść. Rozłożył je bezładnie przed sobą, nie patrząc na nie i nie próbując porządkować ich według wartości.

Nagle Brunetti zaczął się zastanawiać, czy chłopak jest niewidomy i może się w grze kierować tylko dotykiem i słuchem. Obserwował go przez chwilę, biorąc pod uwagę taką możliwość, ale wtedy tamten zerknął na niego z tak przygnębiającą antypatią, że musiał odwrócić wzrok; poczuł się tak, jakby przyłapał kogoś na gorącym nieprzyzwoitym uczynku.

— Odejdź stąd — usłyszał głos Paoli i poczuł dość bolesny ucisk jej dłoni na swoim łokciu, gdy ciągnęła go w stronę pustej przestrzeni między stołami. — Nie mogę już patrzeć na tego chłopaka — dodała, głośno wyrażając jego myśl.

— Chodź, postawię ci drinka — zaproponował.

— Masz gest — wyrzuciła z siebie, ale dała się zaprowadzić do baru, gdzie Brunetti przekonał ją, by zamówiła whisky, którą piła rzadko i której nigdy nie lubiła. Stuknęli się ciężkimi kanciastymi szklankami i przyglądał się, jak Paola pije pierwszy łyk. Wykrzywiła usta, chyba nieco zbyt melodramatycznie, i z trudem wykrztusiła:

— Nie wiem, dlaczego zawsze daję ci się namówić do picia tego paskudztwa.

— Jeśli mnie pamięć nie myli, powtarzasz to od dziewiętnastu lat, odkąd po raz pierwszy pojechaliśmy do Londynu.

— Ale ty wciąż próbujesz mnie nawrócić — odparła, pociągając kolejny łyk.

— Teraz pijasz grappę, prawda? — zapytał łagodnie Brunetti.

— Owszem, ale grappa mi smakuje. A to... — wyjaśniła, wymachując szklanką — ...równie dobrze mogłabym pić rozcieńczalnik do farb.

Brunetti dopił swojego drinka i odstawił szklankę na kontuar. Zamówił *grappa di moscato* i odebrał Paoli jej whisky.

Jeżeli spodziewał się sprzeciwu, to zaskoczyła go słowem „Dzięki" i przyjęciem grappy od barmana. Odwracając się w stronę sali, z której właśnie wyszli, zauważyła:

— Obserwowanie ich przy stole jest przygnębiające. Dante opisuje takich ludzi. — Wypiła łyk grappy i zapytała: — Burdele są fajniejsze?

Brunetti zakrztusił się i wypluł trunek z powrotem do szklanki. Odstawił ją na kontuar, wyjął chusteczkę i wytarł usta.

— Słucham?!

— Ja nie żartuję — odparła dość uprzejmie. — Nigdy nie byłam w burdelu i zastanawiam się, czy przynajmniej tam komuś udaje się miło spędzić czas.

— I mnie o to pytasz? — zdziwił się komisarz, niepewny, jakiego tonu użyć, i w końcu wybrał coś pośredniego między rozbawieniem a oburzeniem.

Paola nie odpowiedziała, popijając grappę.

— Byłem w dwóch, nie, w trzech — wyjaśnił wreszcie Brunetti. — Skinął ręką na barmana, a gdy ten podszedł, podsunął mu szklankę i dał znak, by ją ponownie napełnił. Gdy whisky pojawiła się przed nim, dodał: — Po raz pierwszy, gdy pracowałem w Neapolu. Musiałem aresztować syna burdelmamy; mieszkał tam podczas studiów uniwersyteckich.

— Co studiował? — zapytała, nie zaskakując go tym pytaniem.

— Zarządzanie.

— Oczywiście — stwierdziła z uśmiechem. — Czy ktoś dobrze się tam bawił?

— Wówczas się nad tym nie zastanawiałem. Wkroczyłem z trzema innymi policjantami i aresztowaliśmy go.

— Za co?

— Za zabójstwo.

— A pozostałe sytuacje?

— Raz w Udine. Musiałem przesłuchać jedną z pracujących tam kobiet.

— Poszedłeś tam w godzinach pracy? — zapytała Paola, wywołując tym zwrotem wyobrażenie kobiet przy-

137

chodzących do burdelu i odbijających karty zegarowe, wyciągających z szafek kabaretki i szpilki, korzystających regularnie z przerw na kawę i siedzących wokół stołu, palących papierosy, gawędzących i jedzących posiłki.

— Tak — odparł, jakby trzecia nad ranem była normalną godziną pracy.

— Ktoś się dobrze bawił?

— Było chyba za późno, żeby to ocenić. Prawie wszyscy spali.

— Nawet kobieta, którą przyszedłeś przesłuchać?

— Okazało się, że to nie ona.

— A ten trzeci raz?

— To była sprawa w Pordenone — powiedział bardzo wstrzemięźliwym tonem. — Ale ktoś do nich zadzwonił i gdy dotarliśmy na miejsce, lokal był pusty.

— Aha — powiedziała z ujmującą tęsknotą Paola. — Naprawdę chciałam wiedzieć.

— Przykro mi, że nie mogę ci pomóc.

Odstawiła pusty kieliszek i wspięła się na palce, żeby pocałować męża w policzek.

— W sumie raczej się z tego cieszę — odparła, po czym zapytała: — Wrócimy tam i roztrwonimy resztę forsy?

Rozdział 12

Wrócili na salę, tym razem poprzestając na obserwacji osób tłoczących się wokół stołów i zwracając większą uwagę na graczy niż na to, ile wygrywali bądź tracili. Niczym święta Katarzyna z Aleksandrii młodociany hazardzista był nadal przywiązany do swego koła. Miał tak bezbrzeżnie smutną twarz, że Brunetti nie mógł znieść jej widoku. Chłopak powinien uganiać się za dziewczynami, kibicować jakiejś drużynie piłkarskiej lub oklaskiwać szalony zespół rockowy, wspinać się po górach, robić coś — cokolwiek — bez umiaru, coś lekkomyślnego i zwariowanego, co pochłaniałoby jego młodzieńczą energię i pozostawiło radosne wspomnienia.

Chwycił Paolę pod łokieć i niemal zaciągnął do drugiej sali, w której siedzący przy owalnym stole gracze unosili rogi kart, by zerknąć na nie ukradkiem. Brunetti pamiętał bary z czasów swojej młodości, gdzie robotnicy o okropnych twarzach zbierali się po pracy, żeby rozgrywać niezliczone partie *scopa*. Przypomniał sobie maleńkie kieliszki w kształcie klosza wypełnione czerwonym winem tak ciemnym, że wydawało się czarne, które każdy gracz trzymał z prawej strony i z których popijał między partiami. Poziom wina w nich wydawał się nie obniżać i komisarz nie pamiętał, by któryś zamówił więcej niż jeden kieliszek na wieczór. Grali żywiołowo, kładąc wygrywające karty z potężną siłą, od której drżały nogi stolika, pochylając się czasem z radosnym rykiem, by zgarnąć wieczorną wygraną. Ile wtedy wynosiła? Sto lirów, dość, by zapłacić za wino pozostałych graczy?

Pamiętał okrzyki zachęty z ust mężczyzn stojących przy barze, bilardzistów wspartych na kijach i spoglądających na mężczyzn, którzy prowadzili inną grę, i często komentujących jej przebieg. Niektórzy z karciarzy umyli twarze i włożyli porządne marynarki, zanim przyszli; inni przybyli prosto z pracy w swych ciemnoniebieskich kombinezonach i ciężkich butach. Gdzie się podziały te ubrania i te buty? Co naprawdę stało się ze wszystkimi ludźmi, którzy pracowali fizycznie? Czy zastąpiły ich gładkie typy, właściciele ekskluzywnych sklepów i butików, którzy wyglądali na takich, co padliby pod dużym ciężarem i naporem silnego wiatru?

Poczuł uścisk ręki obejmującej go w pasie Paoli.

— Jak długo jeszcze musimy tu zostać? — zapytała. Brunetti spojrzał na zegarek i zobaczył, że minęła już północ. — Może przyszedł tu tylko tej jednej nocy — zasugerowała, po czym spróbowała, bezskutecznie, stłumić ziewnięcie.

Komisarz spojrzał ponad głowami osób otaczających stoły do gry. Ci ludzie mogliby być w łóżkach i czytać; mogliby być w łóżkach i robić coś innego. Byli jednak tutaj, przyglądali się, jak kulki, kartoniki i białe kostki odbierają im to, na co pracowali całymi tygodniami, czasem latami.

— Masz rację — rzekł, pochylając się, żeby pocałować ją w czubek głowy. — Obiecałem ci dobrą zabawę i proszę, dobrze się bawimy.

Poczuł raczej, niż zobaczył, że Paola wzrusza ramionami.

— Chcę znaleźć dyrektora, pokazać mu zdjęcie, sprawdzić, czy zna tego mężczyznę. Masz ochotę pójść ze mną czy chcesz poczekać tutaj?

Zamiast odpowiedzieć, Paola odwróciła się i ruszyła ku drzwiom prowadzącym ku schodom. Brunetti poszedł za nią. Na parterze usiadła na ławce przed drzwiami dyrektorskiego gabinetu, otworzyła torebkę, wyjęła z niej książkę oraz okulary i zaczęła czytać.

Komisarz zapukał do drzwi, ale nikt nie odpowiedział. Wrócił do recepcji i poprosił o rozmowę z szefem ochrony, który, dyskretnie wezwany przez telefon, zjawił się po minucie. Claudio Vasco był wysokim, kilka lat młodszym od Brunettiego mężczyzną. Miał na sobie smoking tak elegancki, że pewnie korzystał z usług tego samego krawca co *commissario* Griffoni. Zatrudniony na miejsce jednego z aresztowanych, uścisnął rękę komisarzowi i uśmiechnął się, gdy ten się przedstawił.

Mijając Paolę, która nie raczyła unieść spojrzenia znad książki, Vasco zaprowadził Brunettiego korytarzem i wszedł do gabinetu dyrektora. Nie zawracając sobie głowy siadaniem, uważnie obejrzał zdjęcie. Brunetti przypatrywał się Vasco i niemal widział, jak ten przegląda w myślach kolejne twarze. Szef ochrony opuścił dłoń, w której trzymał fotografię, i spojrzał na komisarza.

— To prawda, że to pan aresztował tych dwóch z góry? — zapytał, unosząc wzrok ku sufitowi i piętru nad nimi, gdzie pracowali dwaj krupierzy.

— Tak — odparł Brunetti.

Vasco uśmiechnął się i wręczył mu zdjęcie.

— Wobec tego jestem panu winien przysługę. Mam tylko nadzieję, że wystraszył pan tych sukinsynów na tyle, by przez jakiś czas postępowali uczciwie.

— Tylko przez jakiś czas?

Szef ochrony spojrzał na Brunettiego tak, jakby komisarz przestał się posługiwać ludzką mową.

— Oni? Prędzej czy później wymyślą jakiś nowy system lub jeden z nich zapragnie polecieć na urlop na Seszele. Na ich obserwację poświęcamy więcej czasu niż na pilnowanie klientów — rzekł ze znużeniem. Skinął głową na zdjęcie i dodał: — Był tutaj kilka razy, raz z innym gościem. Obiekt pańskiego zainteresowania ma około trzydziestki, jest trochę niższy i chudszy od pana.

— A ten drugi? — zapytał komisarz.

— Słabo go pamiętam — odparł Vasco. — Całą uwagę skupiłem na tym — wyjaśnił, trącając lekko zdjęcie palcami lewej dłoni.

Brunetti uniósł brew, ale Vasco rzekł tylko:

— Powiem panu o tym, gdy znajdę rejestrację. — Komisarz wiedział, że w kasynie odnotowywano wizyty wszystkich klientów, ale nie miał pojęcia, jak długo trzeba było przechowywać ich akta.

— Jak powiedziałem, jestem panu winien przysługę, *commissario*. — Szef ochrony skierował się ku drzwiom, odwrócił się i dodał: — Ale nawet gdybym nie był, z radością pomógłbym panu znaleźć tego sukinsyna, zwłaszcza gdybym wiedział, że to mu przysporzy kłopotów. — Vasco posłał Brunettiemu uśmiech, który odmłodził go o dziesięć lat, i wyszedł, nie zamykając za sobą drzwi.

Brunetti widział przez nie Paolę, która nie uniosła wzroku ani wtedy, gdy nadchodzili, ani teraz, gdy Vasco opuszczał gabinet. Wyszedł na korytarz i usiadł obok żony.

— Co czytasz, skarbie? — zapytał głębokim głosem.

Paola przewróciła kartkę, ignorując męża.

Przysunął się bliżej i wetknął głowę między Paolę i książkę.

— Co to za książka, Księżniczka jaka?

— Casamassima — wyjaśniła i odsunęła się od niego.

— Dobra? — zapytał.

— Przykuwająca uwagę — odparła Paola i widząc, że siedzi na brzegu ławki, odwróciła się od męża.

— Dużo książek czytasz, aniele? — uporczywie dopytywał się tym samym chrypiącym głosem, głosem szalonego gaduły, który przysiada się do ludzi na *vaporetto*.

— Tak, czytam dużo książek — odparła, po czym grzecznie dodała: — Mój mąż jest policjantem, więc chyba będzie lepiej, jeżeli zostawi mnie pan w spokoju.

— Nie musisz być nieprzyjemna, aniele — stwierdził jękliwym głosem.

— Wiem. Ale mam w torebce jego broń i zastrzelę pana, jeżeli pan nie usłucha.

— Och — mruknął Brunetti i odsunął się od niej. Znalazłszy się na drugim końcu ławki, skrzyżował nogi i spojrzał na wiszącą na ścianie naprzeciw rycinę przedstawiającą most Rialto. Paola przewróciła kartkę i wróciła do Londynu.

Brunetti osunął się niżej i oparł głowę o ścianę. Zastanawiał się, czy Guarino mógł świadomie wprowadzić go w błąd, żeby myślał, że mężczyzna ze zdjęcia mieszka w pobliżu. Być może bał się, że udział Brunettiego ograniczy kontrolę *carabinieri* nad śledztwem. Być może nie był pewien, wobec kogo jest naprawdę lojalny nowo poznany kolega z policji. Czyż można było go o to winić? Komisarz nie musiał myśleć o poruczniku Scarpie, by pamiętać, że najlepsze w bezpieczeństwie jest pozorne zaufanie. I o biednym Alvisem, współpracującym ze Scarpą przez sześć miesięcy, uczącym się zabiegać o jego uznanie. Teraz więc nie należało mu ufać nie tylko z powodu jego wrodzonej głupoty, ale również dlatego, że porucznik zawrócił mu uprzejmościami w pustej główce i teraz Alvise z pewnością będzie biegał do niego z każdą wieścią.

Poczuł na lewym ramieniu dotyk dłoni i myśląc, że to Paola, powracająca do niego z kart powieści Henry'ego Jamesa, lekko ją ścisnął. Dłoń została gwałtownie wyszarpnięta spod jego palców i Brunetti otworzył oczy, by ujrzeć przed sobą zaszokowanego Claudia Vasco.

— Myślałem, że to moja żona. — Tylko tyle komisarz zdołał wymyślić, odwracając głowę w stronę siedzącej obok Paoli, która przyglądała się obu mężczyznom bez specjalnego zainteresowania.

— Rozmawialiśmy, zanim zasnął — wyjaśniła szefowi ochrony, który zmrużył oczy, przetwarzając tę informację, po czym uśmiechnął się i pochylił, żeby poklepać Brunettiego po ramieniu.

— Nie uwierzyłby pan, jakie rzeczy tutaj widziałem — powiedział. Uniósł parę kartek, dodając: — Mam kserokopie ich paszportów — i wszedł do gabinetu dyrektora.

Komisarz wstał i podążył za nim.

Na biurku leżały dwie kartki, z których spoglądało na niego dwóch mężczyzn — ten ze zdjęcia oraz młodszy, z włosami sięgającymi kołnierza i niemal niewidoczną szyją.

— Przyszli tu razem — wyjaśnił Vasco.

Brunetti podniósł pierwszą kartkę.

— Antonio Terrasini — przeczytał — urodzony w Plati. — Spojrzał na szefa ochrony. — Gdzie to jest?

— Pomyślałem, że pewnie zechce pan to wiedzieć — odparł z uśmiechem. — Kazałem sprawdzić dziewczynom. W masywie Aspromonte, tuż powyżej parku narodowego.

— Co tutaj robi Kalabryjczyk?

— Ja jestem Apulijczykiem — rzekł obojętnie Vasco. — Mnie mógłby pan zadać to samo pytanie.

— Przepraszam — powiedział komisarz, odkładając pierwszy dokument i podnosząc drugi.

— Giuseppe Strega — przeczytał. — Urodzony w tym samym mieście, tyle że osiem lat później.

— Zauważyłem — odparł Vasco. — Dziewczęta z recepcji podzielają pańskie zaciekawienie pierwszym z nich, podejrzewam jednak, że z innego powodu: uważają, że jest urodziwy. Ich zdaniem obaj są urodziwi. — Vasco odebrał dokumenty i przyjrzał się twarzom na zdjęciach, Terrasiniego z ukośnymi brwiami nad migdałowymi oczami i drugiego mężczyzny z gęstwiną włosów opadających na policzki jak u poety. — Sam tego nie widzę — dodał i upuścił kartki na biurko.

Nie widział też Brunetti.

— Kobiety to dziwne istoty — zauważył, po czym w końcu zapytał: — Dlaczego nazywa go pan sukinsynem?

— Ponieważ nie potrafi przegrywać — odparł Vasco. — Żaden z nich tego nie lubi. Sądzę jednak, że niektórym tak naprawdę jest to obojętne, tyle że nie potrafią sobie tego uświadomić. — Spojrzał na komisarza, by sprawdzić, czy ten słucha, i na jego skinienie głową ciągnął dalej: — Pewnej nocy przegrał pewnie z pięćdziesiąt tysięcy euro. Nie wiem, ile dokładnie, ale jeden z członków ochrony zadzwonił do mnie z informacją, że przy stole do gry w blackjacka siedzi jakiś frajer i jest obawa, że będą kłopoty. Tam właśnie ci, którzy uważają się za bystrzaków, wierzą zawsze, że wygrają: licząc karty, grając tym lub innym systemem. Wszyscy są pomyleni. Bo to my zawsze wygrywamy. — Vasco zobaczył minę komisarza i dodał: — Przepraszam, to nieistotne, prawda? W każdym razie, gdy tam dotarłem, od razu go spostrzegłem. Facet wyglądał jak tykająca bomba zegarowa. Czuć było, że emanuje energią jak rozpalony piec. Zauważyłem, że ma już niewiele sztonów, więc pomyślałem, że zostanę do czasu, aż w końcu wszystko przegra. Potrzebował do tego dwóch partii i gdy tylko krupier zgarnął ostatnie sztony, zaczął krzyczeć, że talia była źle przetasowana, że dopilnuje, by krupier stracił licencję. — Vasco wzruszył ramionami na znak rozdrażnienia i rezygnacji. — Nie zdarza się to często, ale gdy się już zdarzy, zawsze mówią to samo. I formułują takie same groźby.

— Co pan zrobił?

— Giulio... gość, który mnie wezwał... stał wówczas z drugiej strony, więc podeszliśmy do niego razem i... cóż, pomogliśmy mu wstać od stołu i ruszyć do schodów. A potem zejść po nich. Po drodze trochę się uspokoił, ale i tak uznaliśmy, że należy się go pozbyć.

— I pozbyliście się?

— Owszem. Poczekaliśmy, aż odbierze płaszcz z szatni, a potem odprowadziliśmy go do drzwi.

— Mówił coś? Groził wam?

— Nie, ale trzeba było go wtedy dotknąć — zaczął Vasco, po czym, jakby sobie przypomniał to, jak Brunetti dotknął jego ręki, dodał: — To znaczy, trzeba było go wtedy widzieć. Jakby przepływał przez niego prąd. Zaprowadziliśmy więc gościa do drzwi, zwracając się do niego per „Signore" i zachowując nad wyraz uprzejmie, tak jak od nas wymagają, a później zaczekaliśmy, aż odjedzie.

— A potem?

— A potem wróciliśmy i wpisaliśmy go na listę.

— Listę?

— Listę osób, które nie mogą tu wrócić. Gdy zachowują się w ten sposób lub gdy ktoś z rodziny dzwoni, podaje ich personalia i mówi, żebyśmy ich nie wpuszczali, wtedy zakazujemy im wstępu. — I znowu wzruszenie ramion. — Co nie robi większej różnicy. Mogą pojechać do Campione, do Jesolo, tutaj też mogą uprawiać hazard, zwłaszcza odkąd trafili tu Chińczycy. Ale przynajmniej my się go pozbyliśmy.

— Jak dawno temu to się stało?

— Dokładnie nie pamiętam. Tam powinna być data — odparł Vasco, wskazując na leżący na biurku dokument. — Tak, dwudziestego listopada.

— A co z tym, który mu towarzyszył?

— Wtedy nie wiedziałem, że przyszli razem. Poinformowano mnie o tym później, gdy poszedłem wpisać go na listę. Nie przypominam sobie, bym widział wtedy tego drugiego gościa.

— Jemu też zakazano wstępu?

— Nie było ku temu powodu.

— Mogę je zabrać? — zapytał Brunetti, wskazując na fotokopie.

— Oczywiście. Mówiłem już, że jestem panu winien przysługę.

— A wyświadczyłby pan jeszcze jedną?

— Jeśli potrafię.

— Niech pan zniesie zakaz wstępu dla niego i zadzwoni do mnie, gdy przyjdzie.

— Zrobię to, jeśli da mi pan numer telefonu — odparł Vasco. — Powiem dziewczynom z recepcji, by zadzwoniły do pana, jeżeli mnie nie będzie.

— Oczywiście — zapewnił Brunetti, a po namyśle zapytał: — Sądzi pan, że można im zaufać w sytuacji, gdy uważają go za takiego przystojniaka?

Vasco uśmiechnął się promiennie.

— Powiedziałem im, że to pan aresztował tych dwóch gnojków z góry. Teraz może im pan ufać w stu procentach.

— Dzięki.

— Poza tym — dodał szef ochrony, podnosząc dokumenty i wręczając je komisarzowi — to hazardziści. Żadna z tych dziewczyn nie dotknęłaby takiego nawet kijem.

Rozdział 13

Nazajutrz rano Brunetti wszedł do biura signoriny Elettry, niosąc fotokopie. Sekretarka Patty, jakby w harmonii kolorystycznej z dokumentami, była ubrana na czarno-biało, w czarne lewisy, tyle że takie, które trafiły na pewien czas do przeróbki krawieckiej, oraz golf tak biały, iż Brunetti zastanawiał się nerwowo, czy na kopiach nie został jakiś ukryty kleks. Elettra przyjrzała się uważnie kopiom zdjęć paszportowych obu mężczyzn, przenosząc wzrok z jednego na drugie, i w końcu powiedziała:

— Diabelnie przystojni, co?

— Tak — odparł Brunetti, zastanawiając się, dlaczego to stwierdzenie jest pierwszą reakcją wszystkich kobiet na widok tych zdjęć. Być może byli przystojni, ale przecież jeden z nich był podejrzewany o udział w zabójstwie, a one nie miały o nich nic więcej do powiedzenia. To wystarczyło, by podważyć wiarę w zdrowy rozsądek płci odmiennej. Lepsza część jego natury przeszkadzała mu w rozszerzeniu listy zarzutów o fakt, że obaj pochodzili z południa, a przynajmniej jeden z nich nosił nazwisko słynnej mafijnej rodziny.

— Byłem ciekaw, czy pani ma lub mogłaby uzyskać dostęp do akt Ministerstwa Spraw Wewnętrznych — powiedział komisarz ze spokojem notorycznego przestępcy. — Akt paszportowych.

Signorina Elettra uniosła zdjęcia ku światłu, przyglądając się im uważniej.

— Na podstawie kopii trudno ocenić, czy paszporty są prawdziwe — odparła ze spokojem osoby obeznanej z robotą notorycznych przestępców.

— Nie ma pani gorącej linii łączącej z gabinetem ministra? — zapytał z udawaną figlarnością.

— Niestety nie — odpowiedziała poważnie. W zamyśleniu podniosła ołówek, oparła go czubkiem o blat biurka, przesunęła po nim palcami, odwróciła go o sto osiemdziesiąt stopni i powtórzyła ten ruch kilka razy, po czym upuściła ołówek na biurko. — Zacznę od Biura Paszportów — wyjaśniła, jakby te akta stały na lewo od niej i musiała jedynie je przekartkować. Jakby wbrew swej woli, sięgnęła ręką po ołówek i tym razem postukała gumką w zdjęcia i dodała: — Jeżeli są prawdziwe, sprawdzę w naszych aktach, co na nich mamy. — Po namyśle zapytała: — Na kiedy chciałby pan mieć te informacje, *dottore*?

— Na wczoraj?

— To niemożliwe.

— Na jutro? — zaproponował, postanowiwszy grać uczciwie i nie prosić o wcześniejszy termin.

— Jeżeli to ich prawdziwe nazwiska albo używali ich na tyle długo, by były gdzieś w naszym systemie, powinnam mieć coś do jutra. — Przesuwała ołówek w palcach i Brunetti miał wrażenie, że widzi, jak jej myśli wędrują między różnymi możliwościami. — Może mi pan powiedzieć o nich coś więcej?

— Człowiek, który zginął w Tesserze, był związany z tym gościem — odparł komisarz, wskazując na mężczyznę, w którego paszporcie widniało nazwisko Terrasini. — A ten drugi poszedł z nim do kasyna, gdzie Terrasini przegrał sporą sumę i trzeba go było wyrzucić, gdy zaczął grozić krupierowi.

— Ludzie zawsze przegrywają — stwierdziła obojętnie. — Byłoby jednak ciekawe dowiedzieć się, skąd wziął tyle pieniędzy, prawda?

— To zawsze ciekawe, skąd ludzie biorą spore sumy — zauważył Brunetti. — Tym bardziej jeśli są skłonni przepuścić je w kasynie.

Signorina Elettra wpatrywała się przez chwilę w zdjęcia, po czym oświadczyła:

— Zobaczę, co uda mi się znaleźć.

— Byłbym wdzięczny.

— Jasne.

Wyszedł z jej biura i ruszył z powrotem do swojego gabinetu. Gdy dotarł do schodów, spojrzał w górę i zobaczył Pucettiego, a u jego boku kobietę w długim płaszczu. Zerknął na jej kostki i natychmiast przypomniał sobie pierwsze spotkanie z Francą Marinello oraz widok tych zgrabnych kostek wędrujących przed nim w górę po moście.

Uniósł spojrzenie ku głowie kobiety, ale miała wełniany kapelusz, spod którego wystawało tylko kilka kosmyków z tyłu. Jasnych kosmyków.

Przyspieszył i gdy był kilka kroków za nimi, zawołał:

— Pucetti!

Młody policjant zatrzymał się, odwrócił i uśmiechnął z zakłopotaniem, ujrzawszy zwierzchnika.

— Ach, pan komisarz — zaczął mówić, a wtedy towarzysząca mu kobieta też się odwróciła i Brunetti przekonał się, że to rzeczywiście Franca Marinello.

Pod wpływem zimna jej policzki pokryły się dziwnie ciemnymi purpurowymi plamami, podczas gdy skóra na brodzie i czole była blada jak u osoby pozbawionej kontaktu ze słońcem. Jej oczy złagodniały i Brunetti rozpoznał grymas pełniący u niej funkcję uśmiechu.

— Ach, *signora* — powiedział, nie kryjąc zaskoczenia. — Cóż panią do nas sprowadza?

— Postanowiłam, że mogę wykorzystać fakt, że poznałam pana przed kilkoma dniami, *commissario* — odparła swym głębokim głosem. — Chciałabym pana o coś zapytać, jeśli mogę — dodała. — Ten młody funkcjonariusz był bardzo życzliwy.

Postawiony w tak niezręcznej sytuacji, Pucetti wyjaśnił:

— *Signora* powiedziała, że jest pana znajomą, *commissario*, i poprosiła o rozmowę z panem. Dzwoniłem kilka razy do pańskiego gabinetu, ale nie było tam pana, pomyślałem więc, że mogę zaprowadzić panią na górę, zamiast kazać jej czekać na dole. Wiedziałem, że pan jest w budynku. — Zabrakło mu słów.

— Dziękuję ci, Pucetti. Słusznie zrobiłeś. — Brunetti zrobił kilka ostatnich kroków, które dzieliły go od nich, wyciągnął rękę i uścisnął dłoń kobiety. — W takim razie proszę do mojego gabinetu — rzekł z uśmiechem, jeszcze raz podziękował Pucettiemu i ruszył w górę schodów.

Wchodząc do gabinetu, ujrzał go jej oczami: biurko pokryte małymi osuwiskami papierów, telefon, ceramiczny kubek z podobizną borsuka — prezent gwiazdkowy od Chiary — wypełniony ołówkami i piórami, pusta szklanka. Ściany, co zauważył po raz pierwszy, wymagały malowania. Zdjęcie prezydenta wisiało samotnie za biurkiem, a na lewo od niego krzyż, którym nigdy się nie przejmował na tyle, by go zdjąć. Zeszłoroczny kalendarz jeszcze nie został zdjęty z drugiej ściany, a przy otwartych drzwiach szafy walał się po podłodze jego szalik. Komisarz wziął jej płaszcz i powiesił w *armadio*, wpychając przy okazji szalik nogą do środka. Franca Marinello włożyła rękawiczki do kapelusza i wręczyła go Brunettiemu. Ten położył go na półce, zamknął drzwi szafy i podszedł do biurka.

— Lubię zobaczyć, gdzie ludzie pracują — powiedziała, rozglądając się po gabinecie, gdy komisarz podsuwał jej krzesło. Gdy usiadła, zapytał, czy ma ochotę na kawę, a kiedy zaprzeczyła, zajął stojące obok krzesło i odwrócił się do niej twarzą.

Żona Catalda nadal się rozglądała, po czym spojrzała przez okno, on zaś skorzystał z okazji, by się jej przyjrzeć. Miała na sobie prosty płowy sweter i ciemną spódnicę, która sięgała do połowy łydek. Jej buty miały niskie obcasy i wyglądały na lekko znoszone. Na kolanach trzymała skórzaną torebkę; jedyną biżuterią, jaką nosiła, była ślubna obrączka. Komisarz zauważył, że w cieple gabinetu rumieńce spłynęły z jej policzków.

— Czy dlatego pani tu przyszła? — zapytał w końcu. — Żeby zobaczyć, gdzie pracuję?

— Nie, wcale nie — odparła i pochyliła się, by położyć torebkę na podłodze. Gdy uniosła wzrok, wydało mu się, że dostrzegł na jej twarzy pewne napięcie, potem jednak uznał, że jej emocje wyrażały się tylko w głosie, głębokim, niskim i najpiękniejszym, jaki kiedykolwiek słyszał.

Brunetti skrzyżował nogi i rozciągnął usta w półuśmiechu zainteresowania. Wyczekiwał mistrzów, więc w razie potrzeby ją też mógł wyczekać.

— W rzeczywistości przyszłam w sprawie mojego męża — powiedziała. — W sprawie jego interesów.

Brunetti skinął w milczeniu głową.

— Wczoraj przy kolacji powiedział mi, że ktoś próbuje się dostać do archiwów części jego firm.

— Ma pani na myśli włamanie? — zapytał komisarz, chociaż wiedział, że tak nie było.

Franca Marinello poruszyła wargami.

— Nie, nie, bynajmniej — powiedziała łagodniejszym głosem. — Powinnam była wyrazić się jaśniej. Powiedział mi, że jeden z jego informatyków... wiem, że oni mają tytuły, ale ich nie znam... poinformował go wczoraj, że są dowody, iż ktoś włamał się do ich komputerów.

— I coś wykradł? — zapytał Brunetti, po czym rzekł poważnie. — Muszę przyznać, że chyba nie jestem odpowiednim rozmówcą. To znaczy nie mam wielkiego pojęcia o tym, co można zrobić z komputerami. — Uśmiechnął się na dowód dobrej woli.

— Ale prawo pan zna?

— Odnoszące się do takich spraw? — zapytał Brunetti i widząc jej skinienie głową, zmuszony był wyjaśnić: — Niestety nie znam. Należałoby się raczej zwrócić z tym do sędziego pokoju lub jakiegoś prawnika. — Potem, jakby ta myśl właśnie przyszła mu do głowy, dodał: — Pani mąż z pewnością ma prawnika, którego mógłby o to zapytać.

Kobieta spojrzała na swoje dłonie, równo złożone na kolanach, i odparła:

— Owszem, ma. Ale powiedział, że nie chce go pytać. Prawdę mówiąc, stwierdził, że nie chce nic z tym zrobić. — Spojrzała na Brunettiego.

— Nie jestem pewien, czy dobrze rozumiem — rzekł komisarz, patrząc jej w oczy.

— Człowiek, który go o tym powiadomił, ten informatyk, powiedział, że intruz otworzył niektóre pliki, zawierające wyciągi z jego rachunków bankowych i zestawienia nieruchomości, jakby próbował się dowiedzieć, co posiada i jaką to ma wartość. — Znowu spojrzała na ręce, a gdy komisarz powiódł oczami w ślad za jej spojrzeniem, zauważył, że to ręce młodej kobiety. — Ów człowiek stwierdził — ciągnęła — że to może być śledztwo Guardia di Finanza.

— Mogę zatem zapytać, czemu pani tu przyszła? — zapytał z zaciekawieniem, które wcale nie było wymuszone.

Usta Franki Marinello były czerwone i pełne, a gdy Brunetti się jej przyglądał, górnymi zębami delikatnie zagryzała dolną wargę. Odgarnęła kosmyk jasnych włosów, które opadły jej na policzek, i komisarz uzmysłowił sobie, że się zastanawia, czy jej skóra zachowała normalną wrażliwość, czy też uczyniła to tylko dlatego, że włosy przesłoniły jej pole widzenia.

Po pewnym czasie — miał wrażenie, że Marinello musiała znaleźć właściwy sposób na wytłumaczenie tego nawet sobie samej — powiedziała:

— Martwi mnie to, dlaczego nie chce nic w tej sprawie zrobić. — Zanim Brunetti zdążył zapytać, dodała: — To, co się stało, jest niezgodne z prawem. Cóż, tak przypuszczam. To w pewnym sensie inwazja, włamanie. Mąż obiecał informatykowi, że się tym zajmie, ale wiem, że nie zamierza z tym nic zrobić.

— Nadal nie jestem pewien, czy rozumiem, dlaczego przyszła pani porozmawiać ze mną — rzekł komisarz. — Nie mogę w tej sprawie nic zrobić, jeżeli pani mąż nie złoży formalnego *denuncia*. A wtedy jakiś sędzia pokoju musiałby zbadać fakty, dowody i sprawdzić, czy doszło do przestępstwa, a jeśli tak, to jakiego rodzaju i jak poważnego. — Pochylił się do przodu i dodał, mówiąc jak do przyjaciółki: — Niestety to wszystko zajęłoby trochę czasu.

— Nie, nie — powiedziała. — Nie chcę, by tak się stało. Jeżeli mój mąż nie chce się tym zajmować, uszanuję jego decyzję. Boję się tylko powodu tej niechęci. — Spoglądając spokojnie na komisarza, dodała: — I pomyślałam, że mogę zapytać pana. — Nie wdawała się w dalsze wyjaśnienia.

— Jeżeli zrobiła to Guardia di Finanza — zaczął mówić Brunetti po pewnym czasie, nie widząc powodu, by cokolwiek zatajać, przynajmniej w tej kwestii — to chodziłoby o podatki, a w tej dziedzinie nie mam kwalifikacji. — Widząc, jak Franca Marinello kiwa głową, ciągnął dalej: — Tylko pani mąż i jego księgowi orientują się w tych sprawach.

— Tak, wiem — zgodziła się szybko. — I sądzę, że w tych sprawach nie ma powodu do zmartwień.

Brunetti zrozumiał, że może to oznaczać wiele rzeczy. Albo jej mąż nie oszukiwał na podatkach, w co komisarz nie miał zamiaru wierzyć, albo jego księgowi potrafili stworzyć pozory, że nie dopuszcza się oszustw, to zaś było całkiem prawdopodobne. Albo też, co równie możliwe, zważywszy na zamożność i pozycję Catalda, znał on kogoś z Guardia di Finanza, kto mógł spowodować zniknięcie wszelkich nieprawidłowości.

— Bierze pani pod uwagę inną możliwość?

— Może ich być wiele — odparła z niepokojącą powagą.

— Na przykład?

Zbyła jego pytanie machnięciem ręki, po czym znowu złączyła dłonie, splatając palce, i spojrzawszy na niego, powiedziała:

— Mój mąż jest uczciwym człowiekiem, *commissario*. — Czekała, aż to skomentuje, a gdy milczał, powtórzyła: — Uczciwym. — Dała Brunettiemu więcej czasu na komentarz, a on wciąż milczał. — Wiem, że w odniesieniu do człowieka święcącego takie sukcesy to brzmi nieprawdopodobnie. — Nagle, jakby komisarz wyraził głośny sprzeciw, dodała: — Wydaje się, że mówię o jego interesach, ale tak nie jest. Niewiele o nich wiem i nie chcę wiedzieć. To sprawa jego syna... jego prawo... i nie chcę się mieszać. Nie mogę mówić o tym, co robi jako przedsiębiorca. Ale wiem, jakim jest człowiekiem, i ręczę za jego uczciwość.

Brunetti słuchał, sporządzając w myślach listę ludzi, o których uczciwości sam wiedział i którzy zostali zmuszeni do nieuczciwości przez rabunkową politykę państwa. W kraju, gdzie bankructwo pozorowane przestało być poważnym przestępstwem, niewiele było trzeba, by uważać kogoś za uczciwego człowieka.

— ...był Rzymianinem, uważano by go za człowieka honorowego — zakończyła i komisarz bez trudu zrekonstruował słowa, które zagłuszył swoimi rozmyślaniami.

— *Signora* — zaczął, postanawiając przybrać bardziej oficjalny ton — wciąż nie jestem pewien, czy mogę pani w tej sytuacji jakoś pomóc. — Uśmiechnął się, by dowieść swej dobrej woli, i dodał: — Pomogłaby mi pani niezmiernie, gdyby mi powiedziała, czego konkretnie się pani obawia.

Gestem, który Brunetti uznał za całkowicie nieświadomy, Franca Marinello zaczęła pocierać czoło prawą dłonią. Robiąc to, odwróciła się do okna, i komisarz nie bez skrępowania obserwował na jej skórze białe ślady pozostawione po każdym ruchu dłoni. Zaskoczyła go, wstając nagle i podchodząc do okna, a potem znowu — pytając:

— To San Lorenzo, prawda?

— Tak.

Spoglądała dalej przez kanał na restaurowany od wieków kościół. W końcu powiedziała:

— Przypalali go żywcem, aż skonał, prawda? Chcieli, żeby wyrzekł się swojej wiary.

— Tak głosi fama — odparł Brunetti.

Żona Catalda odwróciła się od okna i podeszła do komisarza, mówiąc:

— Ci chrześcijanie tyle wycierpieli. Naprawdę uwielbiali cierpienie, nie mogli się nim nasycić. — Usiadła i spojrzała na Brunettiego. — Chyba właśnie dlatego między innymi tak bardzo podziwiam Rzymian. Oni nie lubili cierpieć. Wydaje się, że nie mieli nic przeciwko umieraniu, traktowali śmierć w sposób naprawdę godny podziwu. Ale nie lubili bólu... przynajmniej wtedy, gdy sami musieli go znosić... inaczej niż chrześcijanie.

— Skończyła więc pani lekturę Cycerona i przeszła do ery chrześcijańskiej? — zapytał z ironią, w nadziei, że poprawi jej nastrój.

— Nie — odparła. — Chrześcijanie tak naprawdę mnie nie interesują. Jak powiedziałam, za bardzo lubią cierpieć. — Umilkła, posłała mu przeciągłe spokojne spojrzenie, po czym dodała: — W tej chwili czytam *Fasti* Owidiusza. Po raz pierwszy, wcześniej nie widziałam takiej potrzeby. — Po czym, ze szczególnym naciskiem, jakby wypowiadała te słowa pod przymusem i jakby chciała zasugerować, że Brunetti mógłby wrócić do domu i zabrać się do lektury, dodała: — Księga druga. Tam jest wszystko.

Komisarz uśmiechnął się i odparł:

— Minęło tyle czasu, że nie pamiętam nawet, czy to czytałem. Musi mi pani wybaczyć. — Nic mądrzejszego nie potrafił wymyślić.

— Ależ nie ma czego wybaczać, *commissario* — powiedziała, układając usta w ledwie dostrzegalnym uśmiechu, po czym zmieniła nagle ton i poważnie dodała: — W tym, co kryje się w jego poemacie, też nie ma nic do wybaczania. — I znowu to przeciągłe spojrzenie. — Może kiedyś zechce go pan przeczytać.

Następnie od razu, jakby to wtargnięcie na obszar kultury rzymskiej nie miało miejsca, powiedziała:

— Boję się porwania. — Skinęła kilka razy głową, jakby na potwierdzenie, że to prawda. — Wiem, że to głupie, wiem też, że w Wenecji się to nie zdarza, ale tylko takie wyjaśnienie mogę przedstawić. Ktoś mógłby to zrobić, ponieważ chce się przekonać, ile Maurizio byłby w stanie zapłacić.

— W razie pani porwania?

Jej zaskoczenie było zupełnie szczere.

— A któżby chciał mnie porwać? — zapytała i zrozumiawszy chyba, jak to zabrzmiało, dodała pospiesznie: — Miałam na myśli jego syna, Matteo. To on jest spadkobiercą. — Po czym ze wzruszeniem ramion, w którym Brunetti mógł się dopatrzyć jedynie dowodu jej skromności, dodała: — A nawet jego byłą żonę. Ona jest bardzo bogata i ma willę na wsi koło Treviso.

— Odnoszę wrażenie, że dużo pani o tym myślała — rzekł beztrosko komisarz.

— To oczywiste. Ale sama nie wiem, co myśleć. Nie mam o tym wszystkim bladego pojęcia i właśnie dlatego do pana przyszłam, *commissario*.

— Ponieważ tym się zajmuję? — zapytał z uśmiechem.

Jeśli nie słowa, to jego ton rozładował narastające w niej napięcie: wyraźnie się rozluźniła.

— Chyba można by tak powiedzieć — przyznała z cichym śmiechem. — Potrzebowałam zaufanej osoby, która może mi powiedzieć, że nie mam się czym martwić.

W jej słowach kryło się błaganie: nawet gdyby chciał, nie mógł go zignorować. Na szczęście jednak miał dla niej odpowiedź.

— *Signora*, jak już mówiłem, nie jestem specjalistą od tych spraw, z pewnością zaś nie od tego, w jaki sposób działa Guardia di Finanza. Ale myślę, że w tym wypadku prawidłowa odpowiedź na pytanie, kto próbował się włamać do rejestrów, może być tą najbardziej oczywistą i wydaje się, że tę próbę podjęła Guardia. — Niezdolny posunąć się do otwartego kłamstwa, Brunetti mógł jedynie sobie wmówić, że to m o g l i być oni.

— *La Finanza*? — zapytała głosem pacjentki, która zawsze słyszała lepsze diagnozy.

— Tak sądzę. Tak. Nic nie wiem na temat firm pani męża, ale jestem przekonany, że na pewno są chronione przed wszystkim, ale nie przed tym, by najlepsi fachowcy nie mogli naruszyć zabezpieczeń danych.

Franca Marinello pokręciła głową i wzruszyła ramionami w geście przyznania się do swej niewiedzy. Brunetti starannie dobierał słowa.

— Z mojego doświadczenia wynika, że porywacze nie są ludźmi wyrafinowanymi. Zazwyczaj działają impulsywnie. — Spostrzegł, z jaką uwagą śledzi jego słowa. — Ci — ciągnął dalej — którzy mogliby zrobić coś podobnego, musieliby mieć umiejętności techniczne niezbędne do pokonania barier istniejących w firmach pani męża. — Uśmiechnął się, po czym pozwolił sobie na ironiczne prychnięcie. — Muszę przyznać, że jeszcze nigdy w swojej karierze zawodowej nie sugerowałem nikomu z taką radością, że stał się obiektem śledztwa Guardia di Finanza.

— I po raz pierwszy w dziejach tego kraju ktoś poczuł ulgę na wieść o tym — dokończyła i tym razem się roześmiała. Na jej twarzy pojawiły się takie same cętki, jakie Brunetti zobaczył, gdy przyszła z zimnego dworu, i zdał sobie sprawę, że signora Marinello się rumieni.

Wstała pośpiesznie, schyliła się po torebkę, po czym wyciągnęła rękę.

— Nie wiem, jak panu dziękować, *commissario* — powiedziała, ściskając jego dłoń.

— Pani mąż to szczęściarz — zauważył Brunetti.

— Dlaczego? — zdziwiła się, a on zrozumiał, że pyta poważnie.

— Że ma kogoś, kto tak się o niego troszczy.

Większość kobiet uśmiechnęłaby się na taki komplement lub udała skromność. Tymczasem ona odsunęła się od niego i posłała mu spokojne, niemal bolesne w swej uporczywości spojrzenie.

— On jest moją j e d y n ą troską, *commissario*. — Znowu podziękowała, poczekała, aż Brunetti wyciągnie jej rzeczy z szafy, i wyszła, zanim zdążył otworzyć jej drzwi gabinetu.

Komisarz zajął miejsce za biurkiem, opierając się pokusie, by zadzwonić do signoriny Elettry i zapytać, czy jej najazd na komputery firm signora Cataldo mógł zostać wykryty. Wymagałoby to wyjaśnienia powodów swej ciekawości, tego zaś wolał nie robić. Nie okłamał pani Cataldo: sprawdzanie baz danych przez Guardia di Finanza było o wiele bardziej prawdopodobne niż próba uzyskania informacji na temat majątku Catalda przez domniemanego porywacza. Jednakże ta pierwsza możliwość była znacznie mniej prawdopodobna niż sprawdzenie, o które poprosił signorinę Elettrę, tyle że taka wiadomość byłaby słabym pocieszeniem dla Franki Marinello. Musiał znaleźć sposób na ostrzeżenie sekretarki Patty, że jej wprawna ręka zadrżała, znalazłszy się w systemach komputerowych Catalda.

Chociaż było rzeczą zrozumiałą, że żona martwi się informacją, iż ktoś ingeruje w interesy jej męża, Brunetti uznał jej reakcję za przesadną. Wszystko, co powiedziała mu tamtego wieczoru przy kolacji, dowodziło, że jest rozsądną, inteligentną kobietą; reakcja na informację od męża wskazywała, że to zupełnie inna osoba.

Po jakimś czasie komisarz doszedł do wniosku, że poświęca zbyt dużo czasu i energii czemuś, co nie wiąże się z żadną z aktualnie badanych spraw. Żeby zaś definitywnie się z tym rozstać przed powrotem do pracy, dla rozjaśnienia umysłu pójdzie na kawę lub może na *un'ombra*.

Sergio zauważył, jak wchodzi do baru, i zamiast jak zwykle się uśmiechnąć, zmrużył oczy i nieznacznie obrócił głowę w prawo, w kierunku boksów pod oknem. W ostatnim z nich Brunetti dostrzegł potylicę jakiegoś mężczyzny; wąską czaszkę, krótkie włosy. Patrzył z takiej perspektywy, że naprzeciw niego widział obrys głowy drugiego mężczyzny — szerszej, z dłuższymi włosami. Rozpoznał te uszy zdeformowane przez lata podtrzymywania policyjnej czapki. Alvise. To zaś umożliwiło rozpoznanie właściciela potylicy, porucznika Scarpy. Tyle wyszło z pomysłu, by Alvise wrócił do stada i znowu obracał się wśród swoich kolegów.

Podchodząc do kontuaru, Brunetti posłał Sergiowi równie zdawkowe skinienie i poprosił po cichu o kawę. Coś w wyrazie twarzy Alvisego zaalarmowało pewnie Scarpę, który odwrócił się i ujrzał komisarza. Jego oblicze pozostało obojętne, lecz przez twarz Alvisego przemknęło coś silniejszego niż zaskoczenie — czyżby poczucie winy? Ekspres do kawy zasyczał, po czym filiżanka i spodek przesunęły się z brzękiem po kontuarze z ocynkowanej stali.

Żaden z nich się nie odezwał; Brunetti skinął głową w stronę dwóch policjantów, odwrócił się od nich i rozerwał saszetkę z cukrem. Wsypał go do kawy i wolno wymieszał, poprosił Sergia o gazetę i rozłożył obok siebie „Il Gazzettino". Postanowił ich przeczekać i zabrał się do czytania.

Zerknął na pierwszą stronę, na której pisano o świecie wokół Wenecji, po czym przeskoczył do strony siódmej, nie mając dość sił — i ochoty — by znieść lekturę pięciu stron paplaniny o polityce; trudno było to nazwać informacjami. Od ostatnich czterdziestu lat pojawiały się tam stale te same twarze, działy się stale te same rzeczy, składano stale te same obietnice — z kilkoma minimalnymi zmianami w obsadzie i tytule. Klapy ich marynarek rozszerzały się i zwężały zgodnie z nakazami mody, ale w korycie tkwiły te same przednie nóżki. Sprzeciwiali się temu, sprzeciwiali tamtemu i wspólnym bezinteresownym wysiłkiem przyrzekali solennie doprowadzić do upadku aktualny rząd. Po co? Po to, żeby mógł w przyszłym roku stanąć przy barze, wypić kawę i przeczytać te same słowa, tym razem padające z ust nowej opozycji?

Przewrócił kartkę niemal z ulgą. Kobieta uznana za winną dzieciobójstwa wciąż wolna, wciąż głośno zapewniająca o swej niewinności ustami kolejnego zespołu prawników. I kto jej zdaniem odpowiada za zabicie syna — kosmici? Kolejne kwiaty złożone przy zakręcie drogi, gdzie przed tygodniem zginęło czworo kolejnych nastolatków. Kolejne tony niewywiezionych śmieci wypełniających ulice na przedmieściach Neapolu. Kolejny robotnik śmiertelnie przygnieciony ciężkim sprzętem w miejscu pracy. Kolejny sędzia przeniesiony z miasta, w którym wszczął śledztwo w sprawie członka gabinetu.

Brunetti wysunął spod spodu dział lokalny gazety. Jakiś rybak z Chioggii aresztowany za napaść z nożem w ręku na sąsiada po powrocie do domu w stanie nietrzeźwym. Kolejne protesty przeciwko szkodom powodowanym przez statki wycieczkowe pływające po Canale della Giudecca. Dwaj następni sprzedawcy zwijający interes na targu rybnym. Kolejny pięciogwiazdkowy hotel otwierający swoje podwoje w przyszłym tygodniu. Burmistrz krytykuje wzmożony napływ turystów.

166

Brunetti wskazał na dwa ostatnie artykuły.

— Pięknie: miejska administracja nie może nadążyć z udzielaniem pozwoleń na prowadzenie hoteli, a gdy zajmują się czym innym, narzekają na nadmiar turystów — powiedział do Sergia.

— *Vottá á petrella, e tirá á manella* — rzekł Sergio, spoglądając znad wycieranego kieliszka.

— Co to za powiedzenie, neapolitańskie? — zapytał zaskoczony komisarz.

— Tak — odparł barman i przetłumaczył: — Rzuć kamieniem, a potem schowaj rękę.

Brunetti roześmiał się głośno, po czym rzekł:

— Nie wiem, czemu żadna z tych nowych partii politycznych nie przyjmie tego za swoją dewizę. Doskonały zabieg: robisz coś, a potem ukrywasz dowody, że to zrobiłeś. Wspaniałe. — Nie przestawał się śmiać, zachwycony prawdziwością tego powiedzenia.

Wyczuł jakiś ruch z lewej strony, po czym usłyszał kroki policjantów, którzy podnieśli się z ławek w boksie. Przewrócił kartkę gazety, pozwalając, by jego wzrok przykuła wiadomość o pożegnalnym przyjęciu wydanym w szkole podstawowej im. Giacinto Galliny dla nauczyciela trzeciej klasy, który odchodził na emeryturę po czterdziestu latach pracy.

— Dzień dobry, *commissario* — rzekł cichym głosem Alvise.

— Dzień dobry, Alvise — odparł Brunetti, odrywając wzrok od fotografii i odwracając się do stojącego za nim policjanta.

Scarpa, jakby dla podkreślenia ich równości wynikającej z posiadania wyższego niż Alvise stopnia, ograniczył się do zdawkowego skinienia głową, które komisarz odwzajemnił, po czym skierował spojrzenie z powrotem na zdjęcie z przyjęcia. Dzieci przyniosły na nie kwiaty i ciasteczka domowego wypieku.

Gdy ci dwaj sobie poszli, Brunetti złożył gazetę i zapytał:

— Często tu przychodzą?

— Sądzę, że parę razy w tygodniu.

— I zawsze w taki sposób? — zapytał komisarz, wskazując ruchem ręki na dwóch mężczyzn idących ramię w ramię w kierunku komendy.

— Jakby to była ich pierwsza randka? — upewnił się Sergio, odwracając się, żeby postawić kieliszek ostrożnie dnem do góry na blacie za swoimi plecami.

— Coś w tym rodzaju.

— Tak jest od około sześciu miesięcy. Na początku porucznik był trochę nieprzystępny i zmusił biednego Alvise, by ciężką pracą starał się go zadowolić. — Sergio wziął kolejny kieliszek, uniósł go do światła, by sprawdzić, czy nie jest poplamiony, i zaczął wycierać do sucha. — Biedny głupiec nie widział, co Scarpa wyprawia. — Potem wtrącił swobodnym tonem: — Ten gość to prawdziwy łajdak.

Brunetti podsunął swoją filiżankę barmanowi, który odstawił ją do zlewu.

— Wiesz, o czym mówią? — zapytał komisarz.

— Sądzę, że to nie ma znaczenia.

— Czemu?

— Scarpa pragnie wyłącznie władzy. Chce, żeby biedny Alvise skakał, kiedy on powie „skacz!", i uśmiechał się, gdy powie coś, w swoim mniemaniu, zabawnego.

— Dlaczego?

Sergio wymownie wzruszył ramionami.

— Dlatego, że jak już mówiłem, to łajdak. I dlatego, że potrzebuje kogoś, kim może dyrygować i kto będzie go traktował jak grubą rybę i ważnego pana porucznika, a nie jak reszta z was, którzy macie dość oleju w głowie, by uważać go za wrednego gnoja, którym jest.

Ani przez chwilę tej rozmowy komisarzowi nie przyszło do głowy, że zachęca cywila do mówienia źle o funkcjonariuszu sił porządkowych. Prawdę powiedziawszy, też uważał Scarpę za wrednego gnoja, więc ten cywil tylko potwierdzał ogólnie przyjętą wiedzę samych sił porządkowych.

— Czy wczoraj ktoś do mnie dzwonił? — zapytał, zmieniając temat.

Sergio pokręcił głową.

— Jedynymi osobami, które tu wczoraj dzwoniły, była moja żona — ostrzegła, że jeżeli nie wrócę do domu przed dziesiątą, będę miał kłopoty, oraz mój księgowy, który mnie poinformował, że już je mam.

— Z kim?

— Z inspektorem sanepidu.

— Dlaczego?

— Dlatego, że nie mam toalety dla niepełnosprawnych. — Opłukał filiżankę i spodek i włożył je do zmywarki za sobą.

— Nigdy nie widziałem tutaj osoby niepełnosprawnej — zauważył Brunetti.

— Ja też nie. Inspektor sanepidu także jej nie widział. Nie zmienia to jednak przepisu, zgodnie z którym muszę mieć dla nich toaletę.

— Co to oznacza?

— Poręcz. Inną deskę klozetową, a na ścianie przycisk do spłukiwania muszli.

— Dlaczego ich nie zainstalujesz?

— Dlatego, że to mnie będzie kosztować osiem tysięcy euro.

— To kupa forsy.

— Ta kwota obejmuje zezwolenia — stwierdził w pełen niedomówień sposób Sergio.

Komisarz postanowił nie drążyć tematu i powiedział tylko:

— Mam nadzieję, że uda ci się uniknąć kłopotów. — Położył jedno euro na kontuarze, podziękował barmanowi i wrócił do swojego biura.

Rozdział 14

Gdy Brunetti zbliżał się do komendy, Griffoni właśnie wychodziła z budynku. Ujrzawszy panią komisarz, pomachał jej przyjaźnie ręką i przyspieszył kroku. Zanim jednak do niej dotarł, spostrzegł, że coś nie gra.

— Co się stało?

— Patta pana szuka. Dzwonił na dół i pytał, gdzie pan jest. Powiedział, że nie może znaleźć Vianella, więc kazał mi znaleźć pana.

— O co chodzi?

— Nie chciał mi powiedzieć.

— W jakim jest nastroju?

— Z tego, co usłyszałam, w gorszym niż kiedykolwiek.

— Rozjuszony?

— Nie, niezupełnie — odparła, jakby zaskoczona tym spostrzeżeniem. — Cóż, może trochę, ale zachowywał się tak, jakby wiedział, że nie może tego okazywać. Raczej przerażony.

Brunetti ruszył w stronę drzwi komendy, ona zaś dostosowała się do jego kroku. Nie przychodziły mu na myśl żadne pytania. Przerażony Patta był znacznie groźniejszy niż Patta rozjuszony i oboje zdawali sobie z tego sprawę. Jego gniew zazwyczaj miał swe źródło w niekompetencji innych ludzi, natomiast strach budziła w nim jedynie myśl, że sam może być zagrożony. To zaś zwiększało ryzyko dla wszystkich, których sprawa mogła dotyczyć.

Po pierwszym ciągu schodów wewnątrz budynku weszli razem i komisarz zapytał:

— Panią też chce widzieć?

Griffoni pokręciła głową i z wyrazem nieskrywanej ulgi udała się do swojego gabinetu, a on skręcił w stronę biura Patty.

Signoriny Elettry nie zastał w sekretariacie, pewnie poszła już na obiad. Zapukał więc do drzwi gabinetu i wszedł.

Patta siedział z poważną miną przy biurku, jego zaciśnięte w pięści dłonie spoczywały na blacie.

— Gdzie byłeś? — zapytał.

— Przesłuchiwałem świadka, panie komendancie — skłamał Brunetti. — Commissario Griffoni powiedziała mi, że chciał się pan ze mną zobaczyć. O co chodzi? — zapytał, łącząc w głosie ton obawy i zniecierpliwienia.

— Siadaj, siadaj. Nie stój tam, gapiąc się na mnie — odparł Patta.

Brunetti zajął miejsce na wprost *vice-questore*, ale nic nie powiedział.

— Otrzymałem telefon — zaczął Patta. Zerknął na Brunettiego, który robił wszystko, by przybrać wyraz bacznej uwagi, po czym ciągnął: — W sprawie człowieka, który był tu przedwczoraj.

— Chodzi panu o maggior Guarina, komendancie?

— Tak, o Guarina, czy jak się tam nazywał. — Głos Patty stał się ostrzejszy, gdy wypowiedział to nazwisko, to Guarino był bowiem źródłem jego gniewu. — Głupi sukinsyn — mruknął *vice-questore*, zaskakując komisarza niezwykłym u niego użyciem brzydkich słów, ale nie dając jasno do zrozumienia, czy odnosi je do Guarina, czy do człowieka, który zadzwonił w jego sprawie.

Guarino być może nie mówił całej prawdy, ale bynajmniej nie był głupcem; Brunetti nie sądził też, by był sukinsynem, lecz nie ujawnił swoich opinii i zapytał spokojnym głosem:

— Co się stało, panie komendancie?

— Dał się zabić... oto, co się stało. Dostał kulę w tył głowy — odparł Patta z równie silnym gniewem, chociaż wydawało się, że teraz wymierzony on jest w Guarina za to, że został zabity. Zamordowany.

Różne hipotezy domagały się jego uwagi, lecz Brunetti odsunął je od siebie, czekając na dalsze wyjaśnienia. Zachował skupienie i nie spuszczał wzroku z Patty. *Vice--questore* uniósł pięść i walnął nią w blat biurka.

— Dziś rano zadzwonił jakiś kapitan *carabinieri*. Chciał wiedzieć, czy w zeszłym tygodniu miałem wizytę. Był bardzo nieufny, nie wymienił nazwiska mojego gościa, po prostu zapytał, czy miałem wizytę funkcjonariusza spoza miasta. — Rozdrażnienie zastąpiło gniew na jego twarzy i w głosie, gdy rzekł: — Powiedziałem, że mam mnóstwo gości. Jak miałbym ich wszystkich spamiętać?

Komisarz nie miał odpowiedzi na to pytanie i Patta

ciągnął dalej: — Najpierw nie wiedziałem, o czym on gada. Podejrzewałem jednak, że ma na myśli Guarina. Przecież nie mam wielu gości, prawda? — Widząc minę komisarza zakłopotanego tym zaprzeczeniem, Patta łaskawie wyjaśnił: — Był jedyną nieznaną mi osobą, jaka przyszła w ubiegłym tygodniu. To musiał być on.

Vice-questore poderwał się nagle, odsunął się o krok od biurka, po czym się odwrócił i znowu usiadł.

— Zapytał, czy może mi wysłać zdjęcie. — Brunetti nie musiał markować zakłopotania. — Wyobraź sobie — ciągnął Patta — zrobiono je telefonem komórkowym i wysłano do mnie. Jakby oczekiwał, że rozpoznam go po tym, co zostało z jego twarzy.

To ostatnie zdanie zaszokowało komisarza; dopiero po paru chwilach był w stanie zapytać:

— I co, rozpoznał pan?

— Tak. Oczywiście. Kula weszła pod kątem, więc uszkodzony był tylko podbródek. Mogłem go więc rozpoznać.

— Jak zginął? — zapytał Brunetti.

— Dopiero co mówiłem — odparł głośno Patta. — Nie słuchałeś? Został zabity. Strzałem w tył głowy. To na ogół wystarcza, by zabić, nie sądzisz?

Komisarz uniósł dłoń.

— Chyba nie wyraziłem się jasno, panie komendancie. Czy ten człowiek, który do pana dzwonił, powiedział coś o okolicznościach?

— Nic. Chciał jedynie wiedzieć, czy go rozpoznaję.

— I co pan odpowiedział?

— Że nie jestem pewien — odrzekł Patta i posłał Brunettiemu przenikliwe spojrzenie.

Komisarz powściągnął odruchową chęć zapytania swojego zwierzchnika, dlaczego tak zrobił.

Patta kontynuował:

— Nie chciałem im przekazywać żadnych informacji, dopóki nie dowiem się czegoś więcej. — Brunetti błyskawicznie przełożył tę odpowiedź z języka Patty na włoski: oznaczało to, że zastępca komendanta chce obarczyć odpowiedzialnością kogoś jeszcze. I dlatego ta rozmowa.

— Powiedział panu, dlaczego dzwoni?

— Wygląda na to, że wiedzieli o jego spotkaniu w weneckiej komendzie, więc zatelefonowali z pytaniem do jej szefa, żeby sprawdzić, czy tutaj przyszedł. — Rzeczywiście, pomyślał Brunetti, nawet kula wpakowana komuś w czaszkę nie mogła zapobiec temu małemu wybuchowi dumy „szefa komendy".

— Kiedy dzwonił, panie komendancie? — zapytał Brunetti.

— Pół godziny temu. — Nie próbując ukryć rozdrażnienia, Patta dodał: — Od tego momentu próbuję cię odnaleźć. Ale nie było cię w gabinecie. Przesłuchiwałeś świadka — mruknął pod nosem.

— Kiedy to się stało? — zapytał Brunetti, nie zwracając na to uwagi.

— Nie powiedział — odparł dwuznacznie Patta, jakby nie rozumiał, dlaczego ta kwestia ma znaczenie.

Brunetti usilnie starał się usunąć wszelkie oznaki zaciekawienia ze swojego oblicza.

— A powiedział, skąd dzwoni?

— Stamtąd — odparł Patta głosem, którym zwracał się do ludzi słabych na umyśle i pozbawionych siły charakteru. — Z miejsca, gdzie go znaleźli.

— Aha — stwierdził komisarz. — Więc wtedy właśnie wysłał panu to zdjęcie.

— Bardzo bystre spostrzeżenie, Brunetti — warknął *vice-questore*. — Oczywiście, że właśnie wtedy to zrobił.

— Rozumiem, rozumiem — rzekł komisarz, próbując zyskać na czasie.

— Dzwoniłem do porucznika — wyznał Patta i Brunetti znowu przybrał kamienny wyraz twarzy. — Jest jednak w Chioggii i dotrze tutaj dopiero po południu.

Komisarz poczuł ucisk w sercu na myśl o tym, że zastępca komendanta chce wplątać w to Scarpę.

— Doskonały pomysł — odparł i pozwalając, by z jego głosu wyparowała odrobina entuzjazmu, dodał: — Mam tylko nadzieję, że... — Urwał, po czym powtórzył: — Doskonały pomysł.

— Co ci się w nim nie podoba?

Tym razem Brunetti przykleił do swej twarzy wyraz zakłopotania i nie odpowiedział na pytanie.

— Mów, Brunetti — rzekł zastępca komendanta głosem, w którym pobrzmiewała groźba.

— Tak naprawdę to kwestia rangi, *vice-questore* — odparł z wahaniem Brunetti, odzywając się tylko po to, żeby uniknąć wyrywania paznokci. Zanim Patta zdążył zadać pytanie, wyjaśnił: — Powiedział pan, że człowiek, który dzwonił, jest kapitanem. Martwię się tylko, jak to będzie wyglądało, jeżeli z naszej strony wystąpi funkcjonariusz niższy stopniem. — Przyjrzał się bacznie ciału Patty i spostrzegł pierwsze oznaki napinania mięśni. — Nie żebym miał wątpliwości co do porucznika — dodał. — Ale w kontaktach z *carabinieri* mieliśmy już problem jurysdykcji i posłanie tam osoby wyższej rangą wykluczyłoby możliwość powtórki.

Oczy Patty zasnuła nagle mgła niedowierzania.

— O kim mówisz, Brunetti?

— Jak to o kim? O panu, rzecz jasna, *vice-questore*. To pan powinien nas reprezentować. Ostatecznie, jak sam pan stwierdził, to pan jest tutaj szefem. — Chociaż Brunetti umniejszył w ten sposób pozycję komendanta, wątpił, by Patta to zauważył.

Spojrzenie Patty było wściekłe, pełne niewypowiedzianych i przypuszczalnie nieuświadomionych podejrzeń.

— Nie pomyślałem o tym — przyznał.

Komisarz wzruszył ramionami, jakby chciał zasugerować, że prędzej czy później by pomyślał. Patta obdarzył go śmiertelnie poważnym spojrzeniem, po czym zapytał:

— Sądzisz zatem, że to ważne?

— By pan pojechał, *vice-questore*? — odpowiedział czujny Brunetti.

— Że powinien pojechać ktoś, kto przewyższa stopniem kapitana.

— Pan z pewnością spełnia ten warunek, i to z naddatkiem.

— Nie myślałem o sobie — odwarknął Patta.

Komisarz nie próbował zamaskować, że nie jest w stanie zrozumieć, i rzekł zuchwale:

— Ale pan musi pojechać, *dottore*. — Podejrzewał, że sprawa tego rodzaju musi wzbudzić zainteresowanie w całym kraju, ale nie chciał, by Patta zdał sobie z tego sprawę.

— Myślisz, że to śledztwo się przeciągnie?

Brunetti pozwolił sobie na ledwie dostrzegalne wzruszenie ramion.

— Tego nie wiem, *vice-questore*, ale z tymi sprawami czasem tak bywa. — Mówiąc to, nie miał pojęcia, co rozumie przez „te sprawy", lecz perspektywa długotrwałego wysiłku wystarczyłaby do zniechęcenia Patty.

Zastępca komendanta pochylił się i rzekł z uśmiechem:

— Myślę, Brunetti, że ponieważ z nim współpracowałeś, to właśnie ty powinieneś nas reprezentować. — Komisarz próbował znaleźć odpowiedni ton dla wyrażenia umiarkowanego sprzeciwu, gdy Patta dodał: — Został zabity w Margherze, czyli na naszym terenie, więc w obrębie naszej jurysdykcji. Na tego rodzaju wezwanie odpowiedziałby każdy komisarz, a więc twój wyjazd tam i rozejrzenie się w sytuacji to rzecz całkowicie zrozumiała.

Brunetti zaczął protestować, lecz Patta przerwał mu, mówiąc:

— Weź ze sobą tę Griffoni. W ten sposób będzie dwoje *commissari*. — Zastępca komendanta uśmiechnął się z ponurą satysfakcją, jakby właśnie wymyślił sprytny ruch szachowy. Albo w grze w rzutki. — Chcę, żebyście tam pojechali i spróbowali się czegoś dowiedzieć.

Komisarz wstał, robiąc wszystko, by sprawiać wrażenie człowieka zdegustowanego i niechętnego.

178

— W porządku, *vice-questore*, ale myślę, że...

— Nieważne, co myślisz, *commissario*. Powiedziałem już, że chcę, byście tam pojechali oboje. A gdy tam będziecie, waszym obowiązkiem będzie pokazanie temu kapitanowi, kto tu rządzi.

Zdrowy rozsądek przeważył i nie pozwolił Brunettiemu przeszarżować w nieudolnym oporze: czasami nawet Patta potrafił zauważyć to, co oczywiste. Ograniczył się do krótkiego „Dobrze" i teraz już zupełnie poważny zapytał:

— Skąd dokładnie dzwonił ten człowiek, panie komendancie?

— Powiedział, że jest w kombinacie petrochemicznym w Margherze. Dam ci jego numer, możesz zadzwonić i zapytać o dokładną lokalizację — odparł Patta i podniósł swój *telefonino*, który spoczywał tuż obok biurowego kalendarza; Brunetti nie zauważył go wcześniej. Zastępca komendanta otworzył aparat z nonszalancką łatwością. Oczywiście miał najnowszy, płaski model. Odmówił używania przydziałowego blackberry, który otrzymał od Ministerstwa Spraw Wewnętrznych, twierdząc, że nie chce się stać niewolnikiem technologii. Brunetti podejrzewał jednak, iż jego szef bał się, że aparat będzie wybrzuszał kieszenie marynarek.

Patta przycisnął guziki, po czym nagle, bez słowa, podsunął aparat komisarzowi. Jego maleńki ekran wypełniała twarz Guarina. Głęboko osadzone oczy majora były otwarte, choć na zdjęciu spoglądał w bok, jakby zakłopotany faktem, że ktoś zobaczy go w takiej pozycji, zupełnie zobojętniałego na życie. Jak stwierdził wcześniej Patta, podbródek był uszkodzony, choć chyba bardziej pasowało słowo zniszczony. Tej chudej twarzy i siwiejących skroni nie sposób było nie rozpoznać. Brunetti przyłapał się na refleksji, że włosy *carabiniere* już bardziej nie posiwieją i już nigdy nie zadzwoni do signoriny Elettry, jeżeli miał taki zamiar.

— No i? — zapytał Patta i komisarz omal nie krzyknął na niego, tak niepotrzebne było to pytanie.

— Sądzę, że to on — powiedział tylko, zamknął aparat i zwrócił go Patcie. Potem długo obserwował, jak z twarzy *vice-questore* spływa wszystko z wyjątkiem wyrazu życzliwości i bezinteresownego pragnienia współpracy. Gdy tylko Patta zaczął mówić, Brunetti zdał sobie sprawę, że takiemu samemu przeobrażeniu uległ głos jego zwierzchnika.

— Doszedłem do wniosku, że najrozsądniej byłoby im powiedzieć, że Guarino był tutaj.

Niczym członek sztafety olimpijskiej Brunetti starał się ze wszystkich sił dogonić znajdującego się przed nim biegacza, wyciągnąć rękę, gdy obaj biegli z maksymalną szybkością, i wyrwać mu pałeczkę, pozwalając, by zwolnił i w końcu wycofał się z wyścigu.

Przez chwilę bał się, że Patta naciśnie guzik oddzwaniania i przekaże mu telefon: gdyby tak się stało, nie mógłby ręczyć za siebie. Zastępca komendanta chyba to zauważył. Jakkolwiek było, znowu otworzył aparat, przysunął do siebie kartkę, zapisał na niej numer telefonu *carabiniere* i podał ją Brunettiemu.

— Nie pamiętam, jak ma na nazwisko, ale jest kapitanem.

Komisarz wziął kartkę i kilka razy przeczytał zapisany numer. Gdy stało się oczywiste, że Patta nie ma mu nic więcej do przekazania, wstał i ruszył do drzwi, mówiąc:

— Zadzwonię do niego.

— Dobrze. Informuj mnie — rzekł *vice-questore* głosem przepełnionym ulgą, że tak przebiegle zwalił wszystko na barki podwładnego.

Znalazłszy się na górze, Brunetti wybrał podany numer.

— *Sì?* — odezwał się męski głos już po drugim sygnale.

— Dzwonię w odpowiedzi na pańską rozmowę z vice--questore Pattą — rzekł obojętnie komisarz, postanawiając mimo wszystko posłużyć się rangą Patty. — Ktoś zadzwonił z tego numeru i rozmawiał z zastępcą komendanta, a następnie wysłał mu zdjęcie. — Przerwał, ale rozmówca w żaden sposób nie potwierdził jego słów ani nie wyraził zainteresowania. — Vice-questore Patta pokazał mi zdjęcie jakiegoś martwego mężczyzny, a z informacji zastępcy komendanta wynika, że zginął on w naszym rewirze — ciągnął komisarz służbistym tonem. — *Vice-questore* polecił mi tam jechać, a potem zdać mu raport.

— Nie ma takiej potrzeby — odparł ozięble mężczyzna.

— Mam inne zdanie — rzekł równie ozięble Brunetti — i właśnie dlatego przyjadę.

— Potwierdziliśmy tożsamość denata — powiedział *carabiniere,* starając się ze wszystkich sił sprawiać wrażenie człowieka, który próbuje tylko wykonywać swoje obowiązki. — Rozpoznaliśmy w nim kolegę zaangażowanego w jedno z toczących się u nas śledztw.

— Jeżeli powie mi pan, gdzie jesteście, przyjedziemy — zapewnił komisarz, jakby jego rozmówca w ogóle się nie odzywał.

— Nie ma takiej potrzeby. Jak powiedziałem, ciało zostało już zidentyfikowane. — Mężczyzna odczekał chwilę, po czym dodał. — Niestety to nasza sprawa.

— Czyli czyja?

— *Carabinieri*, komisarzu. Guarino był członkiem NAS, co chyba w dwójnasób upoważnia nas do prowadzenia śledztwa.

Brunetti stwierdził tylko:

— Nie omieszkam przedyskutować tego z tutejszym sędzią pokoju.

Utknęli w martwym punkcie.

Komisarz brał *carabiniere* na przeczekanie, przekonany, że ten robi to samo. Pomyślał, iż wcześniej podobnie postępował w rozmowach z Guarinem i z Pattą, że na czekaniu spędza zbyt dużo czasu.

W słuchawce nadal panowała cisza. Brunetti przerwał połączenie. Guarino musiał oczywiście należeć do NAS. Jak ktokolwiek mógł rozumieć znaczenie tych wszystkich akronimów? Sekcja Nuclei Anti-Sofisticazione działająca w strukturach *carabinieri* miała pilnować przestrzegania przepisów ochrony środowiska. Brunetti zwrócił swe myśli ku obrazom tonących w śmieciach ulic Neapolu, lecz przesłoniło je wspomnienie zdjęcia majora Guarino.

Wybrał numer Vianella, ale funkcjonariusz, który odebrał telefon, powiedział, że inspektor wyszedł. Spróbował dodzwonić się na *telefonino*, ale komórka Vianella była wyłączona i nie przyjmowała wiadomości. Zatelefonował do Griffoni z informacją, że mają pojechać na miejsce zabójstwa w Margherze i że resztę wyjaśni jej po drodze. Znalazłszy się na parterze, wszedł do biura signoriny Elettry.

— Słucham, *commissario*?

Chyba nie był to właściwy moment, by mówić jej o Guarinie, choć na informowanie ludzi o czyjejś śmierci pora nigdy nie była właściwa.

— Właśnie otrzymałem złe wieści, *signorina*.

Jej uśmiech zrobił się bardziej niepewny.

— Dziś rano zadzwoniono do vice-questore Patty — zaczął i obserwował, jak reaguje na użycie tytułu jej szefa: to wystarczyło, by ją przestrzec, że to, co usłyszy, pewnie jej się nie spodoba. — Jakiś kapitan *carabinieri* powiedział mu, że zginął mężczyzna, który był tu na początku tygodnia, maggior Guarino. Został zastrzelony.

Signorina Elettra zamknęła oczy na czas wystarczająco długi, by ukryć wywołane tą wiadomością emocje, nie na tyle długi jednak, by ukryć fakt, że ją to dotknęło.

Zanim zdążyła zadać pytanie, ciągnął:

— Wysłali zdjęcie i chcieli wiedzieć, czy był tutaj i z nami rozmawiał.

— To naprawdę się stało?

— Owszem. — Prawda była wybawieniem.

— Bardzo mi przykro. — Tylko tyle potrafiła powiedzieć.

— Mnie też. Wyglądał na porządnego człowieka, a Avisani ręczył za niego.

— Potrzebował pan czyjegoś poręczenia? — zapytała głosem, w którym najwyraźniej szukała ujścia dla swego gniewu.

— Skoro miałem mu zaufać. Nie wiedziałem, w co jest wplątany ani czego chce. — Zirytowany chyba jej zachowaniem dodał: — I nadal nie wiem.

— Co to znaczy?

— Że nie wiem, czy jego opowieść była prawdziwa, to zaś oznacza, że nie wiem, dlaczego człowiek, który telefonował, chce wiedzieć, po co *maggiore* tutaj przyszedł?

— On nie żyje?

— Tak.

— Dziękuję, że mi pan o tym powiedział.

Brunetti poszedł się spotkać z komisarz Griffoni.

Rozdział 15

Stocznie, rafinerie oraz inne fabryki zaśmiecające krajobraz Marghery od dzieciństwa budziły fascynację Brunettiego. Mniej więcej przez dwa lata, od momentu gdy miał sześć lat, aż do jego ósmych urodzin, ojciec Guida pracował jako magazynier w wytwórni farb i rozpuszczalników. Brunetti pamiętał te lata jako jedne z najspokojniejszych i najszczęśliwszych w swoim dzieciństwie, okres, gdy ojciec miał stałe zatrudnienie i był dumny, że może utrzymać rodzinę ze swych zarobków.

Potem jednak zaczęły się strajki, po których nie przyjęto go z powrotem do pracy. I wtedy sytuacja się zmieniła i spokój uleciał z ich domu, lecz przez kilka lat ojciec utrzymywał kontakty z niektórymi kolegami z fabryki. Brunetti wciąż pamiętał tych ludzi oraz ich opowieści o pracy i o sobie, ich niewyszukane poczucie humoru, ich żarty i niewyczerpaną cierpliwość w stosunku do jego wybuchowego ojca. Wszystkich zabrał z tego świata rak, tak jak przez lata zabierał tylu pracowników innych fabryk, które wyrosły nad brzegiem laguny i jej gościnnych i tak źle chronionych wód.

Komisarz od lat nie był w strefie przemysłowej, choć

smugi dymu wydobywające się z tamtejszych kominów tworzyły wieczny horyzont dla wszystkich przybywających do miasta statkami, a najwyższe z nich można było czasem dostrzec z tarasu ich mieszkania. Zawsze uderzała go ich białość, szczególnie w nocy, gdy dym wił się pięknie na aksamitnym niebie. Wyglądał wówczas tak nieszkodliwie, tak czysto i zawsze przywodził mu na myśl śnieg, stroje do pierwszej komunii, panny młode. I kości.

Wszystkie podejmowane przez lata próby zamknięcia tych fabryk kończyły się fiaskiem, często po gwałtownych protestach ludzi, którym ich zamknięcie mogło uratować lub przynajmniej przedłużyć życie. Jeżeli mężczyzna nie potrafi utrzymać rodziny, czy nadal jest mężczyzną? Jego ojciec uważał, że nie; Brunetti dopiero teraz potrafił zrozumieć, dlaczego myślał w ten sposób.

Gdy wsiedli do samochodu czekającego na nich na Piazzale Roma, komisarz zaczął wyjaśniać Griffoni sprawę swojej rozmowy telefonicznej z majorem Guarino i wiadomości, która sprawiła, że jadą do Marghery. Przejechali drogą na grobli, wykonując szereg manewrów zrozumiałych tylko dla kierowcy, po czym zawrócili w stronę fabryk; zanim podjechali do bramy głównej, Brunetti wprowadził ją prawie we wszystkie szczegóły.

Jakiś umundurowany mężczyzna wyszedł z małej wartowni na lewo od bramy i podniósł rękę, żeby machnięciem skierować ich na teren fabryki, jakby widok policyjnych samochodów nie był mu obcy. Brunetti kazał kierowcy się zatrzymać i zapytać, gdzie są inni. Strażnik wskazał w lewo, kazał mu jechać prosto, przez trzy mosty, a potem skręcić w prawo za czerwonym budynkiem. Stamtąd zobaczą pozostałe samochody.

Szofer zastosował się do wskazówek i gdy skręcili przy czerwonym budynku, który stał samotnie na rozdrożu, rzeczywiście ujrzeli sporo pojazdów, w tym ambulans z błyskającymi światłami. Za samochodami stała grupa ludzi odwróconych do nich plecami. Nawierzchnia drogi przed nimi była popękana i nierówna; za zaparkowanymi pojazdami Brunetti zobaczył cztery ogromne metalowe zbiorniki na ropę, po dwa z każdej strony drogi. Ich ściany były miejscami przeżarte przez rdzę; w pobliżu wierzchołka jednego z nich wycięto kwadrat i oderwano blachę, tworząc okno bądź drzwi. Ziemia wokół zbiorników była wymarła i zaśmiecona papierami oraz foliowymi workami. Nic na niej nie rosło.

Kierowca zatrzymał się niedaleko karetki; komisarz i Griffoni wysiedli. Głowy tych, którzy nie zareagowali na dźwięk silnika, odwróciły się, gdy drzwi policyjnego samochodu zamknęły się z trzaskiem.

Brunetti rozpoznał wśród zgromadzonych *carabiniere*, z którym współpracował kilka lat wcześniej, wtedy jednak był on porucznikiem. Rubini? Rosato? W końcu przypomniał sobie nazwisko — Ribasso — i wówczas zrozumiał, że pewnie to jego głosu nie zdołał rozpoznać przez telefon.

Obok Ribassa stał jeszcze jeden człowiek w takim samym mundurze oraz dwaj mężczyźni i kobieta, których białe kombinezony ochronne wskazywały, że są z brygady kryminalnej. Przy ambulansie stało dwóch ratowników, zwinięte nosze opierały się o samochód. Obaj palili papierosy. Teraz już wszyscy przyglądali się nadchodzącym policjantom.

Ribasso wystąpił naprzód i podał Brunettiemu rękę, mówiąc:

— Pomyślałem, że to z panem rozmawiam przez telefon, ale nie byłem pewien. — Uśmiechnął się, lecz na temat ich rozmowy nic więcej nie powiedział.

— Chyba oglądam zbyt dużo programów telewizyjnych o twardzielach z policji — skłamał Brunetti tytułem wyjaśnienia lub przeprosin. Ribasso poklepał go po ramieniu i odwrócił się, żeby powitać Griffoni, zwracając się do niej po imieniu. Pozostali wyciągnęli wnioski z zachowania Ribassa i skinęli głowami nowo przybyłym, po czym rozstąpili się, by zrobić im miejsce.

Około trzech metrów dalej, pośrodku miejsca wydzielonego biało-czerwoną plastikową taśmą, znajdowało się ciało leżącego na wznak mężczyzny. Gdyby nie zdjęcie, które już obejrzał, Brunetti zapewne nie rozpoznałby Guarina z tej odległości. Brakowało mu części żuchwy, a reszta jego twarzy była niewidoczna. Nieboszczyk miał na sobie ciemny płaszcz i ciemną marynarkę, więc nie było na nich widać krwi. Jej śladów nie brakowało za to na koszuli.

Na kolanach spodni majora i prawym ramieniu płaszcza widniały małe plamy zaschniętego błota, a do podeszwy prawego buta przylgnęły nitki czegoś, co wyglądało na sztuczne włókno. W oszronionym błocie wokół ciała wzruszonym czyimiś butami potworzyły się spiralne wzory, zacierające ślady stóp.

— Leży na wznak — zauważył w pierwszych słowach Brunetti.

— Właśnie — potwierdził Ribasso.

— Skąd zatem został przeniesiony?

— Nie wiem — odparł *carabiniere*, po czym, nie zdoławszy ukryć gniewu, dodał: — Ci idioci zadeptali wszystkie ślady, zanim nas wezwali.

— Jacy idioci? — zapytała Griffoni.

— Ci, którzy go znaleźli — wyjaśnił Ribasso, podsycając w sobie gniew. — Dwaj mężczyźni, którzy dostarczali ciężarówką miedziane rury. Zgubili drogę i skręcili w tamtym miejscu — dodał, machając ręką w stronę, z której nadjechali policjanci. — Już mieli zawrócić, gdy zobaczyli go na ziemi i podeszli, żeby się przyjrzeć.

Z masy śladów w błocie wokół zwłok i dwóch przypominających odcisk piersi wgłębień, które powstały, gdy jeden z mężczyzn klęknął przy nieboszczyku, Brunetti zdołał częściowo wyczytać to, co nastąpiło potem.

— Czy to możliwe, że go odwrócili? — zapytała Griffoni, choć sama chyba nie bardzo w to wierzyła.

— Powiedzieli, że nie — mógł jedynie odpowiedzieć Ribasso. — I nie wydaje się, by to zrobili, choć z pewnością zdołali zadeptać wszelkie ślady.

— Dotykali ciała? — zapytał komisarz.

— Powiedzieli, że tego nie pamiętają. — Ribasso był wyraźnie zdegustowany. — Ale gdy telefonowali, powiedzieli, że znaleźli martwego *carabiniere*, więc musieli wyjąć mu portfel.

Wobec takiego stwierdzenia trudno było cokolwiek powiedzieć.

— Znał go pan? — zapytał Brunetti.

— Owszem. Tak naprawdę to ja kazałem mu z panem porozmawiać.

— O mężczyźnie, którego chciał znaleźć?

— Tak — odparł kapitan, po czym po chwili wahania dodał: — Myślałem, że mu pan pomoże.

— Próbowałem. — Brunetti odwrócił się od nieboszczyka.

Kobieta, jak się wydawało kierująca zespołem techników, zawołała Ribassa, który podszedł, by z nią porozmawiać. Potem dał znak ratownikom i powiedział, że mogą zawieźć ciało do szpitalnej kostnicy.

Mężczyźni cisnęli na ziemię niedopałki, powiększając liczbę tych, które już na niej leżały. Komisarz obserwował, jak podeszli z noszami do nieboszczyka i położyli go na nich. Wszyscy się rozstąpili, żeby można go było zanieść do karetki i wsunąć nosze przez tylne drzwi. Ich trzask sprawił, że prysł czar, który wcześniej zmuszał wszystkich do milczenia.

Ribasso odsunął się na bok i zaczął rozmawiać z drugim *carabiniere*, który podszedł do samochodu, oparł się o karoserię i wyciągnął paczkę papierosów. Technicy zdjęli kombinezony ochronne, zwinęli je i włożyli do foliowego worka, który cisnęli w głąb swojej furgonetki. Złożyli statyw i schowali aparaty do wyściełanej metalowej walizki. Rozległo się głośne trzaskanie drzwiami i uruchamianie silników, po czym ambulans odjechał, a za nim ruszyli technicy.

— Czemu zadzwonił pan do Patty? — zapytał Brunetti w przedłużającej się ciszy.

Odpowiedź Ribassa poprzedziło pełne irytacji chrząknięcie.

— Miałem już z nim do czynienia. — *Carabiniere* spojrzał na miejsce, gdzie wcześniej leżał Guarino, a potem na komisarza. — Należało od początku załatwić to oficjalnie. Poza tym wiedziałem, że przekaże tę sprawę dalej, być może komuś, z kim dałoby się współpracować.

Brunetti skinął głową.

— Co powiedział panu Guarino?

— Że spróbuje pan zidentyfikować mężczyznę ze zdjęcia.

— Tę sprawę też pan prowadzi?

— W zasadzie tak.

— Pietro — rzekł komisarz, wykorzystując zażyłość, jaka zawiązała się między nimi ostatnim razem. — Guarino... niech mu ziemia lekką będzie... próbował tego ze mną.

— I zagroził pan, że wyrzuci go ze swojego gabinetu — rzekł Ribasso. — Mówił mi o tym.

— Więc niech pan nie zaczyna — ostrzegł nieustępliwy Brunetti.

Gdy rozmawiali, Griffoni spoglądała raz na jednego, raz na drugiego.

— W porządku — stwierdził *carabiniere*. — Powiedziałem, że w zasadzie tak, bo Guarino rozmawiał o niej ze mną po przyjacielsku.

Wyglądało na to, że Ribasso nie zamierza powiedzieć nic więcej, więc Brunetti ponaglił go, pytając:

— Powiedział pan, że on pracował dla NAS? — To tłumaczyło zainteresowanie Guarina transportem śmieci: NAS zajmowało się wszystkim, co wiązało się z zanieczyszczaniem bądź niszczeniem naturalnego dziedzictwa kraju. Brunetti od dawna uważał lokalizację ich biura w Margherze, będącej od pokoleń źródłem zanieczyszczeń, za wybór paradoksalny i nieprzypadkowy.

Ribasso skinął głową.

— Filippo studiował biochemię. Myślę, że wstąpił do tego wydziału, ponieważ chciał robić coś użytecznego. Może ważnego. Chętnie go przyjęli.

— Jak dawno temu to się stało?

— Chyba osiem, dziewięć lat temu. Znałem go od pięciu lub sześciu lat. — Potem, zanim Brunetti zdążył o to zapytać, dodał: — Nigdy nie współpracowaliśmy przy żadnej sprawie.

— Tej też nie? — zapytała Griffoni.

Carabiniere przestąpił z nogi na nogę.

— Mówiłem już, że rozmawiał o niej ze mną.

— Co jeszcze panu powiedział? — zapytał komisarz.

Griffoni pospiesznie wtrąciła:

— Teraz to już jest dla niego obojętne.

Ribasso zrobił kilka kroków w kierunku swojego samochodu i odwrócił się do nich.

— Powiedział mi, że cała ta historia śmierdzi camorrą. Mężczyzna, który został zabity... Ranzato... był tylko jedną z osób w to zamieszanych. Filippo próbował się dowiedzieć, jak wszystkie te śmieci były przewożone.

— O jakiej ilości mówimy? — wtrąciła pytanie Griffoni. — O tonach?

— Raczej o setkach ton — dodał komisarz.

— Bliższe prawdy są setki tysięcy ton — stwierdził Ribasso, co sprawiło, że oboje umilkli.

Brunetti próbował to skalkulować, ale nie miał pojęcia, ile ton może przewieźć jedna ciężarówka, nie mógł więc wykonać nawet najprostszych obliczeń. Od razu pomyślał o swoich dzieciach, to one oraz ich własne dzieci odziedziczyłyby zawartość tych ciężarówek.

Ribasso, jakby utemperowany własnymi słowami, trącił czubkiem buta zamarznięte błoto, po czym spojrzał na nich i rzekł:

— Tydzień temu ktoś próbował go zepchnąć z drogi.

— Nie mówił mi o tym — stwierdził komisarz. — Co się stało?

— Ledwie uniknął zderzenia. Zrównali się z nim... rzecz działa się na autostradzie z Treviso... i gdy zaczęli się do niego zbliżać, ostro zahamował, zjechał na pobocze i się zatrzymał. Tamci pojechali dalej.

— Uwierzył mu pan?

Ribasso wzruszył ramionami i odwrócił się w stronę miejsca, w którym leżało ciało majora.

— Ktoś go załatwił.

Oboje wracali na Piazzale Roma, niewiele mówiąc, z brzemieniem widoku śmierci, przygnębieni długim kontaktem z mroźnym pustkowiem Marghery. Griffoni zapytała komisarza, dlaczego nie powiedział kapitanowi, że zidentyfikował mężczyznę ze zdjęcia, które przysłał mu Guarino. Brunetti wyjaśnił, że Ribasso, który z pewnością o tym wiedział, uznał, że nie musi mu nic mówić. Zdawała sobie sprawę z rywalizacji pomiędzy różnymi organami sił porządkowych, toteż nie poruszała więcej tego tematu.

Brunetti uprzedził o ich przyjeździe i na przystani czekała łódź motorowa, którą mieli popłynąć do komendy. Jednak nawet w ciepłej kabinie motorówki z podkręconym grzejnikiem nie ogrzali zmarzniętych ciał.

W swoim gabinecie komisarz stanął przy grzejniku; nie miał ochoty dzwonić do Avisaniego i zwlekał z tym telefonem do czasu, aż znowu będzie mu ciepło. W końcu podszedł do biurka, odnalazł numer dziennikarza i zadzwonił do niego.

— To ja — rzekł, usiłując zachować obojętny ton.

— Co się stało?

— Najgorsze — odparł Brunetti, zakłopotany melodramatyzmem sytuacji.

— Filippo?

— Właśnie wróciłem z miejsca, gdzie oglądałem jego zwłoki — wyjaśnił komisarz. Gdy nie padły żadne pytania, przerwał milczenie i rzekł: — Został zastrzelony. Znaleziono go dziś rano na terenie zakładów petrochemicznych w Margherze.

— Zawsze mówił, że to się może tak skończyć — powiedział po długim milczeniu Avisani. — Nie wierzyłem mu jednak. No bo kto mógłby uwierzyć? Ale... jest inaczej. Gdy stanie się coś takiego.

— Mówił ci jeszcze coś?

— Pamiętaj, że jestem dziennikarzem — odpowiedział natychmiast Avisani, omal nie wybuchając gniewem.

— Myślałem, że byliście przyjaciółmi.

— Tak. Byliśmy — potwierdził Avisani, po czym spokojniejszym już głosem dodał: — To była normalna rzecz, Guido. Im więcej się dowiadywał, tym więcej napotykał przeszkód. Sędzia pokoju prowadzący tę sprawę został przeniesiony, a nowy nie wydawał się nią zbyt zainteresowany. Potem przeniesiono jego dwóch najlepszych pomocników. Sam wiesz, jak to jest.

Owszem, pomyślał Brunetti, rzeczywiście wiedział, jak to jest.

— Coś jeszcze? — zapytał.

— Nie, tylko to. Nie mogłem tego w żaden sposób wykorzystać. Zbyt wiele razy słyszałem takie historie. — Połączenie zostało przerwane.

Podobnie jak wiele osób zatrudnionych w policji komisarz już dawno temu zdał sobie sprawę, że mafijne macki sięgają głęboko do wszystkich dziedzin życia, z większością instytucji publicznych i wieloma firmami włącznie. Nie sposób byłoby zliczyć policjantów i sędziów pokoju, którzy zostali przeniesieni do jakiejś prowincjonalnej dziury dokładnie w chwili, gdy w prowadzonych przez siebie śledztwach zaczęli odkrywać kłopotliwe powiązania gangsterów z rządem. Bez względu na to, jak bardzo ludzie próbowali je ignorować, świadectwa głębi i skali tej penetracji były przytłaczające. Czyż gazety nie obwieściły niedawno, że organizacje mafijne z 93 miliardami euro rocznego dochodu stanowią trzecie największe przedsiębiorstwo w kraju?

Brunetti obserwował, jak mafia i jej bliskie krewniaczki, 'ndragheta i camorra, stają się coraz potężniejsze, wyłaniają się z ciemnych zakamarków jego śledztw i stają się teraz mocą sprawczą w świecie zbrodni. Niczym ów francuski szlachcic z książki, którą czytał w dzieciństwie — *Szkarłatnego kwiatu*. Próbował sobie przypomnieć wiersz opisujący tych, którzy usiłowali go znaleźć i zniszczyć: „Szuka go tu/Szuka go tam/A Francuz mówi — już go mam".

Czy też lepszym symbolem była hydra lernejska, której nie można unicestwić z uwagi na wielką liczbę głów? Pamiętał radosną wrzawę w prasie po aresztowaniach Riiny, Provenzano, Lo Piccolo i bezustannie powtarzaną sugestię, że rząd wreszcie zatriumfował w długiej walce z przestępczością zorganizowaną. Jakby śmierć prezesa General Motors lub British Petroleum mogła skruszyć ich monolit. Nikt nigdy nie słyszał o wiceprezesach?

Przeciwnie — aresztowanie tych dinozaurów stwarzało szanse dla młodszych, ludzi z uniwersyteckim wykształceniem, bardziej zdolnych do kierowania swoimi organizacjami niczym koncernami międzynarodowymi, którymi się stały. No i nie mógł przecież zapomnieć, że aresztowanie dwóch z tych mężczyzn miało miejsce mniej więcej w tym samym czasie co *indulto*, to dobroczynne dotknięcie prawniczej różdżki, po którym uwolniono ponad 24 tysiące przestępców, często żołnierzy mafii. Jakże przychylne potrafiło być prawo, gdy znajdowało się w rękach tych, którzy najlepiej wiedzieli, jak się nim posłużyć.

Rozdział 16

Brunetti uznał, że lepiej będzie porozmawiać o Guarinie z Pattą, ale gdy przybył do komendy, strażnik przy wejściu powiedział, że *vice-questore* godzinę wcześniej wyszedł. Odetchnąwszy z ulgą, poszedł na piętro do swojego gabinetu i zadzwonił do Vianella z prośbą, by ten pofatygował się na górę. Gdy inspektor się zjawił, Brunetti opowiedział mu o wyjeździe do Marghery i spotkaniu z martwym majorem Guarino, leżącym na wznak na gołej ziemi.

— Skąd go przenieśli? — zapytał od razu Vianello.

— Nie wiadomo. Ludzie, którzy go znaleźli, spacerowali wokół zwłok, jakby byli na pikniku.

— Sprytnie pomyślane — zauważył inspektor.

— Zanim zaczniesz snuć swoje spiskowe teorie... — rzekł Brunetti, który sam zaczął już to robić, lecz Vianello przerwał mu, pytając:

— Ufasz temu Ribasso?

— Tak, chyba tak.

— W takim razie zatajenie faktu, że ustaliłeś personalia mężczyzny ze zdjęcia przesłanego przez Guarina, nie ma sensu.

— Przyzwyczajenie.

— Przyzwyczajenie?

— Lub jurysdykcja terytorialna — ustąpił Brunetti.

— To częsty argument — zauważył Vianello, po czym dodał: — Nadia twierdzi, że to z powodu kóz.

— Jakich kóz? O czym ty gadasz?

— Cóż, o dziedziczeniu, a tak naprawdę o tym, komu zostawiamy kozy lub kto je dostaje po naszej śmierci. — Czyżby Vianello nagle postradał zmysły, czy też Nadia wykorzystywała przydomowy ogródek do uprawy nie tylko kwiatów?

— Chyba powinieneś mi o tym powiedzieć w sposób dla mnie zrozumiały, Lorenzo — stwierdził komisarz, chętnie zmieniając temat rozmowy.

— Wiesz przecież, że Nadia czyta, prawda?

— Tak — odparł Brunetti i ten czasownik zwrócił jego myśli ku innej kobiecie, która czytała.

— Cóż, obecnie czyta wprowadzenie do antropologii lub coś w tym rodzaju. Może do socjologii. I opowiada o tym przy kolacji.

— O czym?

— Ostatnio, jak już mówiłem, czyta o zasadach dziedziczenia cech oraz o zachowaniach. W każdym razie to teoria wyjaśniająca, dlaczego mężczyźni są tacy agresywni i ambitni — i dlaczego tak wielu jest wśród nas łajdaków. Nadia twierdzi, że to dlatego, że chcemy mieć dostęp do najpłodniejszych kobiet.

Brunetti wsparł się łokciami na biurku i z jękiem ukrył twarz w dłoniach. Chciał jakiejś odmiany, ale nie takiej.

— No dobrze już, dobrze. Przecież potrzebowałeś

wprowadzenia — zastrzegł Vianello. — Gdy już zdobędą najpłodniejsze samice, zapładniają je i w ten sposób zyskują pewność, że dzieci, które odziedziczą te kozy, są naprawdę ich dziećmi. — Inspektor spojrzał przez biurko, by sprawdzić, czy Brunetti nadąża, ale komisarz wciąż skrywał twarz w dłoniach. — Kiedy to wyjaśniała, wydawało mi się to sensowne. Wszyscy chcemy, żeby nasz majątek trafił do naszych dzieci, a nie do jakiegoś podrzutka.

Przedłużające się milczenie komisarza — który przynajmniej przestał już jęczeć — sprawiło, że Vianello czuł się w obowiązku dodać:

— I właśnie dlatego mężczyźni rywalizują ze sobą. Tę skłonność zakodowała w nas ewolucja.

— Z powodu kóz? — Brunetti uniósł głowę, żeby zadać to pytanie.

— Tak.

— Możemy porozmawiać na ten temat kiedy indziej?

— Jak sobie życzysz.

Ich beztroska zaczęła nagle trącić fałszem komisarzowi, który spojrzał na papiery leżące na biurku i nie wiedział, co powiedzieć. Vianello wstał, wyjaśnił, że musi porozmawiać z Pucettim, i wyszedł. Brunetti dalej patrzył na biurko.

Zadźwięczał telefon. Dzwoniła Paola z przypomnieniem, że tego wieczoru musi wziąć udział w pożegnalnej kolacji na cześć odchodzącej na emeryturę koleżanki, a dzieci oglądają jakiś horror w ramach festiwalu i też nie będzie ich na kolacji. Zanim zdążył zapytać, powiedziała, że zostawi mu coś w piekarniku.

Podziękował jej, po czym, pamiętając o hrabim i niemożności spełnienia jego prośby, zapytał:

— Czy twój ojciec mówił coś o Cataldzie?

— Gdy ostatnim razem rozmawiałam z matką, powiedziała, że chyba zamierza odrzucić jego propozycję, ale nie orientowała się, z jakiego powodu. Wiesz, że ojciec lubi z tobą rozmawiać, więc udaj zatroskanego zięcia, zadzwoń do niego i zapytaj. Proszę cię, Guido.

— Przecież j e s t e m zatroskanym zięciem — zaprotestował Brunetti.

— Guido — powiedziała Paola, robiąc długą pauzę po jego imieniu. — Wiesz, że nigdy nie interesujesz się... a przynajmniej nigdy nie okazujesz zainteresowania... jego transakcjami biznesowymi. Jestem pewna, że miło mu będzie usłyszeć, iż w końcu się nimi zainteresowałeś.

Interesy teścia stawiały Brunettiego w kłopotliwym położeniu. Ponieważ jego dzieci miały kiedyś odziedziczyć fortunę Falierów, każda oznaka zainteresowania z jego strony, choćby najbardziej niewinna, mogła być uznana za przejaw wyrachowania; już sama myśl o tym wzbudzała w nim lekkie zażenowanie.

Gdy Paola czekała na jego odpowiedź, uświadomił sobie, że wypytywanie o Catalda nie jest rzeczą prostą, ów człowiek był bowiem mężem kobiety, która tak bardzo go zaciekawiła, że nie potrafił ukryć tego faktu.

— W porządku — zgodził się pod przymusem. — Zadzwonię do niego.

— To dobrze — powiedziała Paola i przerwała połączenie.

Nie odkładając słuchawki, wybrał numer biura swojego teścia, przedstawił się i poprosił o połączenie z hrabią Falierem. Tym razem obyło się bez zwykłych trzasków, szmerów oraz opóźnień i po niespełna kilku sekundach usłyszał głos hrabiego:

— Guido, jak dobrze, że dzwonisz. Co u ciebie? Jak tam dzieci? — Ktoś, kto nie znał ich rodziny i nie wiedział, że Paola codziennie rozmawia z rodzicami, z pewnością sądziłby, że hrabia od dawna nie miał wiadomości o córce i wnukach.

— Wszyscy mają się świetnie, dziękuję — odparł Brunetti, po czym bez żadnych wstępów rzekł: — Byłem ciekaw, czy podjąłeś decyzję w sprawie tej inwestycji. Przepraszam, że się nie odzywałem, ale nie dowiedziałem się niczego, o czym byś jeszcze nie wiedział. — Nawyk zachowywania dyskrecji podczas rozmów telefonicznych tak mocno wszedł mu w krew, że nawet okazując zainteresowanie poczynaniami członka rodziny, przestrzegał zasady nieużywania nazwisk i ograniczania przekazywanych informacji do minimum.

— Nic się nie stało, Guido — głos teścia zakłócił jego refleksje. — Podjąłem już decyzję. — Po chwili wahania hrabia dodał: — Jeśli chcesz, mogę ci powiedzieć więcej na ten temat. Masz wolną godzinę?

Wobec perspektywy powrotu do pustego domu Brunetti odparł, że ma czas na spotkanie, i hrabia ciągnął dalej:

— Chciałbym jeszcze obejrzeć obraz, który widziałem wczoraj wieczorem. Jeśli cię to interesuje, mógłbyś pójść ze mną. Co ty na to?

— Chętnie. Gdzie się spotkamy?

— Może przy San Bortolo. Stamtąd możemy pójść razem.

Uzgodnili, że spotkają się o wpół do ósmej; hrabia był pewien, że marszand nie zamknie galerii, jeżeli poprosi go o to przez telefon. Komisarz zerknął na zegarek i zrozumiał, że pora zająć się dokumentami, które tego dnia wylądowały na jego biurku. Poskromił błądzące myśli i zabrał się do lektury. Po niespełna godzinie jedna sterta papierów powędrowała z prawej strony na lewą, lecz on sam, choć dumny ze swej pracowitości, niewiele pamiętał z tego, co w nich wyczytał. Wstał, podszedł do okna i patrzył niewidzącym wzrokiem na kościół po drugiej stronie kanału. Ponownie zasznurował buty, otworzył drzwi *armadio*, żeby poszukać ocieplanych wełną kaloszy, które od lat leżały tam porzucone: ostatnio nosił je podczas szczególnie dotkliwej *acqua alta*. Wiele miesięcy temu zauważył, że jeden z nich jest pokryty pleśnią, i teraz skorzystał z okazji, by włożyć oba do kosza na śmieci. Miał nadzieję, że nie zostanie uwięziony w komendzie przez następną powódź bez gumowców. Jeszcze bardziej zaś liczył na to, że signorina Elettra nie wykryje, że włożył gumowe buty do papierowych śmieci.

Wróciwszy za biurko, spojrzał na grafik dyżurów i zobaczył, że Alvise ma przez cały następny tydzień pełnić służbę w dyżurce. Zmienił to i wysłał go na patrol z Riverrem.

W końcu nadeszła pora, by wyjść. Postanowił się przespacerować. Pożałował tej decyzji, gdy tylko skręcił w Borgoloco San Lorenzo i temperatura gwałtownie spadła, co odczuł dotkliwie bez pozostawionego w szafie szalika. Wiatr osłabł, kiedy Brunetti wszedł na Campo Santa Maria Formosa, lecz na widok oblodzonego bruku wokół fontanny zrobiło mu się jeszcze zimniej.

Skręcił za kościołem i ruszył ku San Lio przejściem podziemnym. Na *campo* znowu czekał na niego wiatr. Czekał też hrabia Orazio Falier z szyją otuloną szalikiem z różowej wełny, który niewielu mężczyzn w jego wieku odważyłoby się włożyć.

Pocałowali się na powitanie, co z biegiem lat stało się ich zwyczajem, i hrabia wziął zięcia pod rękę, odwracając się od pomnika Goldoniego w stronę Ponte dell'Ovo.

— Opowiedz mi o tym obrazie — zaproponował Brunetti.

Hrabia skinął głową przechodzącemu obok mężczyźnie i przystanął, by uścisnąć dłoń starszej kobiecie, która komisarzowi wydawała się znajoma.

— To nic specjalnego, ale podoba mi się coś w twarzy na tym portrecie.

— Gdzie go widziałeś?

— U Franca. Możemy tam porozmawiać — odparł Falier, kiwając głową parze starszych ludzi.

Zbliżyli się do Campo San Luca, minęli bar, który zastąpił Rosa Salvę, po czym przeszli po dwóch mostach w kierunku tego, co zrobiono z La Fenice. Przed teatrem skręcili w lewo, minęli Antico Martini, żałując, że nie zdążą wstąpić na posiłek, i weszli do galerii u stóp mostu. Franco, którego obaj znali od dawna, ruchem ręki wskazał na obrazy na ścianie, zachęcając do ich obejrzenia, i wrócił do lektury książki.

Teść Brunettiego przystanął wraz z nim przed portretem, który komisarz oceniał na dzieło z czasów szesnastowiecznego Veneto. Obraz, o wymiarach nie więcej niż sześćdziesiąt na pięćdziesiąt centymetrów, przedstawiał brodatego młodzieńca z prawą dłonią ułożoną dość nienaturalnie na sercu. Jego lewa dłoń spoczywała na otwartej księdze, a on sam oceniał oglądającego inteligentnymi oczami. Z okna ulokowanego za prawym ramieniem brodacza roztaczał się widok na góry, który skłonił komisarza do refleksji, że malarz pochodził zapewne z Conegliano lub z Vittorio Veneto. Urodziwa twarz portretowanego została namalowana na tle ciemnobrązowej kotary, z którą kontrastował wysoki biały kołnierz jego koszuli. Na koszuli miał czerwoną szatę, na niej zaś czarny kaftan. Dwie kolejne plamy jaskrawej bieli pojawiły się na bardzo umiejętnie namalowanych bufiastych rękawach z falbankami.

— Podoba ci się? — zapytał hrabia.

— Bardzo. Coś wiesz na jego temat?

Zanim hrabia odpowiedział, zbliżył się do obrazu i zwrócił uwagę zięcia na tarczę herbową tuż przy prawym ramieniu portretowanego. Wskazał ją palcem i patrząc na Brunettiego, zapytał:

— Myślisz, że mogła zostać domalowana później?

Komisarz cofnął się, żeby spojrzeć z dalszej perspektywy. Uniesioną dłonią zasłonił herb i spostrzegł, że obraz nabrał dzięki temu lepszych proporcji. Przyglądał się jeszcze przez chwilę portretowi, po czym odparł:

— Sądzę, że tak. Ale chyba nie zauważyłbym tego, gdybyś mi nie zwrócił uwagi.

Hrabia mruknął coś na znak zgody.

— Co twoim zdaniem się stało? — zapytał Brunetti.

— Nie jestem pewien. Naprawdę nie wiadomo. Ale przypuszczam, że ten człowiek zdobył jakimś sposobem tytuł szlachecki już po ukończeniu portretu, więc zaniósł go z powrotem do malarza i poprosił o domalowanie tarczy herbowej.

— Jak przy antydatowaniu czeku lub umowy, nieprawdaż? — zapytał komisarz, zaciekawiony faktem, że oszukańcze odruchy nie zmieniły się przez stulecia, po czym dodał: — W świecie przestępczym chyba nadal panują stare zwyczaje.

— Czy tym sposobem naprowadzasz mnie na rozmowę o Cataldzie? — upewnił się hrabia i pospiesznie dorzucił: — Mówię całkiem poważnie.

— Nie — odparł spokojnie Brunetti. — Dowiedziałem się jedynie, że to bogaty człowiek. Nic nie wskazuje na jego przestępczą działalność. — Spojrzał na teścia i zapytał: — Wiesz coś, o czym ja nie wiem?

Falier przesunął się, by obejrzeć inny obraz, naturalnej wielkości portret kobiety o nalanej twarzy, przystrojonej w klejnoty i brokat.

— Szkoda, że wygląda tak wulgarnie — rzekł, zerkając na komisarza. — Jest tak wspaniale namalowany, że kupiłbym go bez wahania. Ale nie zniósłbym jej obecności w domu. — Wyciągnął rękę i dosłownie zaciągnął Brunettiego przed obraz. — Ty mógłbyś znieść?

Brunetti wiedział, że na przestrzeni wieków w modzie były różne wzorce piękna i obfitości kształtów, tak więc jej sylwetka mogła być pociągająca dla jakiegoś siedemnastowiecznego kochanka lub męża. Lecz spojrzenie świńskiego obżartucha budziłoby odrazę w każdej epoce. Cera kobiety lśniła niezdrowo; zęby, choć białe i równe, były zębami namiętnego mięsożercy; fałdy tłuszczu na jej nadgarstkach przywodziły na myśl osadzony w nich brud. Suknia, z której wylewał się biust, nie tyle okrywała ciało kobiety, ile powstrzymywała je przed wybuchem.

Jak jednak zauważył hrabia, kobieta została wspaniale namalowana pociągnięciami pędzla, którymi autor uchwycił błyski w jej oczach, bujność złocistych włosów, a nawet luksusowy brokat sukni, która odkrywała zbyt dużą część biustu.

— To obraz niezwykle nowoczesny — zauważył hrabia i zaprowadził Brunettiego ku dwóm obitym aksamitem fotelom, które zapewne wykonano dla członków wyższego duchowieństwa.

— Nowoczesności w nim nie dostrzegam — rzekł komisarz, zaskoczony tym, jak wygodny jest ogromny fotel.

— Ona symbolizuje konsumpcję — powiedział hrabia, wskazując ruchem ręki na obraz. — Spójrz tylko na jej tuszę i pomyśl, ile musiała zjeść w swoim życiu, żeby powstała taka masa ciała, nie wspominając już o tym, co musiałaby zjeść, żeby ją zachować. I popatrz na kolor jej policzków: to kobieta mająca dużą skłonność do picia. I znowu wyobraź sobie ilości spożywanych przez nią trunków. A ten brokat: ile jedwabników zginęło, by wytworzyć materiał na jej suknię i płaszcz czy jedwab na obicie fotela? Spójrz na biżuterię. Ilu mężczyzn straciło życie w kopalniach złota, żeby powstała? Kto zginął, wydobywając rubin osadzony w pierścionku? A misa z owocami na stole obok? Kto uprawiał te brzoskwinie? Kto zrobił kielich stojący obok misy?

Brunetti spojrzał na obraz innym okiem, widząc w nim manifestację bogactwa, które podsyca konsumpcję i samo jest przez nią podsycane. Hrabia miał rację: bez trudu można by go tak odczytać, ale równie łatwo można by dostrzec w nim przykład malarskich umiejętności autora i upodobań jego epoki.

— Masz zamiar powiązać to wszystko z Cataldem? — zapytał beztroskim tonem.

— Konsumpcja, mój drogi — ciągnął hrabia, jakby Brunetti nic nie powiedział. — Konsumpcja. Mamy obsesję na jej punkcie. Pragniemy mieć nie jeden, lecz sześć telewizorów. Co roku, może co pół, zmieniać *telefonino*, w miarę jak wytwarzane i reklamowane są nowe modele. Unowocześniać nasze komputery, ilekroć pojawia się nowy system operacyjny lub ilekroć pojawiają się większe bądź mniejsze, lub bardziej płaskie albo, sam nie wiem, bardziej okrągłe ekrany. — Komisarz pomyślał o zamówieniu na komputer dla siebie i był ciekaw, czym zakończy się ta przemowa. — Jeżeli się zastanawiasz, dokąd to wszystko prowadzi — zaskoczył go hrabia — to prowadzi do śmieci. — Falier odwrócił się do niego, jakby właśnie przedstawił ostateczny dowód słuszności jakiegoś sylogizmu lub wzoru algebraicznego. Brunetti gapił się na teścia.

Hrabia, showman nie lada, odczekał jakiś czas. Z drugiego pomieszczenia usłyszeli, jak właściciel galerii przewraca kartkę w książce.

— Śmieci, Guido. Śmieci. To właśnie chciał mi zaproponować Cataldo.

Komisarz przypomniał sobie wykaz firm Catalda, zaczął go analizować w nowym świetle i pozwolił sobie na krótki komentarz:

— Aha.

— Zebrałeś przecież jakieś informacje na jego temat, prawda? — zapytał Falier.

— Tak.

— I wiesz, w jakich firmach ma udziały?

— Owszem — odparł Brunetti. — Przynajmniej po części. Spedycja: statki towarowe i ciężarówki.

— Spedycja — powtórzył hrabia. — Oraz ciężki sprzęt do robót ziemnych — dodał. — Ma linię żeglugową i samochody ciężarowe. I spychacze. Posiada też... i dowiedziałem się tego tylko dzięki moim ludziom, którzy działają nieraz równie sprawnie jak twoi... firmę utylizacji odpadów, gdzie można się pozbyć wszystkich rzeczy, o których dopiero co mówiłem i których już nie potrzebujemy: *telefonini*, komputerów, faksów, automatycznych sekretarek. — Hrabia spojrzał z powrotem na portret kobiety i rzekł: — Jednego roku najbardziej pożądany model; następnego bezużyteczny rupieć.

Brunetti, który już wiedział, dokąd zmierza jego teść, nadal milczał.

— Oto cały sekret, mój drogi: nowy model w jednym

roku, rupieć w następnym. Ponieważ tyle nas jest i ponieważ zużywamy tyle rupieci i tyle rupieci wyrzucamy, ktoś musi je zbierać i usuwać za nas. Kiedyś ludzie chętnie odbierali stare rupiecie: nasze dzieci brały od nas stare komputery lub stare telewizory. Teraz jednak wszyscy muszą mieć nowe, własne rupiecie. Tak więc obecnie nie tylko musimy płacić za nie przy zakupie; musimy też płacić, żeby się ich pozbyć. — Hrabia mówił spokojnym, rzeczowym tonem. Komisarz słyszał już wcześniej bardzo podobne przemówienia z ust jego córki i wnuczki, lecz potomkinie hrabiego wygłaszały je w gniewie, nie zaś z chłodną obojętnością.

— I tym właśnie para się Cataldo?

— Owszem. To śmieciarz. Inni gromadzą te rupiecie, a gdy już się nimi znużą lub rupiecie się im zepsują, on dba o to, by ich od nich uwolnić. — Gdy komisarz nie odpowiedział, hrabia dodał ciszej: — O to chodzi z jego zainteresowaniem Chinami, Guido. Chiny, światowa sterta śmieci. Ale czekał zbyt długo.

— Zbyt długo na co? — zapytał Brunetti.

— Przecenił Afrykanów — odparł Falier i w reakcji na dociekliwe mruknięcie, jakim komisarz powitał te słowa, ciągnął dalej: — Przed miesiącem z Triestu wypłynęły trzy wyczarterowane statki. — Zanim komisarz zdążył zapytać, jego teść powiedział: — Tak, statki ze śmieciami. Wypełnione materiałem, którego utylizacja tutaj byłaby bardzo kosztowna. Cataldo od lat współpracuje z Somalijczykami. Jeśli wierzyć temu, co powiedzieli mi moi ludzie, wysłał im setki tysięcy ton. Gdy płacił wystarczająco dużo, przyjmowali wszystko, co chciał im wysłać. Lecz czasy się zmieniają i w prasie ukazało się tyle krytycznych artykułów... szczególnie po tsunami... że ONZ próbuje zablokować ten handel, więc wysyłki tam są prawie niemożliwe. — Z tonu hrabiego nie dało się ocenić, co o tym sądzi. — Poza tym teraz nie ma to sensu. Afrykanom trzeba płacić — dodał, kręcąc głową na myśl o tych staromodnych praktykach handlowych. — Chińczycy zapłacą zaś za przywóz do nich większości rzeczy. Potem przetrząsają ładunek i zachowują, co się da, i jak podejrzewam, wysyłają naprawdę niebezpieczne rzeczy na składowiska w Tybecie. — Wzruszył ramionami. — Biorą praktycznie wszystko.

Posłał Brunettiemu przeciągłe spojrzenie, jakby rozważał, czy można mu powierzyć kolejne informacje. Pewnie spodobało mu się to, co zobaczył, ponieważ rozwinął wątek:

— Czy zastanawiałeś się kiedyś nad pytaniem, dlaczego Chińczycy zadają sobie tyle trudu i ponoszą takie wydatki na budowę linii kolejowej z Pekinu do Tybetu? Myślisz, że wzrost liczby turystów usprawiedliwia takie nakłady? Na ruch p a s a ż e r s k i?

Brunetti mógł jedynie pokręcić głową.

— Ale przecież mówiłem o Cataldzie — kontynuował hrabia. — I o jego statkach. Przeliczył się. Przed przyjęciem pewnych rzeczy teraz nawet Chińczycy się wzdragają, a on ma tego trzy pełne statki. Nie mają dokąd płynąć, a dopóki nie pozbędą się swojego ładunku, nie mogą tutaj wrócić, bo nie wpuści ich żaden europejski port.

Gdy hrabia Falier zrobił pauzę, żeby uporządkować

myśli, komisarz zastanawiał się, jak to jest, że jakiś europejski port w ogóle pozwala statkom wypłynąć z takim ładunkiem, ale uznał, że najlepiej nie zadawać tego pytania hrabiemu. Zadał za to inne:

— Co się stanie z tym ładunkiem?

— Cataldo nie ma innego wyboru, niż skontaktować się z Chińczykami i dobić z nimi targu. Teraz na pewno wszystko już o tym wiedzą. Prędzej czy później dowiadują się wszystkiego. Przetrzymają go więc i będzie musiał zapłacić majątek, żeby się pozbyć ładunku. — Widząc reakcję zięcia, Falier spróbował wyjaśnić. — Pamiętaj, że wyczarterował te statki, one nie należą do niego — ciągnął hrabia. — I pływają teraz po Oceanie Indyjskim w oczekiwaniu, aż znajdzie miejsce rozładunku. Każdy dzień jest więc dla niego bardzo kosztowny. A im dłużej tam pozostaną, tym więcej ludzi dowie się, co jest na ich pokładzie, i tym bardziej wzrośnie cena przyjęcia ładunku.

— Co on zawiera?

— Przypuszczam, że odpady radioaktywne i bardzo toksyczne chemikalia — odparł hrabia tonem chłodniejszym niż kiedykolwiek. To powiedziawszy, spojrzał z powrotem na portret kobiety i znowu zaczął go studiować. Po czym, jakby czytał w myślach zięcia, nie spuszczając oka z obrazu, ciągnął: — Znam cię, Guido, i wiem, co myślisz. Podejrzewam więc, że to, co właśnie powiedziałem, obudziło w tobie nadzieję, choćby niewielką, że doznałem jakiegoś objawienia.

Brunetti zachował kamienny wyraz twarzy, nie potwierdzając słów teścia ani im nie zaprzeczając.

— Rzeczywiście doznałem iluminacji, ale obawiam się, że nie takiej, na jaką liczyłeś. — Zanim Brunetti zdążył pomyśleć, jakim teściem by się stał dzięki temu, hrabia dodał: — Nie zacząłem żałować swoich przyzwyczajeń i nie zacząłem postrzegać świata na twój sposób... bądź sposób Paoli.

— Cóż zatem się stało? — zapytał komisarz, zachowując spokój w głosie.

— Rozmawiałem z prawnikiem Catalda: to jest źródło mojej iluminacji. A tak naprawdę, to jeden z moich prawników rozmawiał z jego prawnikiem i dowiedział się, że Cataldo przesadził z inwestycjami... już zaczyna sprzedawać swoje tutejsze nieruchomości... i jego bankier poradził mu, żeby nie prosił o kolejną pożyczkę. — Hrabia odwrócił się od portretu, popatrzył na zięcia i wyciągnął rękę, by położyć ją na jego ramieniu. — To może być poufna informacja, więc chciałbym, żebyś zachował ją dla siebie.

Brunetti skinął głową, rozumiejąc teraz, dlaczego signorina Elettra nie zdołała dostrzec kłopotów finansowych Catalda w pełnym wymiarze.

— Chciwość, Guido, to przez chciwość. — Hrabia zaskoczył go tymi słowami. Opisywał tylko sytuację, nie osądzał.

— No i co z nim będzie?

— Nie mam pojęcia. Ta wiadomość jeszcze nie została ujawniona, ale gdy tak się stanie... a to tylko kwestia czasu... Cataldo nie zdoła znaleźć wspólnika do swojego chińskiego przedsięwzięcia. Zbyt długo zwlekał.

— Co z nim będzie?

— Poniesie ogromne straty.

— Mógłbyś mu pomóc?

— Gdybym chciał, to chyba mógłbym — odparł hrabia, odwracając się, by spojrzeć mu w oczy.

— Ale?

— Ale to byłby błąd.

— Rozumiem — rzekł Brunetti, uświadamiając sobie, że nie musi o tym wiedzieć. — A co ty zrobisz?

— Och, zawrę tę transakcję w Chinach, lecz nie z Cataldem.

— Sam?

Hrabia uśmiechnął się nieznacznie.

— Nie. W spółce z kimś innym. — Brunetti nie mógł oprzeć się myśli, że ten ktoś to prawnik Cataldа. — Wszystko, co mówił mi Cataldo, okazało się fałszem. Odmalował obraz swoich chińskich kontaktów w różowych kolorach, ale nic z tego nie było prawdą. Zaproponował mi możliwość włączenia się w to przedsięwzięcie od samego początku. — Hrabia zamknął oczy, jakby nie mógł sobie wyobrazić, że ktoś był na tyle głupi, by złożyć mu taką propozycję i liczyć na to, że jej nie sprawdzi.

— Co mu powiedziałeś? — zapytał komisarz.

— Że przeinwestowałem i nie mam kapitału niezbędnego do utworzenia proponowanej przez niego spółki.

— Dlaczego po prostu nie odmówiłeś bez dodatkowych wyjaśnień? — zapytał Brunetti, czując się przy tym dość głupio.

— Dlatego, że prawdę powiedziawszy, zawsze trochę się go bałem. Tym razem jednak było mi go żal.

— Jego i tego, co się z nim stanie.

— Właśnie.

— Ale nie na tyle, by mu pomóc?

— Guido, błagam.

Rozdział 17

Chociaż Brunetti miał dwadzieścia lat na to, by przywyknąć do etyki, jaką hrabia kierował się w interesach, i tak był zaskoczony. Odwrócił wzrok, jakby nagle zaciekawił go portret grubej kobiety, po czym znowu popatrzył na teścia i zapytał:

— A jeżeli to go zrujnuje?

— Och, Guido — odparł Falier — takim jak Cataldo ruina nie grozi. Powiedziałem, że poniesie stratę, ale to go nie zrujnuje. Od dawna jest przedsiębiorcą i zawsze był politycznie ustosunkowany: przyjaciele już się o niego zatroszczą. — Hrabia uśmiechnął się. — Nie trać czasu na użalanie się nad nim. Jeśli chcesz komuś współczuć, to współczuj jego żonie.

— Współczuję — przyznał komisarz.

— Wiem — rzekł chłodno jego teść. — Czy z powodu sympatii, jaką czujesz do osoby, która czyta książki? — zapytał bez cienia sarkazmu. Hrabia też lubił czytać, więc było to normalne pytanie. Ciągnął dalej: — Gdy Cataldo zabiegał o moje względy... a to właśnie robił... poszedłem do nich na kolację. Jak ci mówiłem, posadzono mnie obok niej, nie gospodarza, a ona rozmawiała ze mną o swoich

215

lekturach. Tak samo jak z tobą kilka dni temu. Przez cały czas mówiła o *Metamorfozach*. Miałem wrażenie, że jest bardzo samotna. Albo bardzo nieszczęśliwa.

— Dlaczego? — zapytał Brunetti. Uderzyła go myśl, że dobór lektur Franki Marinello przypomniał mu o jej zmienionej twarzy.

— Cóż, faktem jest, że czyta to, co czyta, ale chodzi jeszcze o jej twarz. Z powodu tych wszystkich liftingów ludzie natychmiast myślą o niej, co tylko chcą.

— I co według ciebie myślą? — zapytał Brunetti.

Hrabia odwrócił się do portretu kobiety i przyglądał mu się uważnie przez pewien czas.

— Jej twarz wydaje się dziwna — zaobserwował, wskazując nonszalanckim gestem na obraz. — Ale w swojej epoce przypuszczalnie była całkiem znośna, może nawet pociągająca. Natomiast dla nas jest jedynie grubą jak beczka kobietą o tłustej cerze. — Potem, nie mogąc oprzeć się pokusie, dodał: — Podobnie jak żony wielu moich wspólników w interesach.

Brunetti dostrzegł podobieństwa, ale milczał.

— W naszych czasach — mówił dalej hrabia — Franca Marinello nie jest mile widziana z powodu swojej aparycji. To, co zrobiła ze swoją twarzą, jest zbyt niezwykłe, by większość ludzi patrzyła na to bez komentarza. — Przerwał; Brunetti czekał na ciąg dalszy. Falier zamknął powieki i westchnął. — Bóg jeden wie, ile żon moich znajomych to zrobiło: z oczami, podbródkiem, a potem z całą twarzą. — Otworzył oczy i spojrzał na portret. — Zatem ona robi to co one, tyle że u niej przybrało to takie roz-

216

miary, że aż stało się groteskowe. — Popatrzył na zięcia i dodał: — Ciekawe, czy gdy kobiety o niej rozmawiają, myślą o sobie i czy mówiąc o niej jak o jakimś dziwolągu, próbują zapewnić same siebie, że nigdy czegoś takiego nie zrobią, że powstrzymają się przed pójściem tak daleko.

— To nadal nie wyjaśnia jednak, dlaczego to zrobiła, prawda? — zapytał Brunetti, przypominając sobie dziwną, nieziemską twarz Marinello.

— Bóg jeden wie — odparł hrabia, po czym po chwili dodał: — Może zdradziła to Donatelli.

— Zdradziła jej? — zapytał Brunetti, zastanawiając się, po co żona Catalda miałaby mówić coś takiego komukolwiek, a tym bardziej hrabinie.

— Dlaczego to zrobiła, rzecz jasna. Przyjaźnią się od czasów, gdy Franca studiowała na uniwersytecie. Donatella ma kuzyna, który jest księdzem w jej rodzinnych stronach, a żonę Catalda też łączą z nim jakieś więzy pokrewieństwa. Gdy Franca przybyła do Wenecji i nikogo tu nie znała, dostała od niego namiary na Donatellę. I bardzo się zaprzyjaźniły. — Zanim Brunetti zdążył coś powiedzieć, hrabia dodał: — Nie pytaj mnie dlaczego, bo tego nie wiem. Wiem tylko, że Donatella bardzo ją ceni. — Z szerokim, chłopięcym szelmowskim uśmiechem zapytał: — Nie zastanawiałeś się, dlaczego wylądowała przy stole naprzeciw ciebie?

Oczywiście, że się zastanawiał.

— Nie, niezupełnie — odparł jednak.

— Dlatego, że Donatella wie, jak bardzo France brak możliwości rozmowy o tym, co czyta. Tobie również. Zgo-

dziła się więc, gdy zasugerowałem, że rozmowa z nią spra-
wiłaby ci przyjemność.

— Sprawiła.

— To dobrze. Donatella się ucieszy.

— A j e j?

— Komu?

— Signorze Marinello — odparł Brunetti. — To znaczy, czy sprawiła jej przyjemność?

Hrabia posłał mu dziwne spojrzenie, zaskoczony chyba
zarówno oficjalnością zwrotu „signorze Marinello", jak
i samym pytaniem, ale odparł tylko:

— Nie mam pojęcia. — Po czym, jakby zmęczyła go
rozmowa o żyjącej kobiecie, hrabia skinął ręką w stronę
obrazu, mówiąc: — Ale mówiliśmy o pięknie. Ktoś uznał,
że ta kobieta jest wystarczająco piękna, by ją namalować
lub zamówić jej portret, nieprawdaż?

Brunetti zastanawiał się najpierw nad tą sugestią, potem
nad obrazem i niechętnie odparł:

— Owszem.

— Więc ktoś, może sama Franca, może uznać to, co
zrobiła ze swoją twarzą, za piękne — zauważył hrabia i już
poważniej dodał: — Słyszałem plotkę, że jest ktoś jeszcze,
kto tak uważa. Wiesz przecież, jaka jest Wenecja: rozplot-
kowana.

— Chcesz powiedzieć, że krąży plotka o innym mężczyźnie?

Hrabia skinął głową.

— Donatella wspomniała coś o tym któregoś wieczoru,
ale gdy próbowałem się dowiedzieć, co ma na myśli, zo-

rientowała się, że powiedziała za dużo, i nie pisnęła ani słowa. — Falier nie mógł się powstrzymać i dodał: — Przypuszczam, że zetknąłeś się z takim zachowaniem u Paoli.

— Ależ skąd — odparł Brunetti i po chwili namysłu zapytał: — Co jeszcze słyszałeś?

— Nic. Ludzie nie mówią mi raczej takich rzeczy.

Straciwszy nagle ochotę na dalszą rozmowę o France Marinello, Brunetti zapytał dość obcesowo:

— O czym chciałeś ze mną rozmawiać?

Wyraz rozczarowania — a może urazy? — przemknął po twarzy hrabiego. Komisarz obserwował, jak jego teść przygotowuje w myślach odpowiedź, i w końcu usłyszał:

— Nie było konkretnego powodu, mój drogi. Lubię z tobą rozmawiać, to wszystko. A tyle jest spraw, że rzadko miewamy ku temu okazję. — Strzepnął jakiś pyłek z rękawa, po czym znowu spojrzał na zięcia i rzekł: — Mam nadzieję, że nie masz nic przeciwko temu.

Brunetti pochylił się ku hrabiemu i położył dłoń na jego ręce.

— Jestem zachwycony, Orazio — odparł, nie umiejąc w pełni wyjaśnić, jak bardzo wzruszyła go uwaga teścia. Po czym spojrzał z powrotem na portret i dodał: — Paola powiedziałaby chyba, że to portret kobiety, a nie damy.

Hrabia roześmiał się i rzekł:

— Tak, ona w ogóle nie nadaje się na damę, prawda? — Podszedł do portretu młodzieńca, mówiąc: — Ten jednak chciałbym mieć. — Poszedł na tyły galerii porozmawiać z marszandem, pozwalając Brunettiemu podziwiać dwa obrazy, dwie twarze, dwie wizje tego, co jest piękne.

Zanim wrócili pieszo do *palazzo* i zdecydowali po dyskusji, gdzie powiesić obraz, który — starannie zapakowany — Brunetti przyniósł pod pachą, minęła dziewiąta. Komisarz był zawiedziony, dowiedziawszy się, że hrabiny nie ma w domu. W ostatnich latach docenił zarówno jej przyzwoitość, jak i zdrowy rozsądek i był gotów poprosić ją o rozmowę o France Marinello. Zamiast to zrobić, wciąż pokrzepiony rozmową w galerii i zadowolony, że starszy pan czerpie taką radość z czegoś tak zwyczajnego jak nowy obraz, pożegnał się z niezwykle milczącym hrabią.

Szedł do domu powoli, jak co roku zbity nieco z tropu wczesnym nadejściem zimowego zmroku i przygnębiony wilgocią oraz zimnem, które wzmagało się od rana. U stóp mostu, gdzie po raz pierwszy ujrzał Francę Marinello i jej męża, przystanął, by oprzeć się o balustradę; był pod wrażeniem tego, jak dużo się dowiedział w ciągu ostatnich niespełna siedmiu dni. Z zaskoczeniem uświadomił sobie, że minęło tak niewiele czasu.

Nagle przypomniał sobie minę hrabiego, gdy zapytał, dlaczego chciał z nim porozmawiać, dając do zrozumienia, że teściem może powodować wyłącznie własny interes. Początkowo obawiał się, że jego pytanie uraziło Faliera, ale wówczas nie był w stanie dopuścić do świadomości, że drugi mężczyzna poczuł ból — ból starca, który bał się odrzucenia ze strony rodziny. Taką minę widział już na twarzach starszych ludzi, bojących się, że już nie są lub nigdy nie byli kochani. Obraz tego przygnębiającego pola w Margherze wrócił w jego wspomnieniach.

— *Sta bene, signore?* — zapytał jakiś młody mężczyzna, zatrzymując się obok.

Brunetti spojrzał na niego, spróbował się uśmiechnąć i skinął głową.

— Tak, dziękuję — odparł. — Po prostu się zamyśliłem.

Młodzieniec miał na sobie jasnoczerwoną parkę, a wokół twarzy futro, którym obszyty był kaptur. Jego rysy lekko się rozmyły, gdy komisarz spojrzał mu w oczy. Zastanawiał się, czy tak właśnie się dzieje, zanim ludzie zemdleją. Odwrócił się, by spojrzeć na wody Canal Grande, szukając wzrokiem drugiego brzegu. To, co tam zobaczył, było tak samo zmętniałe. Położył drugą dłoń na balustradzie i zmrużył oczy w nadziei, że wyostrzy tym wzrok.

— Śnieg — powiedział, odwracając się z powrotem do młodego mężczyzny.

Ten posłał mu kolejne przeciągłe spojrzenie, po czym ruszył dalej przez most i bramę uniwersytetu.

Na samym szczycie mostu śnieg kleił się do zimniejszej powierzchni bruku. Nie zdejmując ręki z balustrady, Brunetti pokonał most i zaczął ostrożnie kroczyć po drugiej stronie kanału. Chodnik był tutaj mokry, a śniegu za mało, by zrobił się śliski. Komisarz przypomniał sobie wszystkie czytane w dzieciństwie opowieści o polarnikach i ich mozolnym marszu ku śmierci po bezkresnej śnieżnej pustyni. Odtwarzał opisy drogi, którą szli, chyląc głowy przed nadciągającym wichrem i myśląc jedynie o tym, by zrobić kolejny krok i śmiało podążać dalej. Brunetti także więc kroczył naprzód, pochłonięty myślą o powrocie do ciepłego lokum, gdzie mógłby odpocząć i przerwać, choćby na jakiś czas, tę bezustanną walkę o dotarcie do wiecznie oddalającego się celu.

Duch kapitana Scotta niósł go po schodach i za próg mieszkania. Tak bardzo dał się porwać wyobrażeniom o swojej wędrówce, że omal się nie pochylił, żeby ściągnąć buty z foczego futra i cisnąć obszytą futrem parkę na ziemię. Zamiast tego zdjął buty i powiesił płaszcz na haczyku przy drzwiach.

Ocenił swe siły, stwierdził, że wciąż ma ich dość, i wszedł do kuchni, by wyjąć kieliszek z szafki i odkorkować butelkę grappy. Nalał sobie pokaźną porcję i ruszył do salonu, gdzie czekał nań mrok. Włączył światło, przez co nie widział, jak niesiony wiatrem śnieg uderza w okna tarasu. Zgasił lampę.

Opadł na kanapę i położył się na niej, podciągając stopy. Uklepał dwie poduszki i wypił najpierw jeden, potem drugi łyk grappy. Przyglądał się, jak pada śnieg, przypominając sobie wyraz znużenia na twarzy majora Guarino, gdy ten uświadomił sobie, że wszyscy pracują dla Patty.

W chwilach wielkiej potrzeby jego zmarła matka wzywała ponoć kilku świętych trzymanych w odwodzie. Był wśród nich święty Gennaro, obrońca sierot; święty Mauro, który czuwał nad kalekami, w czym wspomagał go święty Egidio; była też święta Rosalia, wzywana na ogół w celu ochrony przed zarazą i tym samym przywoływana przez matkę Brunettiego do walki z odrą, świnką i grypą.

Komisarz leżał na kanapie, popijając grappę i czekając, aż Paola wróci do domu; rozmyślał o świętej Ricie z Cascii, która chroniła przed samotnością. „Święta Rito — modlił się — *aiutaci*". Tylko komu miała pomóc w odpowiedzi na tę prośbę? Odstawił pusty kieliszek na stolik i zamknął oczy.

Rozdział 18

Usłyszał jakiś głos i przez chwilę myślał, że to głos jego modlącej się matki. Leżał nieruchomo, szczęśliwy, że go słucha, chociaż zdawał sobie sprawę, że odeszła i że nigdy więcej jej nie usłyszy ani nie zobaczy. Potrzebował iluzji, wiedział, że to mu dobrze zrobi.

Głos brzmiał jeszcze przez moment, po czym Brunetti poczuł pocałunek na czole, tam gdzie całowała go matka, ułożywszy syna do snu. Ale zapach był inny.

— Pijesz przed posiłkiem? Czy to oznacza, że niebawem zaczniesz nas bić i skończysz w rynsztoku? — zapytała Paola.

— Nie powinnaś być na jakiejś kolacji? — odpowiedział pytaniem.

— W ostatniej chwili nie wytrzymałam — wyjaśniła. — Doszłam z nimi aż do restauracji i wtedy powiedziałam, że źle się czuję... co oczywiście było prawdą... i wróciłam do domu.

Brunettiego ogarnęło błogie zadowolenie z obecności żony. Poczuł na brzegu kanapy jej ciężar. Otworzył oczy i rzekł:

— Myślę, że twój ojciec czuje się samotny i boi się starości.

— To normalne w jego wieku — odparła spokojnym głosem.

— Przecież nie powinien — zaprotestował komisarz.

Paola roześmiała się na głos.

— Serce nie reaguje na „powinno" i „nie powinno", mój drogi. Na świecie zdarza się wystarczająco dużo zbrodni w afekcie, żeby tego dowieść. — Dostrzegła jego reakcję i dodała: — Przepraszam. Powinnam była znaleźć lepszy przykład. Może: wystarczająco dużo małżeństw w afekcie?

— Ale zgadzasz się ze mną? — zapytał Brunetti. — Znasz go lepiej niż ja, powinnaś więc wiedzieć, co myśli. Albo czuje.

— Naprawdę tak uważasz? — zdziwiła się, odsuwając się na koniec kanapy, by usiąść obok stóp męża, które poklepała dłonią i wsunęła za biodro.

— Oczywiście. Przecież jesteś jego córką.

— Myślisz, że Chiara rozumie cię lepiej niż ktokolwiek inny? — odparowała Paola.

— To co innego. Jest jeszcze nastolatką.

— Więc to różnica wieku wszystko zmienia?

— Och, przestań udawać Sokratesa! — rzucił w odpowiedzi Brunetti i zapytał: — Sądzisz, że to prawda?

— Że czuje się stary i samotny?

— Tak.

Paola położyła mu dłoń na łydce, strzepnęła grudkę błota, która przylgnęła do mankietu spodni, i odczekała jakiś czas, zanim przyznała:

— Owszem, chyba się tak czuje. — Pomasowała go po

nodze. — Ale jeśli to dla ciebie jakieś pocieszenie, to uważam, że czuje się samotny, odkąd stałam się dorosła.

— Dlaczego?

— Dlatego, że jest człowiekiem inteligentnym i kulturalnym, a większość życia zawodowego spędza w towarzystwie ludzi, którzy tacy nie są. Nie — powiedziała, klepiąc go delikatnie po nodze, żeby się powstrzymał przed protestem — zanim zadasz mi kłam, pozwól, że przyznam, iż wielu z nich to ludzie inteligentni, lecz na inny sposób. On funkcjonuje na poziomie abstrakcji, a jego współpracowników zazwyczaj interesuje tylko bilans zysków i strat.

— A jego nie? — zapytał Brunetti głosem wyzbytym cienia sceptycyzmu.

— Jasne, że chce zarabiać pieniądze. Mówiłam ci, to u nas rodzinne. Ale on nigdy nie chciał iść na łatwiznę. Tak naprawdę chce wszystko przemyśleć, dostrzec ogólne prawidłowości i je zrozumieć.

— Niespełniony filozof?

Paola posłała mu ostre spojrzenie.

— Nie bądź podły, Guido. Nie wyrażam się jasno, wiem. Myślę, że teraz, gdy nie może zaprzeczyć, że się postarzał, martwi go świadomość, że jego życie to porażka.

— Ależ... — Brunetti nie wiedział, od czego zacząć listę swoich zastrzeżeń: udane małżeństwo, wspaniała córka, dwoje fajnych wnucząt, bogactwo, sukces finansowy, pozycja towarzyska. Poruszył palcami nóg, żeby zwrócić uwagę Paoli. — Naprawdę nie rozumiem.

— Szacunek. On chce, żeby ludzie go szanowali. Myślę, że to proste.

— Przecież wszyscy go szanują.

— Ty nie — odparowała z taką siłą, że Brunetti nagle nabrał podejrzeń, że czekała całe lata, może dziesiątki lat, żeby to powiedzieć.

— Dzisiaj uświadomiłem sobie, że go kocham — oświadczył.

— To nie to samo — odparła ostro.

Coś w nim pękło. Tego dnia stał nad ciałem człowieka młodszego od siebie, któremu ktoś wpakował kulę w głowę. I podejrzewał, że to morderstwo zostanie zatuszowane lub właśnie jest tuszowane przez ludzi pokroju jej ojca: bogatych, wpływowych, ustosunkowanych. A on musiał go jeszcze szanować?

— Twój ojciec powiedział mi dzisiaj — rzekł oziębłe — że zamierza inwestować w Chinach. Nie zapytałem, jaka to będzie inwestycja, lecz podczas rozmowy wspomniał, zupełnie na marginesie, że jego zdaniem Chińczycy wysyłają toksyczne odpady do Tybetu i w tym celu wybudowali linię kolejową.

Przerwał i czekał. Paola w końcu zapytała:

— O co ci chodzi?

— O to, że ma zamiar tam inwestować; że to mu chyba w ogóle nie przeszkadza.

Paola odwróciła się i patrzyła na niego, jakby nie rozumiała, jak ten obcy mężczyzna znalazł się u jej boku.

— A kto, proszę łaskawie mi wyjaśnić, zatrudnia pana, commissario Brunetti?

— Polizia di Stato.

— A policję?

— Ministerstwo Spraw Wewnętrznych.

— A kto zatrudnia m i n i s t e r s t w o?

— Czy będziemy wędrować w górę łańcucha pokarmowego, aż dotrzemy do szefa rządu?

— Podejrzewam, że już tam dotarliśmy.

Przez pewien czas oboje milczeli: zanosiło się na wzajemne oskarżenia. Paola zrobiła krok w tym kierunku, mówiąc:

— Pracujesz dla t e g o rządu i śmiesz krytykować mojego ojca za inwestowanie w Chinach?

Brunetti wziął krótki oddech i gdy już otwierał usta, żeby odpowiedzieć, do mieszkania wpadli Chiara i Raffi. Narobili mnóstwo hałasu, tupiąc i trzaskając drzwiami na tyle głośno, by Paola musiała wstać i wyjść na korytarz, gdzie jej dzieci strącały śnieg z butów i strzepywały go z kurtek. — I jak festiwal horrorów? — zapytała.

— Strasz-ny — odparła Chiara. — Zaczęli od *Godzilli*, która powstała ze sto lat temu i ma najokropniejsze efekty specjalne, jakie widziałaś w swoim życiu.

Raffi przerwał im, żeby zapytać:

— Spóźniliśmy się na kolację?

— Nie — odparła Paola z wyraźną ulgą. — Właśnie zamierzałam coś przyrządzić. Za dwadzieścia minut?

Dzieci skinęły głowami, potupały jeszcze trochę, przypomniały sobie, że mają wystawić buty przed drzwi, i poszły do swoich pokoi. Paola udała się do kuchni.

To czysty przypadek, że tego wieczoru Paola przyrządziła na przekąskę *insalata di polipi*, lecz Brunetti mimo woli ujrzał odbicie obronnych nawyków tych nieuchwytnych płochliwych morskich stworzeń w ostrożności, z jaką jego dzieci traktowały milczącą matkę, odkąd usiadły przy stole i przyjrzały się jej twarzy. Niczym ośmiornice wyciągające niepewnie swe ramiona, by dotknąć i zbadać to, co widzą, i lepiej ocenić potencjalne zagrożenie, ich dzieci — znacznie bardziej wymowne niż *octopi* — wyczuwając niebezpieczeństwo, używały języka. Tak więc komisarz musiał wysłuchiwać wyraźnie fałszywych nut entuzjazmu w ich wspólnym życzeniu, by wolno im było pozmywać po kolacji, oraz potulnych odpowiedzi na zdawkowe pytania Paoli o szkołę.

Po przedkolacyjnym wybuchu Paola zachowywała spokój przez cały posiłek, ograniczając udział w rozmowie do pytania, kto ma ochotę na dokładkę lasagne, która rzeczywiście czekała na Brunettiego w piekarniku. Komisarz zauważył, że ostrożność Chiary i Raffiego objęła również jedzenie: trzeba było ich pytać dwa razy, zanim przyjęli kolejną porcję, a Chiara powstrzymała się od zgarniania niezjedzonego groszku na brzeg talerza, czym zawsze denerwowała matkę. Na szczęście pieczone jabłka z *crème* zdołały poprawić wszystkim nastrój i zanim Brunetti wypił kawę, przywrócone zostały pewne pozory domowego spokoju.

Nie miał ochoty na grappę, poszedł więc do sypialni po egzemplarz mów obrończych Cycerona, do których ponownej lektury skłoniła go pierwsza rozmowa z Francą Marinello. Szukał i w końcu znalazł swój zbiór pomniejszych utworów Owidiusza, nieotwierany od dziesięcioleci: gdyby dokończył lekturę Cycerona, mógłby zabrać się do drugiego poleconego przez nią klasyka.

Kiedy wrócił do salonu, Paola właśnie siadała w ulubionym głębokim fotelu. Zatrzymał się u jej boku na czas wystarczająco długi, by obróciwszy jej wciąż zamkniętą książkę, zobaczyć tytuł na okładce.

— Rozumiem, że dochowujesz wierności Mistrzowi? — zapytał.

— Nigdy nie porzucę pana Jamesa — zapewniła i otworzyła książkę. Brunetti odetchnął spokojniej. Na szczęście tworzyli rodzinę, w której nikt nie chował urazy, więc wyglądało na to, że do wznowienia działań wojennych nie dojdzie.

Usiadł, a potem położył się na kanapie. Po pewnym czasie, uwikłany w obronę Sextusa Rosciusa, pozwolił, by książka opadła mu na brzuch, i zadzierając głowę, żeby widzieć żonę, rzekł:

— Wiesz, to dziwne, że Rzymianie żywili taką niechęć do wtrącania ludzi do więzień.

— Nawet jeżeli byli winni?

— Zwłaszcza wtedy.

Spojrzała z zaciekawieniem znad swojej książki.

— Co robili, zamiast ich zamykać?

— Jeżeli uznawano ich za winnych, pozwalano im uciec. Wymierzenie kary wstrzymywano na pewien czas i większość winowajców korzystała z szansy życia na zesłaniu.

— Jak Craxi?

— Właśnie.

— Czy inne kraje mają w swoich rządach równie wielu ludzi uznanych za winnych jak my? — zapytała Paola.

— Hindusi mają ich ponoć dość sporo — odparł Brunetti i wrócił do lektury.

Kiedy po pewnym czasie Paola usłyszała jego stłumiony chichot, a następnie głośny śmiech, uniosła wzrok i powiedziała:

— Przyznaję, że Mistrz sprawia czasem, że się uśmiecham, ale jeszcze nigdy mnie tak nie rozśmieszył.

— W takim razie posłuchaj tego — rzekł Brunetti, kierując wzrok z powrotem na ustęp, który właśnie czytał. — „Filozofowie deklarują bardzo trafnie, że nawet sam wyraz twarzy może stanowić naruszenie synowskiego obowiązku".

— Czy powinniśmy to skopiować i przykleić do lodówki? — zapytała Paola.

— Chwileczkę — odparł jej mąż, przewracając kartki w stronę początku książki. — Gdzieś tutaj mam jeszcze lepszy fragment — dodał, kartkując w pośpiechu.

— Na lodówkę?

— Nie — odpowiedział Brunetti, przerywając poszukiwanie. — Myślę, że powinniśmy umieścić to nad wszystkimi budynkami publicznymi w kraju; być może wyryte w kamieniu.

Paola wykonała ręką gest naśladujący przewracanie kartek, zachęcając go do pośpiechu.

Brunetti po chwili znalazł to, czego szukał. Położył się i trzymał książkę w wyciągniętej ręce. Odwrócił głowę ku Paoli i rzekł:

— Cyceron twierdzi, że to obowiązek dobrego konsula, ale chyba możemy to rozciągnąć na wszystkich polityków. — Paola skinęła głową, a on zajrzał z powrotem do tekstu i deklamatorskim głosem przeczytał: — „Musi chronić życie oraz interesy ludu, odwoływać się do patriotycznych interesów współobywateli i, ogólnie rzecz biorąc, stawiać dobro wspólnoty nad swoje własne".

Paola milczała, zastanawiając się nad tym, co właśnie przeczytał. Potem zamknęła swoją książkę i rzuciła ją na stolik przed kanapą.

— A ja myślałam, że m o j a książka to utwór powieściowy.

Rozdział 19

Obudzili się w śnieżnej scenerii. Padające z ukosa promienie słońca uzmysłowiły Brunettiemu, co się stało, zanim jeszcze otworzył szeroko oczy i naprawdę się ocknął. Spojrzał w stronę okien i zobaczył cienką pręgę śniegu na balustradzie tarasu, a za nią białe dachy domów i niebo błękitne aż do bólu oczu. Nie było widać najmniejszego śladu chmur, jakby wszystkie zostały rozprasowane w nocy i narzucone na miasto. Leżał, patrzył i próbował sobie przypomnieć, kiedy ostatnio tak śnieżyło, że opad śniegu nie został natychmiast spłukany deszczem.

Musiał się przekonać, jak głęboka jest jego warstwa. W przypływie entuzjazmu odwrócił się, żeby powiedzieć o tym Paoli, ale widok spoczywającego obok, okrytego bielą pościeli ciała pohamował jego zapędy. Zadowolił się więc spacerem do okna. Dzwonnica kościoła San Polo była pokryta śniegiem, dzwonnica dei Frari także. Ruszył korytarzem do gabinetu Paoli. Stamtąd mógł zobaczyć dzwonnicę San Marco ze złotym aniołem lśniącym w odbitym świetle. Z jakiegoś odległego miejsca usłyszał bicie dzwonu, lecz jego odgłos został przetworzony przez pokrywający wszystko śnieg i nie miał pojęcia, z którego kościoła i z jakiego kierunku dochodzi.

Wrócił do sypialni i znowu stanął przy oknie. W śniegu na tarasie pojawiły się już maleńkie ślady odciśniętych trójpalczastych stóp jakiegoś ptaka. Jeden z nich prowadził prosto do brzegu tarasu i znikał, jakby skrzydlate stworzenie nie mogło się oprzeć pokusie rzucenia się w całą tę biel. Komisarz bez namysłu otworzył wysokie drzwi i dotknął śniegu, żeby się przekonać, czy to dobry, zbity i wilgotny materiał na lepienie śnieżek, czy bardziej suchy, który trącony stopą wzbijał się w powietrze.

— Zwariowałeś? — zapytał głos za jego plecami, w którym, choć stłumiła go poduszka, wyraźnie pobrzmiewało oburzenie. Gdyby Brunetti był młodszy, pewnie przyniósłby do łóżka garść śniegu, ale teraz zadowolił się pozostawieniem w nim śladu odciśniętej dłoni. Przy okazji zauważył, że to śnieg z gatunku tych suchych.

Zamknął drzwi, usiadł na łóżku i rzekł:

— Spadł śnieg.

Uniósł dłoń, którą dotykał białego puchu, i zbliżył ją do ramienia Paoli. Chociaż leżała odwrócona do niego plecami i niemal zupełnie zakryta poduszką, bez trudu usłyszał przestrogę:

— Jeżeli zbliżysz tę rękę do mnie, rozwiodę się z tobą i zabiorę dzieci.

— Są wystarczająco dorosłe, żeby zadecydować o swoim losie — odparł z olimpijskim, jak sądził, spokojem.

— To ja gotuję — przypomniała.

— Rzeczywiście — uznał swą porażkę.

Paola znowu zasnęła, a on poszedł wziąć prysznic.

Zanim ponad pół godziny później wyszedł z domu, zdążył już wypić pierwszą kawę i zawiązać na szyi szalik. Włożył również buty na gumowej podeszwie. Śnieg, którego nienaruszony ludzką stopą kobierzec ciągnął się aż do pierwszej przecznicy, rzeczywiście był puszysty. Brunetti wetknął ręce do kieszeni płaszcza i przesunął stopę do przodu, wmawiając sobie, że tylko sprawdza, jak śliski jest chodnik. Z zadowoleniem stwierdził, że wcale się nie ślizga: miał wrażenie, że kroczy przez pierze. Kopnął najpierw jedną, potem drugą nogą, wzbijając przed sobą wspaniałe pióropusze śnieżnego pyłu.

Gdy dotarł do skrzyżowania, odwrócił się i spojrzał dumnie na swoje dzieło. Wiele osób przeszło wcześniej w stronę *campo* i śnieg topniał wokół miejsc na bruku, gdzie został starty i odgarnięty na boki. Mijający komisarza ludzie poruszali się ostrożnie, niczym żeglarze, którzy właśnie wyszli w morze i jeszcze nie oswoili się z kołysaniem. Lecz na twarzach większości z nich widział nie ostrożność, lecz zachwyt, jakby właśnie zamknięto szkołę i pozwolono wszystkim pójść się pobawić. Ludzie uśmiechali się do siebie, a wszyscy nieznajomi mieli coś do powiedzenia na temat śniegu.

Zatrzymał się jak zwykle przy kiosku i kupił „Il Gazzettino".

— Recydywista — mruknął pod nosem, sięgając po gazetę. Na pierwszej stronie zamieszczono krótki artykuł o zabójstwie w Margherze: zaledwie dwa zdania i wskazówka, by zajrzeć na pierwszą stronę drugiego działu. Zrobił tak i przeczytał, że w obrębie kompleksu przemysłowego w Margherze znaleziono zwłoki niezidentyfikowanego mężczyzny. Został on zastrzelony i pozostawiony na otwartym terenie, gdzie znalazł go nocny stróż. *Carabinieri* poinformowali, że badają tropy i liczą na to, że wkrótce będą w stanie zidentyfikować nieboszczyka.

Brunetti był zdumiony pobieżnością artykułu sugerującego niemal, że fikcyjny stróż miał zwyczaj codziennie natrafiać na zwłoki. Autor nie podał rysopisu denata, nie wskazał dokładnie miejsca, w którym go znaleziono, nie wspomniał też o tym, że był on *carabiniere*. Zaciekawiło go źródło i motyw tego doniesienia pełnego niby-faktów.

Gdy dotarł do stóp Rialto, złożył gazetę i wetknął ją pod pachę. Po drugiej stronie mostu popadł w rozterkę: nie wiedział, czy iść dalej pieszo, czy popłynąć *vaporetto*. Optował za tym drugim, kuszony możliwością przepłynięcia przed zaśnieżonym Piazza San Marco.

Wsiadł do „dwójki", bo kursowała szybciej, i stał na pokładzie, gdy płynęli Canal Grande, zauroczony przemianą, jaka zaszła w ciągu nocy. Pirsy wchodzące w głąb kanału były białe, plandeki pokrywające uśpione gondole także; białe były też węższe, jeszcze nieuczęszczane *calli*, które prowadziły od brzegu kanału do różnych serc miasta. Gdy minęli siedzibę Comune, zauważył, jak brudne stały się liczne budynki w zestawieniu ze śnieżną bielą; jedynie te w kolorze ochry i czerwieni mogły się nadal podobać. Przepłynęli obok *palazzi* Mocenigo i wtedy przypomniał sobie, jak kiedyś poszedł do jednego z nich ze swoim wujem; nie pamiętał już nawet po co. Dalej na prawo Palazzo Foscari z filigranem śnieżnego pyłu na parapetach okien. Po lewej stronie ujrzał Palazzo Grassi, ten pozbawiony teraz uroku magazyn drugorzędnej sztuki; po chwili sunęli pod Ponte dell'Accademia, na którym widział ludzi trzymających się kurczowo poręczy w drodze w dół schodów. Gdy przepłynęli pod mostem, zerknął do tyłu i zobaczył to samo po drugiej stronie: drewniana powierzchnia stopni była znacznie bardziej zdradliwa niż kamień, zwłaszcza że stwarzały u idącego wrażenie stąpania po pochyłości.

Potem zrównali się z Piazzetta San Marco i słońce tak mocno odbijało się od śniegu na odcinku między biblioteką a pałacem, że Brunetti musiał osłonić oczy przed jego blaskiem. Stary poczciwy święty Teodor wciąż stał na swojej kolumnie, wbijając włócznię w łeb minismoka. Jakaż walka, żeby uciec! Wszystko jednak na próżno, nawet jeśli to śnieg spowolnił ruchy świętego.

Kawałki kopuł bazyliki wyglądały spod śniegu, który zaczął topnieć w porannym słońcu na oczach komisarza. Zewsząd pojawiali się święci, obok przemknął jakiś lew, promy trąbiły na siebie nawzajem, a on z radości przymknął powieki.

Gdy je otworzył, znajdowali się naprzeciw Ponte della Paglia, gdzie nawet o tak wczesnej porze kłębił się tłum turystów, a każdy z nich próbował zrobić zdjęcie Mostu Westchnień, na którym tylu ludzi zatrzymywało się po raz ostatni w drodze do więziennej celi, sali tortur lub na stracenie.

Na nabrzeżu za mostem śnieg zniknął niemal zupełnie, a gdy komisarz wysiadł przy San Zaccaria, było go tak niewiele, że ochronne buty stały się pretensjonalnym ciężarem. Strażnik przy drzwiach zasalutował mu leniwie na powitanie. Komisarz zapytał o *ispettore* Vianello, ale jeszcze go nie było. Nie pojawił się też jeszcze *vice-questore* — czemu Brunetti, który wyobraził sobie Pattę w domu, w piżamie, liczącego na to, że ktoś pisemnie usprawiedliwi jego spóźnienie do pracy opadem śniegu, wcale się nie dziwił.

Poszedł do biura signoriny Elettry.

Gdy przestąpił próg, sekretarka Patty powiedziała bez żadnych wstępów:

— Nie powiedział mi pan, że widział pan jego zdjęcie. — Miała na sobie czarną sukienkę i jedwabny żakiet w pomarańczowym kolorze habitu buddyjskich mnichów, wyraźnie kontrastującym ze stonowaną barwą głosu.

— Tak — potwierdził z powagą.

— Bardzo cierpiał?

Brunetti powitał jej pytanie z ulgą, ponieważ oznaczało, że Elettra nie widziała zdjęcia, a tylko dowiedziała się o nim.

Powstrzymał odruchową chęć przedstawienia rzeczywistości w bardziej różowych barwach i odparł:

— To nastąpiło błyskawicznie. Musiał zostać całkowicie zaskoczony.

— Skąd ta pewność?

Komisarz przypomniał sobie leżącego na ziemi majora, jego przestrzeloną żuchwę.

— Nie musi pani tego wiedzieć. Niech mi pani wierzy i na tym poprzestanie.

— Jaki on był?

To pytanie sprawiło Brunettiemu kłopot z powodu odpowiedzi, które cisnęły mu się na usta. Guarino był *carabiniere*. Był człowiekiem, któremu Avisani ufał bezgranicznie. Prowadził śledztwo w sprawie nielegalnego przewozu śmieci, ale on nie znał żadnych szczegółów. Interesował się porywczym człowiekiem, który uprawiał hazard, nie lubił przegrywać i przypuszczalnie nazywał się Antonio Terrasini. Żył z żoną w separacji.

Wymieniając w myślach te fakty, uświadomił sobie mimo woli, że nie wątpił w nic, co powiedział mu Guarino. Major wykręcił się od odpowiedzi na pewne pytania, ale Brunetti stwierdził, że wierzy w prawdziwość jego informacji.

— Myślę, że był uczciwym człowiekiem.

Signorina Elettra nic na to nie odpowiedziała, ale potem zauważyła:

— To zdjęcie... nic nie zmienia, nieprawdaż? — Gdy komisarz mruknął coś na potwierdzenie, dodała: — Ale na swój sposób czyni jego śmierć bardziej realną.

Sekretarka Patty rzadko nie wiedziała, co powiedzieć; Brunetti nie zdołał znaleźć właściwych słów. Być może takie nie istniały.

— Nie to jednak chciałam panu powiedzieć — zaczęła, lecz zanim zdążyła wyjaśnić, o co chodzi, usłyszeli zbliżające się kroki i odwróciwszy się, ujrzeli Pattę — Pattę ubranego tak, jak mógłby się ubrać kapitan Scott, gdyby miał

239

czas i sposobność, by się zaopatrzyć w weneckich *merce-rie*. Beżowa parka zastępcy komendanta miała obszyty futrem kaptur, a jej niedbale rozpięte poły ukazywały podpinkę. Pod kurtką nosił tweedową marynarkę od Harrisa i bordowy golf, który wyglądał na utkany z kaszmiru. Obuty był w gumiaki podobne do tych, na które zaledwie przed tygodniem Raffi zwrócił ojcu uwagę w witrynie sklepu Duca d'Aosta.

Wydawało się, że śnieg, który poprawił nastrój niemal wszystkim napotkanym w drodze do pracy osobom, na Pattę wywarł odwrotny wpływ. *Vice-questore* skinął głową sekretarce — nigdy nie były to szorstkie powitania, to jednak nie było przyjazne — i powiedział do Brunettiego:

— Wejdź do gabinetu.

Komisarz wszedł za nim i czekał, aż jego zwierzchnik zrzuci z siebie kurtkę. Patta położył ją podpinką na zewnątrz — by wyeksponować wyraźną kratkę Burberry'ego — na jednym z krzeseł stojących przed biurkiem, a drugie wskazał Brunettiemu.

— Wynikną z tego jakieś kłopoty? — zapytał bez zbędnych wstępów.

— Ma pan na myśli to morderstwo, *vice-questore*?

— Oczywiście, że mam je na myśli. *Carabiniere...* major, na litość boską... zostaje zamordowany w naszym rewirze. Co tu się wyprawia? Mają zamiar przekazać nam tę sprawę?

Brunetti czekał, żeby sprawdzić, czy to pytania retoryczne, lecz zmieszanie i oburzenie Patty wydawały się na tyle prawdziwe, by ośmielił się odpowiedzieć:

— Nie, nie wiem, co się dzieje, *vice-qustore*. Ale wątpię, by życzyli sobie naszego udziału w śledztwie. Kapitan, z którym wczoraj tam rozmawiałem... to chyba on do pana dzwonił... jasno dał do zrozumienia, że to podlega ich kompetencji.

Patcie wyraźnie ulżyło.

— Dobrze. Niech im będzie. Nie rozumiem, jak to się mogło przytrafić oficerowi *carabinieri*. Wyglądał mi na rozsądnego człowieka. Jak mógł się dać zabić w taki sposób?

Sarkastyczne odpowiedzi cisnęły się komisarzowi na usta niczym erynie krążące nad głową oszalałego z poczucia winy Orestesa, lecz odparł tylko:

— Nie wiadomo, jak to się stało, *vice-questore*. Zabójców mogło być paru.

— Ale mimo to... — rzekł Patta i umilkł, nie wypowiadając do końca zarzutu nieostrożności.

— Jeżeli pan sądzi, że dla nas to najlepsze wyjście... — zaczął Brunetti głosem, w którym pobrzmiewała wyraźna niepewność — ...ale może... nie, lepiej im oddać tę sprawę.

Patta był czujny jak szpicel.

— O co chodzi, Brunetti?

— Gdy z nim rozmawiałem, *vice-questore* — zaczął komisarz z udawaną powściągliwością — Guarino powiedział mi, że ma już podejrzanego w sprawie zabójstwa w Tesserze. — Po czym, zanim Patta zdążył zapytać, wyjaśnił: — Tego właściciela firmy przewozowej, który zginął przed świętami.

— Nie jestem idiotą. Czytam raporty.

— Oczywiście, *vice-questore*.

— No i co powiedział? Ten *carabiniere*.

— Że nie zdradził tożsamości tego podejrzanego swoim kolegom — odparł Brunetti.

— To niemożliwe. Jasne, że by im powiedział.

— Nie jestem pewien, czy miał do nich pełne zaufanie. — To mogło być prawdą, chociaż Guarino nigdy tego nie powiedział. Brunetti przyglądał się, jak Patta udaje zaskoczenie czymś takim. Zanim zdążył wyrazić swoje niedowierzanie, komisarz uciekł się do kłamstwa: — W zasadzie powiedział mi to.

— A nazwiska ci nie wyjawił? — zapytał ostro Patta.

— Wyjawił — odparł komisarz bez słowa wyjaśnienia.

— Dlaczego? — niemal krzyknął zastępca komendanta.

Brunetti wiedział, że Patta nie zrozumie sugestii, iż Guarino obdarzył go zaufaniem, ponieważ rozpoznał w nim uczciwego człowieka. Zamiast więc to sugerować, odparł:

— Podejrzewał, że ktoś ingeruje w jego śledztwo: twierdził, iż zdarzało się to już w przeszłości. Może sądził, że będziemy mogli prowadzić bardziej staranne dochodzenie. I znaleźć zabójcę. — Kusiło go, żeby zasugerować więcej, ale zwyciężyła ostrożność i pozostawił rozważenie potencjalnych korzyści Patcie. Gdy ten nie odpowiadał, Brunetti poszedł na całość, mówiąc: — W takim razie nie mam innego wyboru, niż podać im to nazwisko, prawda, panie komendancie?

Patta przyglądał się uważnie blatowi swego biurka niczym kapłan odczytujący znaki runiczne.

— Uwierzyłeś mu w sprawie tego podejrzanego? — zapytał w końcu.

— Uwierzyłem. — Nie musiał mówić Patcie o zdjęciu i wyprawie do kasyna; jego szef nie był człowiekiem, który wnikał w szczegóły.

— Myślisz, że możemy ciągnąć to śledztwo bez ich wiedzy? — Użycie przez Pattę liczby mnogiej wystarczyło, by Brunetti zrozumiał, że jego zwierzchnik postanowił kontynuować dochodzenie; on sam musiał jedynie dopilnować, żeby to jemu je powierzono.

— Guarino uważał, że naszym atutem będzie znajomość lokalnych realiów, *vice-questore*. — Brunetti powiedział to tak, jakby ani Patta, ani Scarpa nie byli Sycylijczykami.

— Chciałbym móc to zrobić — rzekł zastępca komendanta refleksyjnie.

— Co zrobić, *vice-questore*?

— Sprzątnąć to *carabinieri* sprzed nosa. Najpierw Mestre odebrało nam śledztwo w sprawie tamtego zabójstwa, a teraz *carabinieri* chcą nam zabrać i to. — Kunktatora zastąpił człowiek czynu, który pogrzebał już wspomnienie swej pierwotnej radości, gdy sądził, że nie będą kierować tym śledztwem. — Przekonają się, że póki jestem zastępcą komendanta policji w tym mieście, nie mogą tego robić.

Brunetti ucieszył się, że jego szef zdołał poskromić odruchową chęć walnięcia pięścią w biurko: to byłby gest za daleko idący. Szkoda, że Patta nie pracował w archiwum historycznym jakiegoś stalinowskiego państwa: jaką radość sprawiałoby mu zmienianie zdjęć, zamalowywanie starych fotografii i zastępowanie ich nowymi. Albo pisanie, a potem przeredagowywanie książek historycznych: ten człowiek był do tego stworzony.

— ...i Vianello, jak sądzę. — Komisarz usłyszał konkluzję Patty i oderwał się od przyjemnych rozważań.

— Oczywiście, *vice-questore*. Jeżeli uważa pan, że to najlepsze rozwiązanie — rzekł i wstał, skłoniony do tego tonem Patty, nie zaś słowami, których nie dosłyszał.

Czekał tak na ostatnią uwagę zastępcy komendanta, lecz ten milczał, więc komisarz wyszedł do sekretariatu.

— Jeżeli znajdzie pani chwilkę, *signorina*, to chciałbym poprosić, by zajęła się pani kilkoma sprawami — powiedział głosem na tyle donośnym, by dotarł do gabinetu Patty.

— Oczywiście, *commissario* — odparła oficjalnie, zwracając głowę ku drzwiom gabinetu. — Muszę skończyć pewne rzeczy dla *vice-questore*. Przyjdę na górę, gdy będę wolna.

Rozdział 20

Pierwsze, co Brunetti zauważył, gdy wszedł do swojego gabinetu, było światło wlewające się przez okno. Za oknem ujrzał lśniący dach kościoła z maleńkimi łatami śniegu trzymającymi się wciąż kurczowo jego powierzchni, a nad nim gładkie i ciemne niebo. Pomyślał, że skoro śnieg oczyścił powietrze, góry będą widoczne z kuchni ich mieszkania, o ile dotrze tam o dostatecznie wczesnej porze, gdy będzie jeszcze jasno.

Podszedł do okna i czekając na signorinę Elettrę, przyglądał się grze światła na dachu. Sekretarka Patty wzbudziła zainteresowanie majora Guarino i Brunetti poczuł, że się rumieni na myśl o tym, iż miał jej za złe to, jak na nie zareagowała. Nie można było tego określić trafniej: miał za złe. Każde z nich próbowało się czegoś dowiedzieć o drugim, a on pokrzyżował te zamiary. Ułożył obie dłonie płasko na parapecie i bacznie przyglądał się swoim palcom, nie poprawiło to mu jednak samopoczucia i oceny własnego zachowania. Zdenerwował się na wspomnienie, jak *carabiniere* z kwaśną miną przyznał, że jego sekretarka przypomina Elettrę. Też nosiła egzotyczne imię, rodem z opery: Leonora, Norma, Alcina? Nie, to musiało być imię jednej z tych przybitych, cierpiących heroin: Boże, była ich cała masa.

Gilda. Właśnie, Gilda Landi. A może stanowiła jeden z fałszywych tropów, jakie zawsze zostawiano w powieściach szpiegowskich? Nie, przecież Guarino był wtedy całkowicie zaskoczony i zupełnie odruchowo powiedział o — jakiego użył przymiotnika — nieustraszonej? Nie, onieśmielającej signorze Landi. A zatem jakaś osoba cywilna.

Usłyszał, jak sekretarka Patty wchodzi do gabinetu i gdy się odwrócił, zobaczył, że siada na jednym z krzeseł stojących przed biurkiem. Zerknęła w jego kierunku, lecz w istocie rzeczy patrzyła na dach kościoła i skrawek bezchmurnego nieba powyżej.

Zajął miejsce za biurkiem i zapytał:

— Co takiego chciała mi pani powiedzieć, *signorina*?

— Ten Terrasini — odparła. — Antonio. To chyba prawdziwe nazwisko. — Sekretarka Patty przyniosła ze sobą szarą kopertę, ale nie próbowała jej otworzyć.

Brunetti skinął głową.

— Należy do gałęzi rodu Terrasinich z Aspromonte, jest kuzynem jednego z mafijnych bossów.

Ta wiadomość pobudziła wyobraźnię Brunettiego, ale chociaż udawało mu się skojarzyć go ze śmiercią Guarina, nie zmieniało to faktu, że nie miał powodu, by przesłuchać tego człowieka, a tym bardziej go aresztować. Guarino nigdy mu nie wyjaśnił, skąd ma to zdjęcie, i już nigdy nie miał tego zrobić.

— Jest notowany, *commissario*. Kilka razy został aresztowany pod tym nazwiskiem, ale później trafiał do aresztu, występując pod rozmaitymi pseudonimami. — Zerknęła na Brunettiego i dodała: — Nie rozumiem natomiast, dlaczego w kasynie podał prawdziwe nazwisko.

— Być może bardziej tam dbają o sprawdzanie dokumentów niż u nas — zasugerował komisarz. Mówił to z ironią, ale gdy tylko wypowiedział te słowa, uświadomił sobie, że przypuszczalnie to prawda. — Za jakie sprawki był zatrzymywany? — zapytał.

— Za to, co zwykle. Napaść, wymuszenie, handel narkotykami, gwałt... to we wcześniejszej fazie swojej kariery. — Potem, jakby po namyśle, dodała: — Później za związek z camorrą. I dwukrotnie za morderstwo. Ale żadna z tych spraw nie trafiła do sądu.

— Czemu?

— W jednym wypadku zniknął główny świadek, a w drugim świadek koronny odwołał swoje zeznania.

Uznawszy komentarz za zbyteczny, Brunetti zapytał:

— Gdzie teraz przebywa, w więzieniu?

— Siedział, ale zwolnili go na mocy *indulto*, mimo że spędził tam zaledwie kilka miesięcy.

— Za co?

— Napaść.

— Kiedy go wypuszczono?

— Przed piętnastoma miesiącami.

— Wiadomo, gdzie odtąd przebywał?

— W Mestre.

— Co robił?

— Mieszkał u stryja.

— A czym zajmuje się jego stryj?

— Między innymi ma kilka pizzerii: jedną w Treviso, jedną w Mestre i jedną tutaj, niedaleko dworca kolejowego.

— Między innymi?

— Jest właścicielem firmy przewozowej... ciężarówek, które przywożą z południa owoce i warzywa.

— A zawożą co?

— Tego nie zdołałam się dowiedzieć, *commissario*.

— Rozumiem. Coś jeszcze?

— W przeszłości wynajmował ciężarówki signorowi Cataldo. — Gdy to mówiła, nie drgnęła jej nawet powieka, jakby nigdy wcześniej nie słyszała tego nazwiska.

— Rozumiem — stwierdził komisarz, po czym zapytał: — I co jeszcze?

— Bratanek, *commissario*: Antonio. Wydaje się, ale to tylko pogłoska, że jest związany z signorą Cataldo. — Głos Elettry nie mógł być spokojniejszy i bardziej beznamiętny.

Sekretarka Patty denerwowała nieraz Brunettiego w niemal nieznośny sposób, ale przypomniał sobie, jak się zachował w krzyżowym ogniu kokieteryjnych spojrzeń Elettry i majora, więc tylko zapytał:

— Z pierwszą żoną czy tą drugą?

— Drugą. — Signorina Elettra zawahała się, po czym dodała: — Ludzie mówili mi o tym z wypiekami na twarzy.

— O czym dokładnie?

— Że co najmniej raz, gdy mąż wyjechał, zabrał ją na kolację.

— To można by łatwo wytłumaczyć — zauważył Brunetti.

— Jestem tego pewna, *commissario*, szczególnie że jej mąż i jego stryj prowadzą wspólne interesy.

Komisarz wiedział, że Elettra ma więcej informacji i że będą one jeszcze bardziej obciążające, ale nie chciał pytać.

Kiedy okazało się, że Brunetti nie ma zamiaru się odezwać, signorina Elettra powiedziała:

— Widziano również, jak o drugiej nad ranem wychodził z ich mieszkania... a mówiąc dokładniej, z budynku, w którym mają mieszkanie.

— Kto widział?

— Ludzie, którzy tam mieszkają.

— Skąd wiedzieli, kim jest?

— Wtedy nie wiedzieli, ale zwrócili na niego uwagę, co zrobiłby każdy, kto spotyka nieznajomego mężczyznę na schodach swojego budynku o tej porze. Parę tygodni później spotkali ją w restauracji, jedzącą kolację z tym samym człowiekiem, a gdy podeszli się z nią przywitać, nie miała wyboru i przedstawiła im Antonia Terrasiniego.

— A jak się pani tego wszystkiego dowiedziała? — zapytał komisarz z udawaną beztroską.

— Kiedy zapytałam o Catalda, powiedziano mi o tym przy okazji. Dwa razy.

— Dlaczego wszyscy tak chętnie powtarzają plotki na jej temat? — zapytał obojętnym tonem, który pozwolił jej umieścić siebie w tym gronie bądź nie.

Zanim odpowiedziała, odwróciła od niego wzrok i znowu spojrzała za okno.

— Przypuszczalnie nie ma to nic wspólnego akurat z nią, *commissario*. Chodzi o sytuację, w której starszy mężczyzna bierze za żonę znacznie młodszą kobietę: mądrość ludowa każe stwierdzić, że jej zdrada jest tylko kwestią czasu. Chodzi też o to, że ludzie po prostu lubią plotkować, zwłaszcza gdy rzecz dotyczy kogoś, kto traktuje ich z rezerwą.

— A ona tak robi?

— Na to wygląda, panie komisarzu.

— Rozumiem — rzekł tylko Brunetti. Śnieg zniknął już całkowicie z dachu kościoła. Wydawało mu się, że widzi parę unoszącą się z dachówek. — Dziękuję, *signorina*.

Franca Marinello i Antonio Terrasini. Kobieta, o której — jak mu się wydawało — coś wiedział, i mężczyzna, o którym chciał wiedzieć znacznie więcej. Któż powiedział, że bardzo się starała mu zaimponować? Paola?

Czy było to aż tak łatwe? — zastanawiał się Brunetti. Wystarczyło porozmawiać z nim o książkach i sprawić wrażenie, że się wie, o czym się mówi, a on miękł jak rozgrzany wosk? Powiedzieć mu, że się uwielbia Cycerona, a potem pójść na kolację z... no właśnie, z kim i po co? Jakim mianem Amerykanie określali mężczyzn pokroju Terrasiniego? *Rough* coś tam. *Rough time? Rough taste? Rough traffic?* Nie mógł sobie przypomnieć, choć wielokrotnie usiłował je przywołać. *Rough* coś tam. Na zdjęciu Terrasini nie wyglądał na człowieka nieokrzesanego, lecz na czarusia.

Wspominając wieczór spędzony z Francą Marinello, Brunetti musiał przyznać, że jej oblicze nawet po paru godzinach rozmowy twarzą w twarz, momentami wciąż go szokowało. Gdy uznawała coś, co powiedział, za zabawne, mógł to wyczytać tylko w jej oczach lub w tonie jej odpowiedzi. Czasami udawało mu się ją rozśmieszyć, ale nawet wtedy jej twarz pozostawała tak nieruchoma jak w chwili, gdy mówiła o swej odrazie do Marka Antoniusza.

Nie przekroczyła jeszcze czterdziestki, a mąż był od niej dwa razy starszy. Czyż nie potrzebowała, czasami, towarzystwa młodszego mężczyzny, kontaktu z silniejszym ciałem? Czy tak bardzo interesowała go jej twarz, że zapomniał o reszcie ciała?

Ale mimo to, dlaczego z tym zbirem? Brunetti powracał raz po raz do tego pytania. Oboje z Paolą wiedzieli wystarczająco dużo o mechanizmach funkcjonowania miasta, by zdawać sobie sprawę z tego, które z żon ludzi wpływowych i bogatych szukały pocieszenia w ramionach innych mężczyzn. Wszystko to jednak działo się w gronie znajomych i przyjaciół: tym samym dyskrecja była zapewniona.

W takim razie czemu służyło jej gadanie o tym, że obawia się porwania? Być może Brunetti zbyt pochopnie zlekceważył jej opowieść o komputerowym intruzie; być może też śladów ingerencji nie zostawiła signorina Elettra, lecz jakaś inna osoba zainteresowana poznaniem rozmiarów bogactwa Catalda. Przeszłość Terrasiniego z pewnością świadczyła o tym, że chętnie podejmie próbę porwania, ale raczej nie zacząłby od tego.

Wiele lat temu hrabia Falier zauważył, że nigdy nie

spotkał człowieka, który potrafiłby się oprzeć pochleb-stwom. Brunetti był wtedy młodszy i potraktował to jako komentarz na temat zabiegu, który hrabia aprobował, lecz w miarę jak płynęły lata i lepiej poznawał tego człowieka, zdawał sobie sprawę, że to tylko kolejne z bezlitosnych spostrzeżeń hrabiego na temat charakteru ludzkiej aktyw-ności. „A żona Catalda bardzo się starała ci zaimponować", znowu usłyszał głos Paoli. Gdyby odrzucił wszelkie współ-czucie dla tej kobiety, w ile z tego, co mu powiedziała, wciąż by wierzył? Czy miał dać się skusić temu, że w od-różnieniu od niego przeczytała *Fasti* Owidiusza?

Rozdział 21

Brunetti zadzwonił do sali odpraw i poprosił do telefonu Vianella. Inspektora nie było w biurze, ale ktoś przekazał słuchawkę Pucettiemu. Wszyscy już wiedzieli, że pod nieobecność Vianella komisarz będzie chciał rozmawiać z Pucettim.

— Przyjdź do mnie na chwilę, dobrze? — poprosił Brunetti.

Komisarzowi wydawało się, że zaledwie kilka sekund po zakończeniu rozmowy Pucetti przekroczył próg jego gabinetu, zarumieniony, jakby biegł lub frunął po schodach.

— Jestem, *commissario* — powiedział podekscytowany, niecierpliwie oczekując możliwości wyrwania się z biura lub przynajmniej oderwania się od tego, co wcześniej robił na parterze.

— Gilda Landi — rzekł Brunetti.

— Słucham, panie komisarzu? — zapytał z zaciekawieniem, lecz bez śladu zdziwienia jego podwładny.

— To cywilna pracownica komendy *carabinieri*. Cóż, zakładam, że jest cywilem i że pracuje dla nich, ale mogę się mylić. Być może chodzi o Ministerstwo Spraw Wewnętrznych. Chciałbym, żebyś spróbował się dowiedzieć, gdzie dokładnie pracuje i, jeśli to możliwe, co robi. — Pucetti uniósł dłoń w szczątkowym salucie i wyszedł.

Brunetti zadzwonił do Paoli — zrobił to tylko dlatego, że rano spędził tyle czasu na rozmyślaniach o innej kobiecie — i powiedział, że nie może przyjść do domu na obiad. Nie zadała mu żadnych pytań, czym zmartwiła go bardziej, niż gdyby się skarżyła. Opuścił budynek komendy i poszedł do Castello, gdzie zjadł marny posiłek w najgorszego rodzaju gastronomicznej pułapce na turystów. Wyszedł stamtąd, czując się zarówno oszukany, jak i na swój sposób usprawiedliwiony, jakby zapłacił za nieuczciwość w stosunku do Paoli.

Gdy wrócił, wstąpił do sali odpraw, ale Pucettiego tam nie było. Poszedł do biura signoriny Elettry, gdzie zastał ją przy komputerze; za nią, z wzrokiem skupionym na ekranie monitora, stał Pucetti.

— Musiałem poprosić o pomoc, *commissario* — wyjaśnił na widok komisarza. — Nie miałbym jak tego zrobić samemu. Było jedno miejsce, gdzie gdybym miał...

Brunetti przerwał mu, unosząc rękę.

— Dobrze. Powinienem był ci polecić, żebyś to zrobił — odparł, po czym zwrócił się do patrzącej nań sekretarki Patty. — Nie chciałem dokładać pani obowiązków. Nie wiedziałem, że to będzie takie... — zawiesił głos.

Uśmiechnął się do nich i naszła go myśl, że dla obojga, w pewnym sensie, jest ojcem zastępczym, a Vianello — wujkiem. Kim w takim razie był Patta? Zbzikowanym dziadkiem? A Scarpa niecnym bratem przyrodnim? Oderwał się od tych rozważań i zapytał:

— Znaleźliście ją?

Pucetti cofnął się, oddając pole signorinie Elettrze.

— Zaczęłam od Ministerstwa Spraw Wewnętrznych — odparła. — Nietrudno jest dostać się na pewien poziom ich systemu. — Spokojnie przedstawiała sytuację, nie próbując popisywać się krytyką beztroski, z jaką niektóre agencje rządowe strzegły swoich informacji. — Po jakimś czasie okazało się, że pewne miejsca są zablokowane, więc musiałam wrócić i znaleźć inne środki dostępu. — Widząc minę Brunettiego, dodała: — Ale szczegółowy opis tego, jak to zrobiłam, nie ma znaczenia, prawda?

Komisarz zerknął na Pucettiego i zobaczył spojrzenie, które młodszy mężczyzna posłał Elettrze, usłyszawszy to, co powiedziała. Ostatnim razem widział je w oczach jakiegoś narkomana, gdy wytrącił mu strzykawkę z ręki i rozdeptał ją obcasem buta.

— ...specjalny oddział utworzony do zbadania, jaką kontrolę ma camorra nad branżą wywozu śmieci, i okazuje się, że signorina Landi od pewnego czasu pracuje dla Ministerstwa Spraw Wewnętrznych.

Podejrzewając, że ma do przekazania znacznie więcej informacji, Brunetti zapytał:

— Czego jeszcze się pani o niej dowiedziała?

— Jest cywilem, a także chemiczką po studiach w Bolonii.

— A jej praca? — zapytał Brunetti.

— Z tego, co zdołałam zobaczyć, zanim... wykonuje badania chemiczne tego, co *carabinieri* znajdują lub co udaje im się skonfiskować.

— Co pani chciała powiedzieć?

Sekretarka Patty posłała komisarzowi przeciągłe spojrzenie i zerknęła kątem oka na Pucettiego, po czym odparła:

— Znalazłam te informacje, zanim przerwano połączenie.

Wzdrygnąwszy się, komisarz skierował wzrok na drzwi gabinetu Patty. Signorina Elettra, widząc to, wyjaśniła:

— Dottor Patta ma dziś po południu spotkanie w Padwie.

Pamiętając, jak się zawahała, Brunetti zapytał:

— Proszę wyjaśnić laikowi, co to znaczy, że przerwano połączenie?

Zanim Elettra odpowiedziała, przez chwilę zastanawiała się nad jego pytaniem.

— To, że mają system ostrzegawczy, który zamyka wszystko w momencie wykrycia nieuprawnionego dostępu.

— Mogą wyśledzić źródło?

— Wątpię — odparła pewniejszym głosem. — A gdyby nawet, dotarliby do komputera w biurach firmy będącej własnością jednego z parlamentarzystów.

— To prawda? — zapytał Brunetti.

— Staram się zawsze mówić panu prawdę, *commissario* — odparła niemal z oburzeniem.

— Tylko się pani stara?

— Tylko się staram.

Komisarz postanowił dać temu spokój, ale nie mógł przepuścić okazji do pozbawienia jej odrobiny satysfakcji.

— Informatycy Catalda donieśli mu o próbie włamania do ich systemu.

Zatkało ją, ale po chwili zastanowienia zaznaczyła:

— Ten trop prowadzi do tej samej firmy.

— Wydaje się, *signorina*, że traktuje to pani niezwykle nonszalancko — zauważył Brunetti.

— Nie, naprawdę nie. Cieszę się jednak, że mi pan o tym powiedział: już więcej nie popełnię tego błędu. — Ton jej głosu świadczył o tym, że zakończyła ten temat.

— Czy signorina Landi pracuje w tym samym zespole co Guarino? — zapytał komisarz.

— Tak. Z tego, co zdołałam zobaczyć, są w nim czterej mężczyźni i dwie kobiety plus dottoressa Landi i drugi chemik. Ich zespół ma siedzibę w Trieście, a kolejna grupa działa w Bolonii. Nie znam nazwisk pozostałych osób, a ją znalazłam tylko dlatego, że szukałam konkretnego nazwiska.

Zapadła cisza. Pucetti spoglądał to na Elettrę, to na komisarza, ale nic nie mówił.

— Pucetti? — rzekł Brunetti.

— Wie pan, gdzie zginął, *commissario*?

— W Margherze — odpowiedziała za komisarza sekretarka Patty.

— Tam go znaleziono, *signorina* — poprawił ją ulegiym tonem Pucetti.

— Masz inne pytania? — zapytał Brunetti.

— Kto przeniósł ciało i kiedy będzie zrobiona sekcja, dlaczego tak mało pisano o tym w gazecie i co on robił tam, gdzie został zabity? — odparł Pucetti, nie umiejąc opanować emocji podczas tej wyliczanki.

Brunetti widział spojrzenie, a potem uśmiech, który signorina Elettra posłała młodemu funkcjonariuszowi, gdy skończył. Bez względu na to, jak ciekawe byłyby odpowiedzi na te pytania, komisarz zdał sobie sprawę, że przynajmniej na razie najważniejsze było pierwsze z tej listy: gdzie zginął Guarino?

Zarzucił te myśli i zwrócił się do signoriny Elettry.

— Moglibyśmy się skontaktować z dottoressą Landi?

Nie odpowiedziała od razu, Brunetti mógł zachodzić w głowę, czy gdy spróbuje teraz znaleźć coś tak zwyczajnego jak informację o numerze telefonu, rozlegną się te same dzwonki alarmowe. Spojrzała na komisarza i skupiła wzrok w jakimś odległym punkcie cyberprzestrzeni, planując manewr, na którego zrozumienie nie mógł liczyć.

— Nie ma sprawy — powiedziała w końcu.

— Czyli? — zapytał Brunetti.

— Zdobędę jej numer. — Sekretarka Patty wstała, a Pucetti od razu odsunął jej krzesło. — Zadzwonię, gdy już będę go mieć, *commissario* — obiecała, po czym dodała: — Nie ma żadnego ryzyka.

Pucetti i jego szef wyszli z biura.

Dwadzieścia minut później, dotrzymując słowa, zadzwoniła i podała mu numer *telefonino* signoriny Landi. Kiedy jednak komisarz zadzwonił, abonent był niedostępny. Głos w słuchawce nie poprosił o pozostawienie wiadomości.

Żeby o tym nie myśleć, Brunetti przysunął sobie stos najstarszych dokumentów, które nagromadziły się na jego biurku, i zaczął je czytać, zmuszając się do skupienia uwagi. Jeden z informatorów Vianella powiedział mu niedawno, że powinien zainteresować się paroma sklepami w Calle della Mandola, które ostatnio zmieniły właściciela. Jeżeli w grę wchodziło pranie brudnych pieniędzy, jak sugerował informator, to nie była jego sprawa: o pieniądze niech się martwi Guardia di Finanza.

Poza tym rzadko chodził tym zaułkiem, trudno więc mu było przypomnieć go sobie i wyobrazić zmiany towarów na wystawach. Nadal był tam antykwariat, a także apteka i zakład optyczny. Wyobrażenie sobie drugiej strony uliczki okazało się trudniejsze, tam zaszły bowiem zmiany. Pamiętał sklepy z modną teraz oliwą z oliwek i butelkowanymi sosami, szkłem, a także sklep z owocami oraz kwiaciarnię, której właściciel jako pierwszy wystawiał wiosną na chodnik bukiety bzu. Mogliby popytać w okolicy, ale to wszystko przypominało sprawę Ranzata: mieli łazić po zaułku, wzywając członków camorry, by wyszli z ukrycia?

Pomyślał o artykule, jaki przeczytał przed kilkoma miesiącami w jednym z przyniesionych przez Chiarę czasopism o zwierzętach. Chodziło o jakąś ropuchę — ropuchę olbrzymią? — którą sprowadzono do Australii. Przywieziona tam, by zwalczać szkodniki zagrażające uprawom trzciny cukrowej, nie napotkała w swoim naturalnym środowisku drapieżników, które mogłyby zahamować jej rozprzestrzenianie się na północ i południe. Dopiero wtedy,

gdy ich liczba wymknęła się spod kontroli, odkryto, że ro-
puszy jad jest wystarczająco silny, by uśmiercać psy i koty.
Ropuchy olbrzymie można było dźgać nożem, przekłuwać,
przejeżdżać samochodem, a one nadal żyły. Wyglądało na
to, że tylko wrony nauczyły się je zabijać, przewracając na
grzbiet i pożerając wnętrzności.

Czy potrzebował lepszego porównania z mafią?
Wskrzeszona po wojnie przez Amerykanów do walki z ko-
munistycznym zagrożeniem, wymknęła się spod kontroli
i podobnie jak w przypadku ropuchy olbrzymiej, jej ekspansji na północ i południe nie można było powstrzymać.
Można ją było przekłuwać i dźgać nożem, a ona powracała
do życia.

— Potrzebujemy wron — rzekł głośno, uniósł wzrok
i zobaczył w drzwiach Vianella.

— To protokół z sekcji zwłok — powiedział inspektor
normalnym tonem, jakby nie słyszał słów Brunettiego.
Wręczył mu szarą kopertę i zanim jeszcze komisarz skinął
na niego, usiadł na krześle przed biurkiem.

Brunetti rozciął kopertę i wysunął z niej zdjęcia, zdzi-
wiony, że są w formacie pocztówek. Ułożył je na biurku
i usunął na bok parę kartek. Spojrzał na inspektora, który
już się zorientował, jak małe są fotografie.

— Przypuszczam, że to dla oszczędności — zauważył
Vianello.

Komisarz wyrównał brzegi zdjęć z miejsca zbrodni
o blat biurka i zaczął je przeglądać, podając te już obej-
rzane inspektorowi. Format pocztówkowy: bo rzeczywiście, czyż mogły być lepsze pocztówki obrazujące nowe

Włochy? Wyobraził sobie możliwość stworzenia zupełnie nowej gamy plakatów i pamiątek dla turystów: nędzna szopa, w której aresztowano Provenzana, kompleksy hotelowe wzniesione bezprawnie w parkach narodowych, dwunastoletnie mołdawskie prostytutki na poboczach dróg?

Albo można by zrobić talię kart. Zwłoki? Wystarczyło zmniejszyć format jednego ze zdjęć Guarina i mogliby zestawić talię złożoną ze zwłok znalezionych w ciągu ostatnich kilku lat. Cztery kolory: Palermo, Reggio Calabria, Neapol, Katania. Dżoker? Kto by nim był, zastępując w razie potrzeby każdą inną kartę? Pomyślał o ministrze, którego mafia miała ponoć w kieszeni — pasowałby jak ulał.

Lekkie kaszlnięcie Vianella położyło kres ponurym fantazjom komisarza. Brunetti wręczył mu kolejne zdjęcie, a potem jeszcze jedno. Inspektor przyjmował je z rosnącym zaciekawieniem, a ostatnie niemal wyrwał mu z rąk. Gdy komisarz popatrzył na swojego zastępcę, zauważył, że ten ma ponury wyraz twarzy.

— To są zdjęcia z miejsca popełnienia przestępstwa? — zapytał zaszokowany, jakby potrzebował potwierdzenia Brunettiego, żeby móc w to uwierzyć.

Komisarz skinął głową.

— Byłeś tam? — zapytał inspektor, choć tak naprawdę nie było to pytanie.

Ujrzawszy powtórne skinienie swego szefa, Vianello cisnął zdjęcia na biurko.

— *Gesù Bambino*, kim są te błazny? — Inspektor ze złością stuknął palcem jedną z fotografii, na której widać było czubki trzech różnych par butów. — Czyje to stopy? Co oni robią tak blisko zwłok podczas fotografowania? — Dźgnął palcem w odciśnięte w błocie ślady kolan. — A to czyje?

Rozrzucił zdjęcia po całym biurku i znalazł jedno zrobione z odległości dwóch metrów i ukazujące dwóch *carabinieri* stojących za zwłokami, najwyraźniej pochłoniętych rozmową.

— Obaj palą — rzekł. — Czyje więc niedopałki znajdą się w torebkach z dowodami, na litość boską?

Ispettore stracił resztki cierpliwości i odsunął zdjęcia w stronę Brunettiego.

— Jeżeli chcieli zapaskudzić miejsce zbrodni, to spisali się na medal.

Zacisnął usta i zebrał fotografie z powrotem. Ułożył je w rzędzie, po czym pozamieniał miejscami tak, by można było na nich śledzić, z lewej do prawej strony, jak fotografujący zbliża się do ciała. Pierwsze ujęcie pokazywało kwadrat o boku długości czterech, a drugie dwóch metrów. Na obu zdjęciach w lewym dolnym rogu wyraźnie widać było wyciągniętą rękę majora. Na pierwszej fotografii leżała ona w ciemnobrązowym błocie. Na czwartej w odległości dziesięciu centymetrów od dłoni widniał niedopałek papierosa. Ostatnie kadry wypełniały głowa i pierś Guarina z kołnierzykiem i gorsem koszuli przesiąkniętymi krwią.

Vianello nie mógł się powstrzymać przed odwołaniem się do wzorcowego przykładu.

— Nawet Alvise nie mógłby narobić większego bałaganu.

— Myślę, że właśnie o to tutaj chodzi: o czynnik Alvisego — rzekł w końcu komisarz. — To po prostu efekt ludzkiej głupoty i błędów. — Inspektor chciał coś powiedzieć, ale Brunetti ciągnął: — Wiem, że byłoby wygodniej doszukiwać się w tym spisku, ale to chyba efekt zwyczajnego bałaganu.

Vianello zastanowił się nad tym i wzruszył ramionami.

— Widziałem gorsze przypadki — odparł i po pewnym czasie zapytał: — Co piszą w protokole?

Brunetti rozłożył dokumenty i zaczął je studiować, podając kolejno każdy z nich po przeczytaniu inspektorowi. Śmierć rzeczywiście nastąpiła natychmiast, kula — której nie znaleziono — rozerwała majorowi mózg, zanim wyszła żuchwą. Następnie przedstawiono domysły w kwestii kalibru użytej broni, a protokół kończył się beznamiętnym stwierdzeniem, że błoto na klapach płaszcza i kolanach spodni denata różniło się składem i zawierało więcej śladowych ilości rtęci, kadmu, radu i arsenu niż błoto pod jego ciałem.

— Więcej? — zdziwił się Vianello, oddając papiery Brunettiemu. — Boże, dopomóż.

— Nikt inny tego nie uczyni.

Inspektor ograniczył się do uniesienia rąk w geście kapitulacji.

— Co teraz zrobimy?

— Pozostaje signorina Landi — odparł Brunetti ku sporemu zakłopotaniu inspektora.

Rozdział 22

Komisarz i dottoressa Landi poznali się nazajutrz na dworcu kolejowym w Casarsie, uzgodniwszy wcześniej miejsce spotkania w połowie drogi między Wenecją a Triestem. Brunetti przystanął na schodach dworca, uderzony falą słonecznego ciepła. Niczym słonecznik odwrócił twarz ku słońcu i zamknął oczy.

— *Commissario*? — usłyszał kobiece wołanie od strony rzędu samochodów zaparkowanych przed stacją. Otworzył oczy i ujrzał, jak niska brunetka o śniadej cerze wysiada z auta. Najpierw zauważył, że przystrzyżone krótko jak u chłopca włosy kobiety lśnią od żelu, a potem, że jej ciało, choć okryte popielatą parką z puchowym podbiciem, jest szczupłe i młodzieńcze.

Podszedł do samochodu.

— *Dottoressa* — rzekł oficjalnie — bardzo dziękuję, że zgodziła się pani na spotkanie. — Landi ledwie sięgała mu do ramienia i wydawało się, że jest tuż po trzydziestce. Makijaż nałożyła niedbale i zdążyła już zetrzeć z ust prawie całą szminkę. Tutaj, we Friuli, dzień był słoneczny, lecz jej oczy były zmrużone nie tylko przed słońcem. Regularne rysy, kształtny nos, twarz zapadająca

264

w pamięć z uwagi na uczesanie i malujące się na niej napięcie.

Uścisnął jej dłoń.

— Pomyślałam, że moglibyśmy pojechać gdzieś i porozmawiać — powiedziała. Miała przyjemny głos, wzmacniający nieco głoski przydechowe. Chyba pochodziła z Toskanii.

— Oczywiście — odparł Brunetti. — Bardzo słabo znam te okolice.

— Niestety niewiele jest tu do poznania — stwierdziła, wsiadając z powrotem do samochodu. Gdy oboje zapięli pasy, uruchomiła silnik, mówiąc: — Niedaleko stąd jest restauracja — po czym, trzęsąc się, dodała: — Jest za zimno, żeby zostać na dworze.

— Jak pani sobie życzy — odparł komisarz.

Przejeżdżali przez centrum miasta. Brunetti pamiętał, że stąd pochodził Pasolini, że uciekł w niesławie, wyjechał do Rzymu. Gdy znaleźli się na wąskiej ulicy, pomyślał, jakie szczęście spotkało reżysera, że został wypędzony z tego niczym niewyróżniającego się świata ładu. Jak żyć w takim miejscu?

Za miastem jechali szosą otoczoną szpalerem domów, biur i jakichś budynków handlowych. Drzewa były nagie. Jakże przygnębiająca jest tutaj zima, pomyślał komisarz. Potem nasunęło mu się pytanie, jak przygnębiające będą inne pory roku.

Nie potrafił ocenić, czy Landi jest dobrym kierowcą. Skręcali w lewo lub w prawo, pokonywali ronda, zjeżdżali na węższe drogi. Po niespełna kilku minutach zupełnie

265

stracił orientację, nie umiałby wskazać, gdzie znajduje się dworzec, nawet gdyby od tego zależało jego życie. Minęli małe centrum handlowe z dużym zakładem optycznym i podążali dalej kolejną drogą otoczoną szpalerem nagich drzew. Z niej zjechali w lewo na parking.

Dottoressa Landi wyłączyła silnik i bez słowa wysiadła z samochodu. Tak naprawdę nie odzywała się, odkąd wyruszyli, a Brunetti pozostał równie milczący, zajmując się obserwacją jej rąk i krajobrazu.

W restauracji kelner zaprowadził ich do stolika w kącie. Drugi kelner wędrował po sali, która mieściła około tuzina stolików, układając sztućce i serwetki, przysuwając lub odsuwając od nich krzesła. Z kuchni dolatywała woń piekącego się mięsa, Brunetti rozpoznał też przenikliwy zapach smażonej cebuli.

Signora Landi poprosiła o *caffé macchiato*, komisarz też.

Powiesiła kurtkę na oparciu krzesła i usiadła, nie zawracając sobie głowy czekaniem, aż ktoś jej pomoże. Brunetti wybrał miejsce po przeciwnej stronie nakrytego do obiadu stolika. Kobieta ostrożnie odsunęła na bok serwetkę, ułożyła na niej sztućce, po czym wsparła ręce na blacie.

— Nie wiem, jak to zrobić — zaczął komisarz w nadziei, że oszczędzi im obojgu czasu.

— Jakie mamy możliwości? — zapytała Landi. Jej twarz nie była ani życzliwa, ani nieprzyjemna, spoglądała na niego spokojnie i beznamiętnie, jak jubiler, który otrzymał do wyceny biżuterię i miał nią potrzeć kamień probierczy swej inteligencji, żeby określić zawartość złota.

266

— Ja przekażę jedną informację, a potem pani jedną, następnie przyjdzie kolej na mnie i tak dalej. Niczym przy wykładaniu kart podczas gry — zaproponował nie całkiem poważnie Brunetti.

— Albo? — zapytała z umiarkowanym zainteresowaniem.

— Albo jedno z nas powie wszystko, co wie, a potem drugie zrobi to samo.

— Zapewnia to ogromną przewagę tej drugiej osobie, nieprawdaż? — zauważyła z większym entuzjazmem w głosie.

— Chyba że pierwsza osoba też skłamie — odparł komisarz.

Uśmiechnęła się po raz pierwszy i wówczas odmłodniała.

— Więc mam zacząć? — upewniła się.

— Proszę.

Kelner przyniósł zamówione kawy i dwie małe szklanki z wodą. Brunetti zauważył, że *dottoressa* nie posłodziła kawy. Zamiast ją wypić, zajrzała do filiżanki i zakręciła nią lekko.

— Rozmawiałam z Filippem po waszym spotkaniu — wyjaśniła i po chwili przerwy dodała: — Powiedział mi, że rozmawialiście o mężczyźnie, którego chciał dzięki pańskiej pomocy zidentyfikować. — Spojrzała mu w oczy, po czym wróciła do przyglądania się piance na powierzchni kawy. — Współpracowaliśmy przez pięć lat.

Brunetti wypił kawę i odstawił filiżankę na spodek.

Signorina Landi pokręciła nagle głową i powiedziała:

— Nie, w ten sposób to się nie uda, prawda? Żebym tylko ja mówiła?

— Chyba nie — odparł komisarz i się uśmiechnął.

Roześmiała się po raz pierwszy i wtedy zrozumiał, że za maską niepokoju kryje się naprawdę atrakcyjna kobieta.

— Nie jestem policjantką, lecz chemiczką — powiedziała, jakby ulżyło jej, że może zacząć od początku. — Ale to już panu mówiłam, nieprawdaż? Czy też wiedział pan o tym?

— Owszem.

— Tak więc staram się zostawiać całą część policyjną zawodowcom. Ale po tych wszystkich latach dowiaduję się wielu rzeczy, nie zdając sobie nawet z tego sprawy. Choćbym nie zwracała na nie uwagi. — Żadne z jej dotychczasowych słów nie świadczyło o tym, by łączyło ją z Guarinem coś więcej niż koleżeństwo. Czemu więc zawracała sobie głowę wyjaśnianiem, skąd tyle wie o „sprawach policyjnych"?

— Jestem pewien, że nie da się nie słyszeć różnych rzeczy — przyznał Brunetti.

— Oczywiście — potwierdziła i zmienionym głosem zapytała: — Filippo powiedział panu o tych przewozach, prawda?

— Tak.

— Tak właśnie się poznaliśmy — wyznała głosem, który przeszedł w łagodniejszy rejestr. — Skonfiskowali przesyłkę, która zmierzała na południe. To było jakieś pięć lat temu. Zrobiłam analizę chemiczną tego, co w niej znaleźli, a gdy wyśledzili źródło pochodzenia przesyłki, zbadałam grunt i wodę w tym miejscu. — Po pewnym czasie dodała: — Filippo kierował tą sprawą i zaproponował, by mnie przeniesiono do jego zespołu.

— Bywa, że przyjaźnie zawiązują się w dziwniejszych okolicznościach — zauważył sam z siebie komisarz.

Posłała mu przeciągłe spojrzenie.

— Też tak sądzę — odparła i wreszcie wypiła kawę.

— Co to było? — zapytał Brunetti i w odpowiedzi na pytanie w oczach chemiczki dodał: — W tej przesyłce?

— Pestycydy, odpady szpitalne i przeterminowane leki. — Pauza, po czym słowa: — Ale nie w listach przewozowych.

— Co one stwierdzały?

— To co zwykle: śmieci komunalne, jakby chodziło o sprasowane bele skórek pomarańczy i fusów spod kuchennego zlewu.

— Dokąd zmierzały?

— Do Kampanii — odparła. — Do spalarni. — Potem, jakby dla pewności, czy zrozumiał wagę tego, co powiedziała, powtórzyła: — Pestycydy. Odpady szpitalne. Przeterminowane leki. — Wypiła łyk wody.

— Pięć lat temu?

— Tak.

— A potem?

— Nic się nie zmieniło z wyjątkiem tego, że obecnie tych przesyłek jest znacznie więcej.

— I dokąd teraz trafiają?

— Niektóre do spalarni, część na wysypiska.

— A reszta?

— Zawsze jest jeszcze morze — wyjaśniła, jakby to była najbardziej naturalna rzecz pod słońcem.

— Aha.

Podniosła łyżeczkę i położyła ją ostrożnie obok filiżanki.

— Jest dokładnie tak jak w Somalii, gdzie je kiedyś wyrzucali. Gdy władze nie reagują, mogą robić, co chcą.

Kelner podszedł do ich stolika i dottoressa Landi poprosiła o jeszcze jedną kawę. Brunetti wiedział, że przed obiadem nie powinien pić kolejnej, zamówił więc wodę mineralną. Milczał, by nie przerywać, gdy wróci kelner, ona zaś wydawała się zadowolona z chwilowej ciszy. Po pewnym czasie kelner przyniósł zamówione napoje.

— Przyszedł zapytać pana o mężczyznę na zdjęciu, prawda? — zapytała, przechodząc nagle do innego tematu. — Jej głos stał się spokojny, jakby możliwość wyliczenia rzeczy, które znalazła w przesyłce, stanowiła swego rodzaju egzorcyzm.

Brunetti skinął głową.

— No i?

Komisarz zdał sobie sprawę, że właśnie nadszedł moment, w którym musiał wykorzystać swoje życiowe, osobiste i zawodowe doświadczenie i zdecydować, czy zaufać tej młodej kobiecie, czy nie. Wiedział, że ma słabość do kobiet w rozpaczy — choć chyba nie znał jej skali — ale też wiedział, że instynkt rzadko go zawodzi. Landi najwyraźniej uznała, że to on ma być pośmiertnym beneficjentem zaufania, jakim obdarzył ją major Guarino, on zaś nie widział powodu, by ją podejrzewać.

— Nazywa się Antonio Terrasini — zaczął, a ona nie zareagowała na to nazwisko ani nie zapytała, jak to odkrył. — Należy do jednego z rodów camorry — dodał, po czym zapytał: — Wie pani coś o tym zdjęciu?

Signorina Landi zajęła się mieszaniem kawy, po czym odłożyła łyżeczkę na spodek.

— Ten mężczyzna, który zginął... — zaczęła, po czym posłała Brunettiemu zbolałe spojrzenie i przytknęła dłoń do ust.

— Ranzato?

Skinęła głową, po czym zmusiła się do odpowiedzi:

— Tak. Filippo powiedział, że to on je zrobił i mu je przysłał.

— Coś jeszcze?

— Nie, tylko to.

— Kiedy widziała go pani po raz ostatni?

— Na dzień przed waszą rozmową.

— Nie później?

— Nie.

— Dzwonił do pani?

— Tak, dwukrotnie.

— Co powiedział?

— Że rozmawiał z panem i sądzi, że można panu zaufać. Potem, za drugim razem, że znowu rozmawialiście i że wysłał panu zdjęcie. — Zawahała się, po czym postanowiła to powiedzieć: — Twierdził, że jest pan nieustępliwy.

271

— To prawda — przyznał Brunetti i umilkł.

Zauważył, że Landi patrzy na swoją łyżeczkę, jakby starała się zdecydować, czy ją przenieść na inne miejsce.

— Dlaczego go zabili? — zapytała w końcu i komisarz zdał sobie sprawę, że zgodziła się na rozmowę, aby zadać to pytanie. Nie miał na nie odpowiedzi.

Z drugiego końca sali dobiegły jakieś głosy, ale okazało się, że to tylko dyskutujący ze sobą kelnerzy. Gdy Brunetti znowu na nią popatrzył, spostrzegł, że przyjęła to zakłócenie spokoju z równie dużą ulgą jak on. Zerknął na zegarek i zobaczył, że do odjazdu następnego pociągu do Wenecji zostało mu dwadzieścia minut. Przywołał kelnera i poprosił o rachunek.

Gdy zapłacił i zostawił parę monet na stoliku, wstali i wyszli. Słońce na zewnątrz świeciło mocniej i temperatura podniosła się o kilka stopni. Zanim signorina Landi wsiadła do samochodu, rzuciła kurtkę na tylne siedzenie. I znowu milczeli podczas jazdy.

Przed dworcem komisarz wyciągnął do niej dłoń na pożegnanie. Odwrócił się, żeby otworzyć drzwi, i gdy dotknął klamki, kobieta powiedziała:

— Jest jeszcze jedna rzecz. — Nuta nagłej powagi w jej głosie sprawiła, że Brunetti się zawahał. — Chyba powinnam panu to powiedzieć. — Odwrócił się do niej. — Około dwóch tygodni temu Filippo wspomniał, że słyszał pewne pogłoski. W Neapolu zaczęła się afera z pozamykanymi wysypiskami, było zbyt dużo policji. Wstrzymali więc wysyłki i zaczęli gromadzić naprawdę niebezpieczne rzeczy, tak przynajmniej mi mówił.

— Co to znaczy „naprawdę niebezpieczne"? — zapytał Brunetti.

— Bardzo toksyczne. Chemikalia. Być może odpady promieniotwórcze. Kwasy. Pewnie chodziło o substancje, które można trzymać w pojemnikach lub beczkach. Każdy może je uznać za niebezpieczne, więc póki trwało zamieszanie, nie chcieli ryzykować wysyłki.

— Czy on wiedział, gdzie mogą się znajdować?

— Niezupełnie — odparła wymijająco, jak robią uczciwe osoby, gdy próbują skłamać. Komisarz spojrzał jej w oczy, zanim zdołała odwrócić wzrok. — To naprawdę jedyne możliwe miejsce, czyż nie?

Zdążył pomyśleć, że Paola byłaby z niego dumna. Najpierw przyszła mu na myśl powieść, nie mógł jednak sobie przypomnieć, kto był jej autorem. Hawthorne? Poe? Z jakąś literą w tytule. Ukryj literę w miejscu, gdzie nikt jej nie zauważy: pośród liter. Właśnie tak. Ukryj chemikalia wśród innych chemikaliów, a nikt nie zwróci na nie uwagi.

— To wyjaśnia, dlaczego był w rafinerii.

— Filippo powiedział, że bystry z pana człowiek — odparła z bezbrzeżnie smutnym uśmiechem.

Rozdział 23

Gdy wrócił do komendy, postanowił zacząć u dołu łańcucha pokarmowego, od osoby, z którą od pewnego czasu nie rozmawiał. Claudio Vizotti był, mówiąc wprost, wstrętnym typem. Hydraulik, zatrudniony kilkadziesiąt lat temu przez jedną z firm petrochemicznych w Margherze, po rozpoczęciu pracy wstąpił do związku zawodowego. Przez lata bez trudu piął się w związkowej hierarchii i teraz występował w imieniu robotników przeciwko zatrudniającym ich firmom z roszczeniami o odszkodowanie za obrażenia odniesione w pracy. Brunetti po raz pierwszy natknął się na niego parę lat wcześniej, w rok po tym, gdy Vizotti przekonał robotnika poszkodowanego wskutek upadku ze źle postawionego rusztowania, by ten zrzekł się roszczeń wobec pracodawcy w zamian za dziesięć tysięcy euro.

Wyszło na jaw — podczas gry w karty, której uczestnik, pijany księgowy z tej firmy, skarżył się na przebiegłość przedstawicieli związków — że firma w rzeczywistości dała Vizottiemu za jego wysiłki mediacyjne w sumie dwadzieścia tysięcy euro, które jakoś nie zdołały trafić ani do rąk poszkodowanego, ani do związkowych szkatuł. Wieść się rozeszła, a ponieważ w karty grano nie w Margherze, lecz w Wenecji, dotarła do policji, nie zaś do robotników, których ochronie Vizotti poświęcił swoje życie zawodowe. Dowiedziawszy się o tym, Brunetti wezwał Vizottiego na rozmowę. Początkowo przedstawiciel związku z oburzeniem zaprzeczył wszystkiemu i zagroził, że pozwie księgowego do sądu za oszczerstwo i poskarży się na komisarza za nękanie. Wtedy właśnie Brunetti zwrócił uwagę, że poszkodowany robotnik, człowiek o wybuchowym temperamencie, ma teraz jedną nogę krótszą o kilka centymetrów od drugiej i odczuwa niemal ciągły ból. I nic nie wie o porozumieniu, jakie Vizotti zawarł z jego pracodawcami, ale w każdej chwili może się o nim dowiedzieć.

Na te słowa związkowiec zmiękł i rzekł z uśmiechem, że tak naprawdę trzymał te pieniądze dla poszkodowanego mężczyzny i tylko jakoś zapomniał mu je przekazać: nawał pracy, obowiązki związkowe, tyle spraw do załatwienia i przemyślenia, tak mało czasu. W rozmowie w cztery oczy zapytał komisarza, czy chce uczestniczyć w ich przekazaniu. Proponując to, chyba nawet mrugnął okiem.

Brunetti nie skorzystał z tej szansy i kazał Vizottiemu zapamiętać swoje nazwisko na wypadek, gdyby znowu chciał z nim rozmawiać. Odnalezienie numeru *telefonino* związkowca zajęło komisarzowi kilka minut, ale gdy Vizotti usłyszał, z kim ma przyjemność, nie zwlekając, zapytał:

— Czego pan chce?

W normalnej sytuacji zbeształby go za brak ogłady, ale postanowił być bardziej pobłażliwy i odparł zwyczajnym tonem:

— Chciałbym uzyskać pewne informacje.

— O czym?

— O obiektach magazynowych w Margherze.

— Niech pan w takim razie zadzwoni do strażaków — odparował Vizotti. — To nie moja broszka.

— Chodzi o magazyny na rzeczy, o których firmy chyba nie chcą wiedzieć — ciągnął z niewzruszonym spokojem komisarz.

Vizotti nie miał na to gotowej odpowiedzi i Brunetti zapytał:

— Gdyby ktoś chciał tam przechować beczki, gdzie by je umieścił?

— Beczki z czym?

— Z niebezpiecznymi substancjami.

— Nie z narkotykami? — zapytał szybko związkowiec. Komisarza zaciekawiło to pytanie, ale nie chciał się teraz nad nim zastanawiać.

— Nie, nie z narkotykami. Z płynami, może z proszkami.

— Ile beczek?

— Chyba z kilka ciężarówek.

— Chodzi o tego mężczyznę, którego tu znaleziono?

— Tak — odparł Brunetti, nie widząc powodu, by kłamać.

Zaległa długa cisza, w której komisarz słyszał niemal, jak Vizotti kładzie na jednej szali ewentualne konsekwencje kłamstwa, a na drugiej skutki powiedzenia prawdy. Brunetti znał tego człowieka wystarczająco dobrze, by wiedzieć, że kciuk związkowca przeważy szalę, na której spoczywał jego własny interes.

— Wie pan, gdzie go znaleziono? — zapytał Vizotti.

— Tak.

— Niektórzy ludzie... nie pamiętam, kto taki... rozmawiali i wspominali coś o zbiornikach zasobnikowych w tym rejonie. Tam, gdzie leżały zwłoki.

Brunetti przypomniał sobie to miejsce, stare, przeżarte przez rdzę zbiorniki w tle.

— I co o nich mówili? — zapytał najłagodniej, jak potrafił.

— Że wygląda na to, że w niektórych zainstalowano drzwi.

— Rozumiem. Jeżeli dowie się pan czegoś więcej, byłbym...

— Niczego więcej się nie dowiem — przerwał mu Vizotti, po czym połączenie zostało przerwane.

Brunetti odłożył cicho słuchawkę.

— No, no, no — mruknął. Czuł się uwikłany w niejasną sytuację. Policja nie zajmowała się tą sprawą, lecz Patta kazał mu ją zbadać. *Carabinieri* nadzorowali śledztwo w kwestii nielegalnego przewozu i składowania śmieci, a on nie miał upoważnienia od sędziego pokoju do wszczęcia dochodzenia, a już na pewno nie do zrobienia policyjnego nalotu. Gdyby jednak obaj z Vianellem pojechali tam sami, chyba trudno byłoby to nazwać nalotem na prywatną posiadłość, prawda? Wróciliby tam przecież jedynie po to, żeby jeszcze raz obejrzeć miejsce zbrodni.

Właśnie wstawał, żeby pójść i porozmawiać z inspektorem Vianello, gdy zadźwięczał telefon. Spojrzał na aparat, pozwolił, by zadzwonił jeszcze trzy razy, po czym postanowił odebrać.

— *Commissario?* — zapytał ktoś męskim głosem.

— Tak.

— Mówi Vasco.

Brunetti potrzebował odrobiny czasu, by przebrnąć przez wspomnienia wydarzeń z ostatnich kilku dni, i grając na zwłokę, rzekł:

— Dobrze, że pan dzwoni.

— Pamięta mnie pan, prawda? — zapytał mężczyzna.

— Jasne, że pamiętam — odparł komisarz i skłamawszy, odzyskał pamięć. — Z kasyna. Wrócili?

— Nie — zaprzeczył Vasco. — To znaczy tak. — Czyli jak, miał ochotę zapytać rozdrażniony Brunetti. Czekał jednak i jego rozmówca wyjaśnił: — To znaczy, że byli tu wczorajszej nocy.

— I?

— I Terrasini sporo przegrał, chyba ze czterdzieści tysięcy euro.

— A ten drugi? To ten sam mężczyzna, który był z nim ostatnim razem?

— Nie — odparł Vasco. — To była kobieta.

Komisarz nie raczył nawet poprosić o jej rysopis: nie miał wątpliwości, o kogo chodziło.

— Jak długo tam byli?

— Miałem wolną noc, *commissario*, a człowiek pełniący służbę nie mógł znaleźć numeru pańskiego telefonu. Nie pomyślał, żeby do mnie zadzwonić, więc dowiedziałem się o tym dopiero dziś rano, gdy tutaj dotarłem.

— Rozumiem — rzekł Brunetti, poskromiwszy odruchową chęć zrugania Vaski lub tego drugiego ochroniarza, albo wszystkich po kolei. Panując nad sobą, dodał: — Jestem wdzięczny, że pan dzwoni. Liczę... — Zawiesił głos, ponieważ nie miał pojęcia, na co liczy.

— Oni mogą wrócić dziś w nocy, panie komisarzu — oświadczył Vasco, nie mogąc ukryć zadowolenia w głosie.

— Dlaczego?

— Terrasini. Po przegranej zapowiedział krupierowi, że wkrótce wróci, żeby to wszystko odzyskać. — Gdy Brunetti milczał, Vasco ciągnął: — To dziwne zachowanie, niezależnie od wysokości przegranej. Przecież to nie krupier zabiera ci twoje pieniądze, tylko kasyno i głupia nadzieja, że można z nim wygrać. — Z ust szefa ochrony wylewała się pogarda dla hazardzistów. — Krupier powiedział jednemu z inspektorów, że to zabrzmiało jak groźba. I to właśnie mnie dziwi: żaden prawdziwy hazardzista nie myślałby w ten sposób. Krupier po prostu przestrzega wyuczonych zasad; to wcale nie jest jego prywatna sprawa, Bóg mi świadkiem, że nie ma zamiaru zachować wygranej dla siebie. — Po chwili namysłu dodał: — Chyba że jest bardzo cwany.

— Co pan o tym sądzi? Pan wie, jak odczytywać ich zachowanie, ja nie.

— To chyba oznacza, że nie jest przyzwyczajony do gry na pieniądze, a przynajmniej nie do takiej, w której ciągle przegrywa.

— A są gry innego rodzaju?

— Są. Jeżeli grywa w karty z ludźmi, którzy się go

boją, to pozwolą mu wygrać, gdy to możliwe. Człowiek się do tego przyzwyczaja. Co jakiś czas zjawiają się u nas; zwykle pochodzą z Trzeciego Świata. Nie wiem, jak tam to wygląda, ale wielu z tych ludzi nie lubi przegrywać i wpada w złość, gdy tak się dzieje. Pewnie dlatego, że w ich środowisku to się im nigdy nie przytrafia. Kilku musieliśmy prosić o opuszczenie kasyna.

— Ale poprzednim razem Terrasini wyszedł spokojnie, prawda?

— Tak — powiedział, przeciągając to słowo. — Ale wtedy nie był z kobietą. W obecności kobiety wygrana zwykle staje się dla nich ważniejsza.

— Myśli pan, że on wróci?

Zapadła długa cisza, po czym Vasco odparł:

— Krupier tak uważa, a pracuje tu nie od dzisiaj. To twardy gość, ale trochę się zdenerwował. Ostatecznie ci ludzie muszą wracać do domu o trzeciej nad ranem.

— Przyjdę dziś wieczorem — oświadczył Brunetti.

— Dobrze. Ale nie ma potrzeby, by przychodził pan przed pierwszą w nocy, *commissario*. Sprawdzałem zapiski i okazało się, że zawsze zjawiał się po pierwszej.

Komisarz podziękował mu, nie wspominając słowem o kobiecie, i odłożył słuchawkę.

— Czemu nie możemy po prostu rozejrzeć się tam za dnia? — zapytał Vianello, gdy Brunetti wyjaśnił mu treść obu rozmów telefonicznych i wynikającą stąd konieczność nocnych eskapad. — Przecież jesteśmy z policji; znaleziono tam ofiarę morderstwa i mamy pełne prawo przeszukać ten teren. Pamiętaj, że jeszcze nie znaleźliśmy miejsca, gdzie zginął.

— Lepiej, żeby nikt się nie zorientował, że wiemy, czego szukamy.

— Tak jednak nie jest, prawda? — zapytał Vianello. — To znaczy nie wiemy, czego szukamy.

— Szukamy przywiezionego paroma ciężarówkami ładunku toksycznych odpadów, ukrytego w pobliżu miejsca, gdzie zabito majora Guarino — odparł komisarz. — To właśnie powiedział mi Vizotti.

— Ale, jak ja ci mówiłem, nie wiemy, gdzie zginął, więc nie wiemy, gdzie powinniśmy szukać tych twoich beczek.

— To nie są moje beczki — rzekł szorstko Brunetti — a oni nie mogli go przenieść z daleka, nie tam. Ktoś by ich zobaczył.

— Ale nikt ich nie widział, prawda?

— Nie da się wwieźć nieboszczyka na teren rafinerii, Lorenzo.

— Powiedziałbym, że to o wiele łatwiejsze niż wwiezienie kilku ciężarówek toksycznych odpadów — odparł *ispettore*.

— Czy to znaczy, że nie chcesz jechać? — zapytał Brunetti.

— Nie, oczywiście, że chcę — rzekł Vianello, próbując ukryć złość. — Do kasyna też chcę się wybrać — zastrzegł, po czym, nie mogąc się powstrzymać, dodał: — Jeżeli to poszukiwanie wiatru w polu zakończy się przed pierwszą.

Puszczając tę uwagę mimo uszu, komisarz zapytał:

— Kto będzie kierowcą?

— Mam rozumieć, że nie chcesz prosić o szofera?

— Czułbym się swobodniej, gdyby był nim ktoś, komu możemy zaufać.

— Nie patrz na mnie — rzekł Vianello. — W ciągu ostatnich pięciu lat siedziałem za kierownicą nie dłużej niż pół godziny.

— W takim razie kto?

— Pucetti.

Rozdział 24

Stocznia Fincantieri pracowała na trzy zmiany, budując statki wycieczkowe, więc przez strefę przemysłową i teren rafinerii płynął nieprzerwany strumień przyjeżdżających i wyjeżdżających ludzi. Gdy tego wieczoru o dziewiątej trzydzieści zwykłym samochodem przybyło trzech mężczyzn, strażnik nie raczył nawet wyjść ze swej budki: uniósł przyjaźnie dłoń i kazał im przejechać przez bramę.

— Pamiętasz drogę? — zapytał Vianello komisarza, który siedział na przednim fotelu nieoznakowanego policyjnego radiowozu obok Pucettiego. Inspektor spojrzał przez okno z jednej, a potem z drugiej strony auta.

— Teraz wszystko wygląda inaczej.

Brunetti pamiętał wskazówki, których przedwczoraj udzielił im strażnik, i powtórzył je Pucettiemu. Kilka minut później podjechali do czerwonego budynku; komisarz zaproponował, żeby zostawili tam samochód i poszli dalej pieszo. Vianello, wyraźnie zakłopotany, zapytał, czy przedtem chcą się czegoś napić, wyjaśniając, że jego żona uparła się, żeby zabrał ze sobą w termosie herbatę z cukrem i cytryną. Gdy odmówili, dodał, klepiąc się po kieszeni puchowej kurtki, że przemyślnie dolał do niej whisky.

Księżyc był tej nocy niemal w pełni, nie potrzebowali więc zbytnio latarki inspektora i ten schował ją wkrótce do drugiej kieszeni. Źródło niesamowitej poświaty, która pozwalała im dostrzec drogę, trudno było ustalić: wydawało się, że jest nim tyleż pobliska wieża, na której szczycie spalał się gaz, co ogólny blask przedostający się laguną z Wenecji, miasta, które pokonało ciemności.

Brunetti odwrócił się i spojrzał w stronę czerwonego budynku, który wieczorem nie był już czerwony. Odległość i proporcje straciły znaczenie: mogli mijać miejsce, gdzie znaleziono majora Guarino, i równie dobrze znajdować się sto metrów dalej. Przed sobą widział kontury zwalistych zbiorników wyglądających niczym pionki na tej rozległej płaszczyźnie.

— Skoro są nowe drzwi, jak mamy dostać się do środka?

Tytułem odpowiedzi Vianello poklepał się po kieszeni kurtki i komisarz zrozumiał, że inspektor zabrał ze sobą zestaw wytrychów, których ewentualne znalezienie przy oficerze policji w czynnej służbie wywołałoby skandal. Brunetti wiedział, że jeszcze bardziej szokująca jest wprawa, z jaką *ispettore* się nimi posługuje.

Kropelki wilgoci przywarły do powierzchni ich ubrań, nagle też wszyscy poczuli ten zapach. Nie był to zapach kwasu ani ostra woń żelaza, lecz jakaś kombinacja chemikaliów i gazu, która osiadała cienką warstwą na skórze i powodowała lekkie podrażnienie nosa i oczu. Lepiej było tego nie wdychać i trzymać się od tego z daleka.

Zrównali się z pierwszym zbiornikiem i krążyli wokół niego, dopóki nie doszli do drzwi, które wyglądały tak, jakby ordynarnie wycięto je w metalowym poszyciu palnikiem. Zatrzymali się w odległości paru metrów od nich i Vianello skierował smugę światła swojej latarki na teren tuż przed drzwiami. Błoto w tym miejscu było śliskie i gładkie, zamarznięte i nienaruszone od ostatniego opadu deszczu.

— Nikogo tu nie było — zauważył niepotrzebnie Vianello i zgasił latarkę.

Przy następnym zbiorniku było tak samo: nie zauważyli na błocie żadnych śladów oprócz śladów jakiegoś zwierzęcia: kota, psa, szczura. Znaleźli się w kropce.

Wrócili na nieutwardzoną drogę i ruszyli dalej w stronę trzeciego zbiornika. Wysoki na co najmniej dwadzieścia metrów majaczył groźnie nad nimi, cylinder oświetlony od tyłu widocznymi w oddali latarniami portu San Basilio. Na lewo i na prawo od zbiornika ujrzeli tysiące światełek na trzech statkach wycieczkowych stojących po drugiej stronie laguny.

Nagle usłyszeli za sobą głuchy warkot silnika zbliżającego się pojazdu i ruszyli ku poboczu drogi, szukając kryjówki. Pobiegli w stronę trzeciego zbiornika i gdy ów dźwięk narastał, przywarli do skorodowanego metalu. Jakieś światło padło na ziemię i zbliżało do nich z zatrważającą szybkością, więc jeszcze mocniej przylgnęli do falistej powierzchni zbiornika.

Samolot przeleciał nad nimi, ogłuszając ich rykiem silników. Brunetti i Vianello zakryli uszy, lecz Pucetti nie zadał sobie tego trudu. Gdy samolot poleciał dalej, pozostawiwszy za sobą oszołomionych policjantów, ci odsunęli się od zbiornika i zaczęli go okrążać, zmierzając ku drzwiom.

I znowu, stojąc niedaleko drzwi, Vianello przesunął smugą światła po błocie przed nimi, lecz tym razem ich oczom ukazał się całkiem inny obraz: ślady opon i stóp prowadziły do i od wejścia. Ponadto te drzwi nie były byle jakim prostokątem blachy wyciętej palnikiem, a później pospiesznie załatanym kilkoma deskami połączonymi ze sobą gwoździami, żeby zniechęcić intruzów. Były to porządne, wygięte w łuk drzwi przesuwne, w rodzaju drzwi garażowych, tyle że nie w prywatnym domu, lecz w garażu dworca autobusowego. Albo w magazynie.

Vianello podszedł, by obejrzeć zamek. Oświetlił latarką jeszcze jeden powyżej, a następnie kłódkę przeciągniętą przez dwa metalowe kółka przyspawane do drzwi i ściany zbiornika.

— Nie poradzę sobie z górnym — stwierdził, odwróciwszy się do komisarza.

— Więc co teraz? — zapytał Brunetti.

Pucetti odszedł na lewo, nie oddalając się od metalowego kadłuba zbiornika. Wrócił po chwili, poprosił inspektora o latarkę, po czym znowu wyruszył, trzymając ją w dłoni. Brunetti i Vianello słyszeli jego kroki, gdy okrążał zbiornik, a potem dziwny brzęk, gdy walnął czymś o ścianę zbiornika. Odgłos jego stąpania został nagle zagłuszony przez kolejny nadlatujący samolot, który znowu wypełnił ich świat hałasem i światłem, a potem odleciał.

Minęła minuta, zanim powróciło coś na kształt ciszy, choć w oddali słychać było jeszcze warkot silników, gdzieś tam w nocnym powietrzu brzęczały też przewody sieci energetycznej. Później usłyszeli, jak pod stopami wracającego Pucettiego pęka zamarznięte błoto.

— Przy ścianie stoi drabina — rzekł młody funkcjonariusz, nie mogąc opanować podniecenia: policjanci i złodzieje, nocny wypad z chłopakami. — Chodźcie, to wam pokażę.

Zniknął za zasłoną cylindrycznej metalowej konstrukcji. Poszli za nim i zastali go koło zbiornika z latarką skierowaną ku górze. Gdy podążyli wzrokiem za smugą światła, ujrzeli ciąg okrągłych metalowych szczebli zaczynający się na wysokości dwóch metrów od ziemi i biegnący na sam szczyt zbiornika.

— Co tam się dzieje? — zapytał Vianello.

Pucetti cofnął się, celując światłem w miejsce, gdzie drabina sięgała szczytu zbiornika.

— Nie wiem. Nie widzę. — Obaj stanęli przy nim, ale oni też nic nie zobaczyli oprócz ostatniego szczebla oddalonego od krawędzi cylindra na szerokość dłoni.

— Jest tylko jeden sposób, żeby się dowiedzieć — powiedział Brunetti, nie czując lęku. Podszedł z powrotem do zbiornika i sięgnął ręką ku drabinie.

— Niech pan poczeka, *commissario* — rzekł Pucetti. Podszedł do komisarza, wetknął mu latarkę do kieszeni, po czym przyklęknął na jedno kolano, a następnie na oba i zrobił z siebie podnóżek. — Proszę stanąć na moim ramieniu. Będzie łatwiej.

287

Pięć lat temu męska duma kazałaby mu wzgardzić tą propozycją. Podniósł prawą stopę, ale gdy poczuł, jak ubranie uciska go na piersi, postawił ją z powrotem i rozpiął płaszcz. Potem stanął na ramieniu podwładnego i chwycił za drugi i trzeci szczebel drabiny. Z łatwością podciągnął się do góry i oparł obie stopy na pierwszym szczeblu. Gdy zaczął się wspinać, usłyszał, jak najpierw Pucetti, a później Vianello coś mówią. Dochodzące z dołu stuki zmuszały go do dalszej wspinaczki; usłyszał głuchy łomot poniżej, gdy któryś z jego podwładnych uderzył stopą w ścianę zbiornika.

Kiedyś z przyjemnością oglądał z dziećmi pierwszy film z cyklu o Spidermanie i teraz nie mógł wyzbyć się wrażenia, że on też wspina się po ścianie budynku, trzymając się jej dzięki swym szczególnym zdolnościom. Wszedł po następnych dziesięciu szczeblach, zatrzymał się na moment i już miał spojrzeć na mężczyzn pod sobą, ale się rozmyślił i kontynuował wspinaczkę na szczyt zbiornika.

Drabina kończyła się przy metalowym pomoście wielkości drzwi. Na szczęście był on opasany metalową poręczą. Brunetti wdrapał się na pomost, wstał, po czym odsunął się, żeby zostawić miejsce dla pozostałych. Wyjął latarkę i oświetlił im drogę, gdy najpierw Vianello, a potem Pucetti włazili na pomost. Inspektor wstał i spojrzał zbolałym wzrokiem w snop światła. Komisarz skierował pośpiesznie latarkę na promienne oblicze Pucettiego. Ale cyrk!

Oświetlił ścianę zbiornika i zobaczył, że na końcu pomostu znajdują się drzwi z metalową klamką. Nacisnął klamkę i drzwi z łatwością otworzyły się na identyczny pomost wewnątrz zbiornika. Wszedł do środka i skierował snop światła do tyłu, żeby dwaj policjanci widzieli wejście na tyle dobrze, by stanąć przy nim.

Pstryknął palcami; dźwięk ten wrócił po chwili, po czym powtórzył się kilka razy, zanim ucichł. Postukał grubą plastikową obudową latarki o poręcz biegnącą wokół wewnętrznego pomostu i po chwili ów ostrzejszy dźwięk odbił się echem w zbiorniku.

Poświecił latarką w dół znajdujących się przed nimi stopni, oświetlając schody, które biegły wzdłuż ściany na dno zbiornika. Światło było zbyt słabe, by dotrzeć do końca schodów, tak że widzieli tylko część drogi w dół: ciemność wszystko zmieniała, uniemożliwiając ocenę głębokości zbiornika.

— No i? — zapytał Vianello.

— Schodzimy — zdecydował Brunetti.

Żeby upewnić się co do swych wrażeń zmysłowych, komisarz zgasił latarkę. Pozostali mężczyźni wstrzymali oddech: ogarnęła ich namacalna ciemność. Starożytni znali ciemność, podczas gdy obecnie ludzie mogli jedynie tworzyć ją sztucznie, żeby poczuć przyjemny dreszcz grozy. To była ciemność prawdziwa.

Brunetti włączył z powrotem latarkę i poczuł, jak jego towarzysze nieco się odprężają.

— Dam Pucettiemu latarkę, a ty i ja bierzemy się za ręce i idziemy do przodu — powiedział do inspektora. Wręczając ją Pucettiemu, rzekł: — Ty świeć nam pod nogi i idź za nami.

— Tak jest — odparł Pucetti. Vianello wyciągnął rękę i wziął komisarza pod ramię.

— Chodźmy — powiedział Brunetti. Vianello szedł dalej od ściany, więc trzymał się jedną ręką poręczy i obaj wyglądali niczym para cherlawych emerytów na popołudniowym spacerze, który nagle okazał się nadspodziewanie trudny. Pucetti oświetlał stopień tuż przed nimi, krocząc ich śladem po części instynktownie.

Widzieli na stopniach rdzawy pył, a komisarz czuł, że płatki rdzy odrywają się od ściany, i był przekonany, że czuje też ich woń. Pogrążali się w egipskich ciemnościach i z każdym krokiem coraz mocniej śmierdziało. Albo więc woń ropy, rdzy i metalu nasilała się, w miarę jak zbliżali się do dna zbiornika, albo przemożne poczucie, że toną w ciemności bez kresu, wyostrzało pozostałe zmysły.

Choć Brunetti wiedział, że to niemożliwe, wydawało mu się, iż otaczający ich mrok zgęstniał.

— Zaraz się zatrzymam, Pucetti — uprzedził, żeby młody policjant na nich nie wpadł. Stanął równocześnie z dotrzymującym mu kroku inspektorem. — Rozejrzyj się po dnie zbiornika — polecił Pucettiemu, który oparł się o poręcz i rozświetlił latarką mrok u ich stóp.

Komisarz podniósł wzrok i zobaczył ziemistoszary prostokąt drzwi, przez które weszli do środka; stwierdził ze zdziwieniem, że przeszli na drugą stronę zbiornika. Odwrócił się i spojrzał w ślad za smugą światła latarki: od dna zbiornika dzieliły ich jeszcze cztery, może pięć metrów. Posadzka wydawała się lśnić i iskrzyć, jakby pałała jakimś wewnętrznym blaskiem. Nie była pokryta cieczą, bo podobnie jak w błocie na zewnątrz zbiornika, na jej powierzchni potworzyły się zastygłe wiry i fale; przesuwający się po niej refleks świetlny przeobraził ją w ciemne jak wino morze.

Po ręce inspektora przeszedł dreszcz i nagle Brunetti zdał sobie sprawę, jak jest zimno.

— Co teraz, *commissario*? — zapytał Pucetti, rytmicznie przesuwając smugę światła tam i z powrotem, coraz dalej od nich.

W odległości około dwudziestu metrów ukazała się pionowa powierzchnia i wówczas Pucetti pozwolił, by światło latarki powędrowało z wolna wzwyż, jakby miało wspiąć się na zbocze góry. Okazało się jednak, że przeszkoda ma nie więcej niż pięć, sześć metrów wysokości, oświetloną ścianę tworzyły bowiem nagromadzone w zbiorniku beczki i plastikowe pojemniki — niektóre czarne, inne szare, a jeszcze inne żółte. Nie próbowano ich ułożyć w szczególnie równe sterty i rzędy. Część beczek w górnym rzędzie opierała się o siebie, a niektóre przechyliły się niczym pingwiny kulące się podczas antarktycznej nocy.

Nie czekając na polecenie, Pucetti przesunął snop światła na jeden koniec sterty, po czym przeniósł go powoli na drugi, pozwalając im policzyć beczki w rzędzie od frontu. Gdy światło dotarło do końca, Vianello rzekł cicho:

— Dwadzieścia cztery.

Brunetti czytał kiedyś, że beczki mają pojemność stu pięćdziesięciu litrów, a może trochę większą. Albo mniejszą. Ale na pewno przekraczającą sto litrów. Próbował policzyć to w myślach, lecz niepewność co do rzeczywistej pojemności i tego, ile rzędów stoi za tymi, które widzieli, pozwalała jedynie stwierdzić, że beczki w każdym rzędzie zawierały co najmniej dwanaście tysięcy litrów. Nie żeby ta ilość miała jakiekolwiek znaczenie, skoro nieznana była ich zawartość. Dopiero poznawszy ją, mogliby ocenić zagrożenie. Wszystkie te myśli przychodziły mu do głowy, w miarę jak światło latarki sunęło po ścianie z beczek.

— Obejrzyjmy je — rzekł Brunetti, nie podnosząc głosu, po czym obaj z inspektorem zeszli na ostatni stopień. — Poświeć mi, Pucetti.

Komisarz puścił rękę Vianella i zstąpił na dno zbiornika. Pucetti minął inspektora, zszedł stopień niżej i zrobiwszy jeszcze jeden krok, stanął obok Brunettiego.

— Pójdę z panem, *commissario* — powiedział, oświetlając błoto pod ich stopami. Już miał ruszyć z miejsca, lecz Brunetti powstrzymał go, kładąc mu dłoń na ręce.

— Najpierw chcę zobaczyć, którędy się stąd wydostaniemy. — Zdawał sobie sprawę, jak cicho wszyscy mówią, jakby się bali, że wywoławszy echo, ściągną na siebie niebezpieczeństwo.

Zamiast odpowiedzieć, Pucetti skierował smugę światła w górę biegnących łukiem schodów, aż na sam szczyt.

— Na wypadek, gdyby potrzebny był szybki odwrót — wyjaśnił Brunetti, po czym zabrał Pucettiemu latarkę. — Zaczekaj tu — dodał i ruszył przed siebie, sunąc lewą dłonią po ścianie zbiornika. Szedł powoli, dopóki nie znalazł drzwi i nie dojrzał w nich dwóch dziurek od klucza. Nieco wyżej zobaczył to, co miał nadzieję zobaczyć:

poziomy uchwyt wyciętych w nich drzwiczek wyjścia awaryjnego. Nie widział napisu ostrzegającego o alarmie ani żadnego znaku, który by wskazywał na ich podłączenie do instalacji alarmowej. Nacisnął uchwyt i drzwiczki odchyliły się na zewnątrz na dobrze naoliwionych zawiasach. Wiatr owiał mu twarz, niosąc ze sobą inne zapachy i przypominając, jak cuchnące jest powietrze w zbiorniku. Rozważał przez chwilę możliwość podparcia czymś otwartych drzwiczek, ale zrezygnował z tego pomysłu. Zamknął je i na powrót poczuł zimno i smród.

Oświetlił drogę do swoich podwładnych. Zanim zdążył coś powiedzieć, Pucetti podszedł do niego i wziął go pod ramię wzruszająco opiekuńczym ruchem. Ruszyli niepewnie, stąpając ostrożnie po oblodzonej powierzchni i zatrzymując się co krok, żeby sprawdzić, czy ich stopy mają bezpieczne oparcie na zamarzniętych nierównościach posadzki. Ostrożność spowalniała ich marsz, więc dotarcie do środka pierwszego rzędu beczek zajęło im trochę czasu.

Komisarz oświetlił beczki, szukając czegoś, co ujawniłoby ich zawartość bądź pochodzenie. Na pierwszych trzech nie było takich wskazówek, chociaż biała trupia czaszka i piszczele świadczyły o tym, że tego rodzaju subtelności są zbędne. Następna beczka nosiła ślady zerwanej papierowej etykiety, po której zostały dwie wyblakłe litery alfabetu cyrylickiego. Stojący obok niej pojemnik był nieoznakowany, podobnie jak trzy następne. Przy końcu rzędu stała beczka z żółtym jak siarka śladem wycieku, prowadzącym spod pokrywy do plamy zaschniętego na błocie proszku. Pucetti puścił rękę komisarza i poszedł za ostatnią beczkę. Brunetti skręcił za nią i oświetlił kolejne rzędy.

— Osiemnaście — rzekł po chwili Pucetti. Komisarz, który naliczył ich dziewiętnaście, skinął głową i cofnął się, żeby dokładniej obejrzeć narożną beczkę; tuż poniżej wieka zobaczył pomarańczową etykietę. Nie umiał czytać w języku niemieckim, ale potrafił rozpoznać niemieckie wyrazy. *„Achtung!"* Cóż, to nie pozostawiało większych wątpliwości. *„Vorsicht Lebensgefahr"*. Ta beczka także przeciekała u góry i na błocie u jej spodu widniała ciemozielona plama.

— Myślę, że widzieliśmy wystarczająco dużo — powiedział i odwrócił się w stronę miejsca, w którym powinien był czekać Vianello.

— Racja, *commissario* — odparł Pucetti i ruszył ku niemu.

Komisarz odsunął się od niego, wykrzyknął imię inspektora i gdy ten odpowiedział, skierował snop światła w kierunku, z którego doleciał jego głos. Żaden z nich nie widział, co się stało. Brunetti usłyszał za sobą gwałtowny oddech Pucettiego — wyrażający nie strach, lecz zaskoczenie — a następnie przeciągły dźwięk, który dopiero później skojarzył z odgłosem podeszwy jego buta sunącej w nagłym poślizgu po zamarzniętym błocie.

Poczuł uderzenie w plecy i na chwilę przeraziła go myśl, że to jedna z beczek. Potem głuchy stuk, cisza i niespodziewany okrzyk Pucettiego.

Komisarz odwrócił się powoli, ostrożnie przesuwając stopy, i skierował latarkę w miejsce, skąd docierał jęk młodego policjanta. Pucetti, klęcząc, wycierał lewą dłoń o swoją kurtkę i cały czas jęczał. Później wetknął rękę między kolana i zaczął nią trzeć o nogawki spodni.

— *Oddio, oddio* — jęknął i ku zaskoczeniu komisarza splunął w dłoń, zanim znowu wytarł ją o spodnie. Zerwał się na nogi.

— Vianello, herbata! — zawołał Brunetti. Odwrócił się, nie mając pewności, gdzie znajduje się inspektor ani gdzie są drzwi, i chaotycznie celował latarką w ich poszukiwaniu.

— Tu jestem — powiedział *ispettore* i nagle Brunetti wyłowił go z ciemności, stojącego z termosem w dłoni. Pociągnął Pucettiego do przodu i zacisnął rękę na jego przedramieniu, podtykając inspektorowi dłoń młodego policjanta pokrytą resztkami jakiejś czarnej substancji, którą zdołał wytrzeć w ubranie. Skóra między czarnymi śladami była czerwona, łuszczyła się już miejscami i krwawiła.

— To będzie bolało, Roberto — ostrzegł inspektor i podniósł termos nad rękę młodego policjanta. Początkowo Brunetti nie rozumiał, co Vianello zamierza zrobić, lecz gdy z termosu wylała się dymiąca ciecz, uświadomił sobie, że inspektor liczył na to, że herbata przynajmniej trochę ostygnie, zanim spłynie na poparzoną skórę Pucettiego.

Zacisnął dłoń, choć nie musiał tego robić. Policjant zrozumiał i stał nieruchomo, gdy herbata chlusnęła na jego dłoń. Komisarz cofnął się, by ustabilizować drżący snop światła. Strumień cieczy pozostawił aureolę pary wokół ręki rannego. Wydawało się, że czas stanął w miejscu.

— Proszę — rzekł w końcu Vianello i wręczył termos Brunettiemu.

Ispettore ściągnął parkę i oderwał kawałek polarowej podpinki. Rzucił kurtkę w błoto i troskliwy jak matka poszarpanym kawałkiem tkaniny wytarł Pucettiemu skórę między palcami. Usunąwszy większość czarnej mazi, wziął termos i polał herbatą dłoń policjanta, obracając ją ostrożnie, by sprawdzić, czy ciecz wszędzie dotarła, zanim ściekła na ziemię.

Gdy termos został opróżniony, Vianello upuścił go i powiedział do komisarza:

— Daj mi swoją chusteczkę. — Brunetti podał chusteczkę inspektorowi i ten owinął nią dłoń Pucettiego, zawiązując ją na grzbiecie. Podniósł termos, przyciągnął młodego policjanta do siebie ramieniem, po czym rzekł: — Zawieźmy go do szpitala.

Rozdział 25

Lekarz Pronto Soccorso w szpitalu w Mestre potrzebował niemal dwudziestu minut, żeby oczyścić rany na ręce Pucettiego, mocząc ją w łagodnym płynie, a potem w środku odkażającym, żeby zmniejszyć ryzyko infekcji wskutek obrażeń będących w istocie oparzeniem. Powiedział, że ktoś, kto postanowił obmyć dłoń Pucettiemu, przypuszczalnie ją uratował, a przynajmniej zapobiegł znacznie paskudniejszym oparzeniom. Posmarował rany maścią i owinął rękę policjantowi tak grubo, że opatrunek przypominał rękawicę bokserską. Potem dał mu jakiś środek przeciwbólowy, kazał się zgłosić nazajutrz do szpitala w Wenecji i przychodzić tam codziennie przez tydzień na zmianę opatrunku.

Vianello został z Pucettim, gdy komisarz rozmawiał na korytarzu przez telefon z kapitanem Ribasso, dodzwoniwszy się do niego z pewnym trudem. *Carabiniere* w ogóle nie wydawał się zaskoczony relacją Brunettiego i gdy ten skończył opowiadać o Pucettim, oświadczył:

— Mieliście szczęście, że moi snajperzy postanowili zostawić was w spokoju.

— Słucham?

— Moi ludzie widzieli, jak wjeżdżacie i wspinacie się

po drabinie, ale jeden z nich pomyślał o tym, by sprawdzić numery rejestracyjne. Dobrze, że skorzystaliście ze służbowego samochodu, bo mogłyby być kłopoty.

— Od jak dawna tam jesteście? — zapytał Brunetti, usiłując zachować obojętny ton.

— Odkąd go znaleźliśmy.

— Czekacie? — upewnił się komisarz, pospiesznie analizując możliwości.

— Oczywiście. Dziwne, że zostawili go tak blisko zbiornika — odparł Ribasso, nie wdając się w wyjaśnienia. Ciągnął dalej: — Prędzej czy później ktoś musi przyjechać po to, co się w nim znajduje.

— A jeżeli nie przyjedzie?

— Przyjedzie.

— Sprawia pan wrażenie pewnego, że tak będzie.

— Bo jestem pewny.

— Dlaczego?

— Dlatego, że ktoś musiał wziąć pieniądze, żeby mogli składować to w zbiorniku. Jeżeli tego nie wywiozą, będzie kłopot.

— Więc czekacie?

— Więc czekamy — odparł Ribasso. — Poza tym mieliśmy szczęście. Do śledztwa w sprawie śmierci Guarina przydzielono nową sędzię pokoju i wygląda na to, że potraktuje je poważnie.

Milczący Brunetti nie studził jego optymizmu.

Potem *carabiniere* zapytał:

— Co się stało pańskiemu człowiekowi? Podobno musiał pan pomóc mu wsiąść do samochodu.

— Upadł i wetknął dłoń w błoto.

Słysząc nagłe westchnienie kapitana, komisarz rzekł:

— Wyliże się. Trafił do lekarza.

— Czy tam właśnie pan jest, w szpitalu?

— Tak.

— Niech pan mnie zawiadomi, co się z nim dzieje, dobrze?

— Oczywiście — odparł Brunetti, po czym zapytał: — Jak bardzo szkodliwe są te odpady?

— W tym błocie są pierwiastki chemiczne z całej tablicy Mendelejewa — wyjaśnił Ribasso i po długiej pauzie dodał: — Oraz krew.

Brunetti pozwolił, by milczenie się przeciągnęło, i zapytał:

— Krew Guarina?

— Tak. A błoto pasuje do zabrudzeń na jego ubraniu i butach.

— Czemu mi pan tego nie powiedział?

Ribasso milczał.

— Znaleźliście kulę? — zapytał komisarz.

— Owszem. W błocie.

— Rozumiem. — Brunetti usłyszał otwierające się za nim drzwi i zobaczył wysuwającą się zza nich głowę inspektora. — Muszę kończyć.

— Niech pan się zaopiekuje swoim podwładnym — rzekł Ribasso.

— O co chodzi, Lorenzo? — zapytał komisarz, zamknąwszy telefon.

Inspektor wyciągnął własny *telefonino*.

— Telefonuje Griffoni. Nie mogła się do pana dodzwonić, więc zatelefonowała do mnie.

— Czego chce?

— Nie chciała powiedzieć — odparł *ispettore* i wręczył komisarzowi telefon.

— Człowiek nazwiskiem Vasco próbuje pana znaleźć, ale najpierw miał pan wyłączony telefon, a potem był zajęty. Więc zadzwonił do mnie.

— Co powiedział?

— Że człowiek, którego pan szuka, tam jest.

— Niech pani chwilę poczeka — poprosił komisarz. Wrócił do drugiego pokoju, gdzie Vianello stał oparty o ścianę. Lekarz w żaden sposób nie próbował ukryć niezadowolenia z jego powrotu. — Dzwonił Vasco. Jest ten gość.

— W kasynie?

— Tak.

Zamiast odpowiedzieć, inspektor popatrzył na Pucettiego, który siedział z obnażoną piersią i zmętniałym wzrokiem na brzegu stołu do badań, podtrzymując ręką zabandażowaną dłoń. Młody policjant odwrócił się do komisarza i zapewnił z uśmiechem:

— Już nie boli, *commissario*.

— To dobrze — odparł Brunetti i uśmiechnął się do niego pokrzepiająco, po czym zwrócił się do inspektora: — No i? — Uniósł telefon, żeby pokazać, że Griffoni jest nadal na linii.

Obserwował, jak Vianello się zastanawia.

— Sprawdź, czy ona może z tobą pojechać — odparł

inspektor, podjąwszy decyzję. — Będziecie się mniej rzucać w oczy. Ja zostanę z nim.

Brunetti przyłożył telefon z powrotem do ucha i rzekł:

— Jestem w szpitalu w Mestre, ale już stąd wychodzę. Będę w kasynie za... — zaczął, przerwał, żeby oszacować czas podróży, i powiedział: — Za pół godziny. Może pani przyjechać?

— Tak.

— Nie w mundurze — zastrzegł.

— Oczywiście.

— I niech motorówka zabierze mnie z Piazzale Roma. Będę tam za dwadzieścia minut.

— Dobrze — odparła i się rozłączyła.

Brunetti nie miał pojęcia, jak *commissario* Claudia Griffoni to zrobiła, ale gdy dwadzieścia minut później jego samochód zatrzymał się przy policyjnym pomoście, ona stała na pokładzie czekającej na niego taksówki wodnej. Gdyby nawet nosiła mundur, ciemne futro z norek czyniłoby ten fakt nieistotnym, a może nawet niedostrzegalnym. Jego poły sięgały do spiczastych butów z krokodylej skóry na obcasach tak wysokich, że zniwelowały różnicę wzrostu między nimi.

Łódź odbiła od brzegu, gdy tylko komisarz znalazł się na pokładzie, i pomknęła Canal Grande w kierunku kasyna. Brunetti wyłuszczył Griffoni tyle, ile mógł, kończąc informacją o snajperach, którą otrzymał od kapitana Ribasso.

Gdy umilkł, zapytała tylko:

— A Pucetti?

301

— Ma poparzoną dłoń; lekarz powiedział, że mogło być gorzej i że teraz jedynym prawdziwym zagrożeniem jest infekcja.

— Co to było?

— Bóg jeden wie. To, co wyciekło z tych beczek.

— Biedny chłopak — powiedziała z prawdziwym współczuciem, chociaż mogła być starsza od Pucettiego co najwyżej o dziesięć lat.

Zobaczyli, że Ca' Vendramin Calergi pojawia się po lewej burcie, i wyszli na pokład. Sternik skręcił w stronę pirsu, wrzucił wsteczny bieg i zatrzymał łódź tuż przy pomoście. Griffoni otworzyła obszytą cekinami torebkę, ale sternik rzekł tylko: — Claudia, *per piacere* — i podał jej rękę, by pomóc w wejściu na nabrzeże.

Zadowolony, że pomyślał o wyczyszczeniu butów i wytarciu płaszcza szpitalnym ręcznikiem, Brunetti stanął tuż za nią na czerwonym dywanie, wziął ją pod rękę i ruszył w stronę otwartych drzwi pałacu. Gdy wkroczyli do środka, spłynęło na nich światło i ogarnęła fala ciepła — jakże inaczej niż tam, gdzie wcześniej znalazł się z Vianellem i Pucettim. Zerknął na zegarek: było dobrze po pierwszej. Czy Paola spała, czy czuwała, być może w towarzystwie Henry'ego Jamesa, czekając, aż jej prawowity mąż wróci do domu? Uśmiechnął się na tę myśl i Griffoni zapytała:

— O co chodzi?

— O nic. Pomyślałem o czymś.

Zanim przebyli dziedziniec i weszli przez główne drzwi kasyna, posłała mu szybkie spojrzenie. W recepcji Brunetti zapytał o Vasca, który zjawił się bardzo szybko i nie zdołał ukryć podniecenia, a potem, gdy zobaczył u boku komisarza inną kobietę, zaskoczenia.

— Commissario Griffoni — przedstawił mu ją Brunetti, ciesząc się na widok źle zamaskowanej reakcji szefa ochrony. Vasco zatarł to wrażenie, proponując, by poszli z nim i zostawili okrycia w jego biurze. W środku wręczył krawat komisarzowi i czekając, aż ten go założy, rzekł:

— Jest na górze przy stole do gry w blackjacka. Przyszedł około godziny temu. — Po czym, ze zdziwieniem jeszcze większym niż to, którym powitał Griffoni, dodał: — Wygrywa. — Zabrzmiało to tak, jakby tego rodzaju rzecz nie powinna się w ogóle wydarzyć.

Dwoje komisarzy ruszyło równym krokiem za szefem ochrony, który postanowił wejść na piętro po schodach. Wszystko wyglądało tak, jak zapamiętał Brunetti: ci sami ludzie, to samo wrażenie fizycznej i moralnej ruiny, to samo miękkie światło na ramionach i biżuterii grających.

Vasco przeprowadził ich przez sale do gry w ruletkę w kierunku pomieszczenia, w którym poprzednim razem komisarz przyglądał się karciarzom. Zatrzymał się tuż przed drzwiami i kazał im zaczekać, aż wejdzie w głąb sali. Miał do czynienia z Terrasinim już wcześniej i nie chciał, by mafioso widział, jak wchodzi razem z nimi.

Kroczył powoli w stronę jednego ze stołów z dłońmi splecionymi z tyłu niczym nadzorca sprzedawców sklepowych lub przedsiębiorca pogrzebowy. Brunetti zauważył, że palec wskazujący jego prawej dłoni skierowany jest ku stolikowi z lewej, choć wydawało się, że Vasco całą swą uwagę skupił na innym stole.

Komisarz spojrzał w kierunku wskazanego stołu i w tym momencie jakiś stojący przy nim mężczyzna odsunął się, ukazując młodzieńca, który siedział po drugiej stronie. Rozpoznał brwi, dziwnie opadające, jakby namalowano je na czole gangstera z geometryczną precyzją. Ciemne, nienaturalnie błyszczące oczy, które wydawały się składać z samych tęczówek, szerokie usta i ciemne, nażelowane włosy muskające lewą brew, nie dotykając jej w istocie. Jego brodę pokrywał jednodniowy zarost, a gdy podniósł karty, żeby je obejrzeć, Brunetti zobaczył duże dłonie o grubych palcach, dłonie robotnika.

Obserwował, jak Terrasini przesuwa naprzód mały stos sztonów. Siedzący obok niego mężczyzna cisnął karty na stół. Krupier wziął kolejną kartę. Terrasini pokręcił głową. Jego sąsiad dobrał kartę, po czym rzucił pozostałe. Krupier wziął jeszcze jedną kartę, po czym on też cisnął karty na stół i zgarnął sztony w stronę Terrasiniego.

Kąciki ust młodego mężczyzny uniosły się, lecz był to raczej drwiący grymas niż uśmiech. Rozdający dał każdemu graczowi dwie karty — jedną odkrytą — i gra trwała dalej. Brunetti zerknął w górę i zauważył, że Griffoni przeszła na drugą stronę sali; wydawało się, że dzieli uwagę między stół, przy którym grał młody mężczyzna, a ten, gdzie Vasco z pochyloną głową słuchał stojącej obok kobiety w żółtej sukni.

Komisarz spojrzał z powrotem, w chwili gdy stojący przed nim mężczyzna zrobił kolejny krok w bok, jeszcze szerzej odsłaniając widok na stół. Zobaczył Francę Marinello, która stała za Terrasinim wpatrzona w jego karty.

Mafioso odwrócił się do niej i wtedy poruszyły się jej usta. Terrasini odchylił się do tyłu na krześle, czekając na decyzje pozostałych graczy. Wysunął przy tym rękę i objął kobietę w talii, przyciągając do siebie. Z roztargnieniem, jakby jej biodro było szczęśliwą monetą bądź kolanem posągu jakiegoś świętego, którego dotknięcie przynosiło szczęście, potarł o nie dłonią. Brunetti widział, jak tkanina jej sukni marszczy się pod naciskiem jego palców.

Obserwował jej twarz. Żona Catalda zerknęła na dłoń Terrasiniego, po czym przeniosła spojrzenie na stół. Coś powiedziała, być może zwracając mu uwagę na krupiera. Terrasini cofnął rękę i pozwolił opaść krzesłu. Wyraz twarzy Franki nie zmienił się, on zaś zażądał karty, którą krupier położył przed nim. Spojrzał na kartę, pokręcił głową i krupier zwrócił się do kolejnego gracza.

Terrasini powiódł wzrokiem po stole, po czym skierował go w stronę komisarza, ale ten tymczasem wyciągał z kieszeni na piersi chusteczkę, żeby wytrzeć nos, i spoglądał gdzie indziej. Gdy zerknął z powrotem na stół, krupier podsuwał kolejne sztony Terrasiniemu.

Kiedy krupier wstał od stołu, mówiąc coś do graczy, zrobiło się drobne zamieszanie. Ukłonił się lekko, stanął za krzesłem, a jego miejsce zajął kolejny mężczyzna w nienagannym wieczorowym stroju.

Terrasini wykorzystał ten moment, by wstać i odwrócić się od stołu. Podniósł ręce i splótł dłonie nad głową niczym zmęczony sportowiec. Przy okazji podciągnął tył marynarki i Brunetti spostrzegł tuż ponad jego lewą tylną kieszenią coś, co wyglądało na brązową skórzaną kaburę.

Nowy krupier rozpakował świeżą talię kart i zaczął ją tasować. Usłyszawszy odgłos tasowania, Terrasini opuścił ręce i przysunął się bliżej Franki Marinello. Zanim znowu usiadł na swoim miejscu, niedbałym ruchem przesunął obiema dłońmi po jej piersiach. Brunetti spostrzegł, że okolice jej ust zrobiły się białe jak kreda, nie próbowała jednak odsunąć się od stołu i nie spojrzała na Terrasiniego.

Zmrużyła oczy i jej powieki pozostały przymknięte chyba o sekundę za długo. Gdy je otworzyła, patrzyła w kierunku komisarza. I rozpoznała go.

Wydawało mu się, że skinie głową, może się uśmiechnie, ale nie dała po sobie poznać, że się znają. Potem przyszło mu do głowy, że Marinello powie coś swojemu towarzyszowi, ale ona nie ruszyła się z miejsca. Po pewnym czasie spojrzała na karty leżące przed Terrasinim. Gra została wznowiona, ale tym razem sztony trafiły do krupiera, podobnie jak po dwóch kolejnych rozdaniach. Później najpierw wygrał mężczyzna po prawej ręce Terrasiniego, a następnie ten siedzący na lewo od mafiosa. Terrasini odepchnął się od stołu i niemal skoczył na równe nogi; krzesło upadło na podłogę. Uderzył obiema dłońmi o pokryty suknem stół i pochyliwszy się do przodu, krzyknął do krupiera:

— Tego nie wolno ci robić! Nie wolno!

Nagle Vasco — Brunetti nie miał pojęcia, skąd się wziął — i drugi ochroniarz znaleźli się po obu stronach awanturnika i odciągnęli go od stołu, mówiąc coś ściszonymi głosami. Komisarz zauważył, że rękaw marynarki Terrasiniego zmarszczył się jeszcze bardziej niż wcześniej materiał sukni Marinello.

Trzej mężczyźni ruszyli ku drzwiom; Vasco, pochylony, cały czas mówił coś do gangstera z życzliwym i zrelaksowanym wyrazem twarzy, jakby razem ze swoim asystentem prowadził klienta do taksówki wodnej. Kobieta w żółtej sukni podeszła szybko do stołu, podniosła krzesło i odstawiła je na miejsce. Usiadła, położyła przed sobą torebkę i wyjęła z niej garść sztonów.

Brunetti zobaczył, że Griffoni zmierza do drzwi, napotkał jej spojrzenie i dołączył do niej w pośpiechu. Franca Marinello szła szybko kilka kroków przed nimi w kierunku trzech mężczyzn, którzy dotarli na próg sali. Nie zatrzymując się, Vasco zerknął pośpiesznie do tyłu. Kiedy zobaczył zbliżających się policjantów, przestał się uśmiechać i sprowadził młodego hazardzistę w dół pierwszego segmentu schodów. Schodzącej za nimi Marinello towarzyszył cichy szmer głosów z sali gier.

Mężczyźni zatrzymali się na pierwszym podeście i Vasco powiedział coś do Terrasiniego, a ten mu przytaknął. Szef ochrony i drugi mężczyzna wymienili spojrzenia nad jego opuszczoną głową i jakby ćwiczyli to wiele razy, puścili równocześnie jego ręce i odsunęli się od mafiosa.

Marinello przecisnęła się obok asystenta Vasca, stanęła obok Terrasiniego i położyła mu dłoń na ręce. Brunetti miał wrażenie, że gangster rozpoznał ją dopiero po chwili i wówczas się odprężył. Widząc, że sytuacja jest rozładowana, ochroniarze ruszyli z powrotem po schodach; zatrzymali się dwa kroki przed Brunettim i Griffoni.

Franca Marinello nachyliła się ku Terrasiniemu i coś mu powiedziała. Zaskoczony spojrzał na stojącą wyżej czwórkę.

Komisarzowi wydawało się, że żona Catalda znowu coś powiedziała. Prawa ręka Terrasiniego poruszała się tak wolno, że uwierzył własnym oczom dopiero wtedy, gdy spostrzegł, że gangster sięga pod połę marynarki i wyciąga pistolet. Terrasini krzyknął, Vasco i jego asystent obejrzeli się i padli na schody. Griffoni przesunęła się ku poręczy, jak najdalej od Brunettiego, trzymając już broń w dłoni. Komisarz wyciągnął pistolet i wycelował go w poruszającego się w zwolnionym tempie mafiosa, mówiąc głosem, w którym starał się zachować spokój i zdecydowanie:

— Antonio, nas jest więcej. — Nie dopuszczał do siebie myśli, co się stanie, jeżeli wszyscy otworzą ogień w tej zamkniętej przestrzeni, jak kule będą odbijać się od twardych powierzchni, aż całkowicie wytracą energię.

Jakby wychodząc ze stanu oszołomienia, Terrasini przeniósł wzrok z Griffoni na Brunettiego, a następnie spojrzał na Marinello oraz dwóch skulonych na schodach mężczyzn i z powrotem na komisarza.

— Połóż broń na posadzce, Antonio. Jest tutaj zbyt dużo osób. To niebezpieczne. — Brunetti spostrzegł, że Terrasini go słucha, ale zastanawiał się, co sprawia, że oczy mafiosa są takie mętne: narkotyki, alkohol, furia czy wszystkie trzy czynniki. Przypuszczalnie ton jego głosu był ważniejszy niż to, co mówił — ton głosu i ogniskowanie uwagi młodego mężczyzny.

Signora Marinello zrobiła mały krok w stronę Terrasiniego i powiedziała coś, czego komisarz nie słyszał. Bardzo powoli uniosła dłoń, położyła ją na policzku gangstera i zwróciła ku sobie jego twarz. Znowu do niego przemówiła i odsunęła dłoń. Rozchyliła wargi i zachęciła go nieznacznym skinieniem głowy.

Terrasini zmrużył oczy, nagle zmieszany. Spojrzał na swą dłoń; wydawał się niemal zaskoczony widokiem pistoletu i opuścił rękę. W normalnych okolicznościach komisarz podszedłby do niego, ale jej obecność w pobliżu młodego hazardzisty skłoniła go do zachowania bezpiecznego dystansu i nieopuszczania broni.

Marinello znowu się odezwała i mafioso wręczył jej pistolet, kręcąc głową z wyraźną konsternacją. Chwyciła broń lewą ręką i przełożyła ją do prawej.

Brunetti opuścił dłoń i zaczął wsuwać pistolet do kabury. Gdy znowu spojrzał na parę na podeście, zobaczył, jak Terrasini patrzy na Francę ze zdumieniem, po czym unosi i zaciska prawą pięść. Błyskawicznie wysunąwszy lewą dłoń, chwycił żonę Cataldo u nasady szyi i wtedy komisarz zdał sobie sprawę, co tamten ma zamiar zrobić.

Strzeliła do niego. Trafiła w brzuch raz, potem drugi, a gdy już leżał u jej stóp, postąpiła krok naprzód i strzeliła mu w twarz. Jej suknia była długa, jasnopopielata; pierwsze dwa strzały poplamiły jedwabną tkaninę na wysokości talii, a po trzecim czerwone kropelki opryskały ją tuż nad rąbkiem.

Hałas na klatce schodowej był ogłuszający. Brunetti spojrzał na Griffoni poruszającą ustami, ale słyszał tylko głośne brzęczenie, które nie ustało nawet wtedy, gdy pani komisarz zamknęła usta.

Vasco i jego asystent zerwali się na nogi, spojrzeli na podest, na którym z pistoletem w ręce stała Franca Marinello. Odwrócili się, popędzili schodami do góry i wpadli przez drzwi do sali gier, z której nie dolatywał żaden dźwięk. Brunetti zobaczył, jak dwuskrzydłowe drzwi zamykają się, drżąc pod wpływem siły uderzenia, ale wciąż słyszał jedynie brzęczenie.

Spojrzał z powrotem na podest. Franca Marinello cisnęła broń niedbale na pierś Terrasiniego, popatrzyła na niego i wypowiedziała słowa, których komisarz nie dosłyszał, uwięziony w szklanym kloszu pełnym niesłabnącego hałasu.

Usłyszał obok coś, jakiś głuchy i ponury dźwięk, który zdołał się przebić przez to brzęczenie, i odwróciwszy się, zobaczył podchodzącą Griffoni — był to pewnie odgłos jej kroków na schodach.

— Nic się pani nie stało? — zapytał Brunetti. Griffoni zrozumiała pytanie i skinęła głową.

Komisarz zobaczył, że Franca Marinello przykucnęła pod ścianą, jak najdalej od ciała Terrasiniego, z twarzą ukrytą w dłoniach. Nikt nie stwierdził, że młody mafioso nie żyje, lecz Brunetti wiedział, że tam leżą zwłoki, z głowy zabitego ściekała na marmur krew.

Zaskoczyła go nagła sztywność nóg w kolanach i to, jak niechętnie niosą go po schodach. Czuł swoje kroki, lecz nadal ich nie słyszał. Omijając ciało Terrasiniego, przyklęknął na jedno kolano obok kobiety. Poczekał, żeby się upewnić, czy jest świadoma jego obecności, a potem, ciesząc się, że choć słabo, to słyszy swój głos, zapytał:

— Nic się pani nie stało, *signora*?

Marinello uniosła głowę, ukazując mu swą twarz, której nigdy nie widział z tak bliska. Skośne oczy wyglądały z tej

310

odległości jeszcze dziwniej, zauważył też cienką bliznę za-
czynającą się tuż poniżej lewego ucha i znikającą za mał-
żowiną.

— Zdążył pan przeczytać *Fasti*? — zapytała i Brunetti
zaczął się zastanawiać, czy to objaw szoku.

— Nie — odparł. — Nie miałem czasu.

— Szkoda. Tam to wszystko jest opisane. Wszystko. — Wsparła głowę na kolanach.

Komisarz zdał sobie sprawę, że nie ma nic do powiedzenia. Wstał i odwrócił się w stronę schodów, znowu do-
świadczywszy ulgi, że słyszy dobiegające z ich szczytu od-
głosy. Ujrzał tam szefa ochrony kasyna, który z tej
perspektywy wyglądał jak olbrzym, bohater filmu akcji,
Conan Barbarzyńca z kreskówki, jak...

— Zadzwoniłem do pańskich ludzi — poinformował
Vasco. — Wkrótce powinni tu być.

Brunetti spojrzał na czubek głowy milczącej kobiety
i na zamilkłe na wieki ciało na drugim końcu podestu. Terrasini leżał na wznak. Patrząc nań, komisarz pomyślał
o tych drugich zwłokach, majora Guarino, i o straszliwym
podobieństwie między tymi dwoma mężczyznami, tak
szybko i w tak straszny sposób pozbawionymi życia.

Rozdział 26

Po kilku minutach Vasco zdołał uspokoić wstrząśniętych ludzi w salach gier na piętrze informacją, że miał miejsce wypadek. Chcąc w to wierzyć, wrócili do swoich przegrywanych gier i życie potoczyło się dalej.

Claudia Griffoni pojechała do komendy z signorą Marinello, także okrytą długim futrem — tym samym, które miała na sobie, w chwili gdy Brunetti po raz pierwszy ją zobaczył. Komisarz czekał, aż technicy ustawią na schodach swoje aparaty. Ponieważ świadkami zabójstwa było dwoje policjantów, technicy jedynie sfotografowali miejsce zbrodni i włożyli pistolet do foliowego worka na dowody, po czym czekali na przybycie *medico legale*.

Tuż przed trzecią Brunetti zatelefonował do zaspanej Paoli i powiedział, że nieprędko wróci do domu. Gdy stwierdzono zgon Terrasiniego, zapytał techników, czy zabiorą go ze sobą, ale później postanowił pozostać na pokładzie z pilotem. Żaden z nich się nie odzywał; silnik łodzi wydawał się dziwnie cichy, dopóki Brunetti nie przypomniał sobie trzech strzałów i osobliwego zakłócenia w odbiorze dźwięków, które po nich nastąpiło. Spoglądał na fasady mijanych budynków, nie widząc ich tak naprawdę, znowu bowiem stał na schodach kasyna i przyglądał się niepojętemu spektaklowi.

Franca Marinello powiedziała coś do Terrasiniego, a on wyciągnął broń, po czym znowu się odezwała i wtedy dał jej pistolet. A później, gdy komisarz patrzył w inną stronę, stało się coś — czyżby coś powiedziała? — co doprowadziło go do szału. I wówczas użyła broni. Brunetti wiedział, że wszystko da się racjonalnie wyjaśnić. Że skutek jest następstwem przyczyny. Sekcja zwłok wyjaśni, jakie substancje znajdują się w mózgu młodego mężczyzny, ale Terrasini — przynajmniej w momencie, gdy komisarz go obserwował — reagował na słowa, nie na substancje chemiczne.

Łódź skręciła w Rio di San Lorenzo i zatrzymała się przy pirsie komendy policji. Brunetti zajrzał do kabiny motorówki i zobaczył, że dwaj ratownicy wstają. Ciekawe, czy wracając z tych eskapad, rozmawiali ze sobą.

Podziękował pilotowi i zeskoczył z poruszającej się jeszcze łodzi. Zapukał do drzwi komendy i strażnik wpuścił go do środka, mówiąc:

— Commissario Griffoni jest w swoim gabinecie, panie komisarzu.

Brunetti wszedł po schodach, po czym skierował się ku światłu, które niczym znak nawigacyjny wskazywało na końcu ciemnego korytarza otwarte drzwi jej pokoju. Zatrzymał się na progu, ale nie zapukał.

— Niech pan wejdzie, Guido — powiedziała Griffoni.

Zegar na ścianie z lewej strony biurka wskazywał trzecią trzydzieści.

— Gdyby przyniósł mi pan kawę, zastrzeliłabym Pattę

313

i zapewniła panu awans na jego stanowisko — powiedziała, unosząc wzrok, i się uśmiechnęła.

— Gdy obejmowaliśmy swoje, nie powiedzieli nam o tej części naszych obowiązków, prawda? — odparł, siadając naprzeciw niej. — Co powiedziała?

Griffoni przeczesała włosy obiema dłońmi w geście, który dostrzegł u niej pod koniec zebrań u Patty, wskazującym na to, że traci cierpliwość.

— Nic.

— Nic? — zdziwił się komisarz. — Ile czasu pani z nią spędziła?

— Przywiozłam ją tutaj łodzią, ale ona tylko podziękowała pilotowi, następnie człowiekowi, który otworzył nam drzwi, a potem mnie. — Griffoni uniosła ręce ku swej głowie, ale powstrzymała się i dodała: — Powiedziałam jej, że jeśli chce, może zatelefonować do swojego prawnika, ale odparła tylko: „Nie, dziękuję. Wolałabym poczekać z tym do rana", niczym nastolatka przyłapana na jeździe po pijanemu, która nie chce budzić rodziców. — Pokręciła głową na myśl o zachowaniu Franki Marinello. — Tłumaczyłam, że jeżeli przyjedzie jej adwokat, a ona złoży zeznania w mojej obecności, będzie mogła opuścić komendę, ale powiedziała, że chce porozmawiać z panem. Była bardzo uprzejma... polubiłam ją nawet... ale odmówiła wszelkich zeznań i w żaden sposób nie mogłam jej skłonić do zmiany decyzji. Prosiłam ją, ale ona grzecznie odmawiała. To naprawdę dziwne. No i ta twarz.

— Gdzie ona jest? — zapytał Brunetti, nie chcąc się wdawać w dyskusję na ten temat.

314

— Na dole, w jednym z pokoi rozmów.

Normalnie te pokoje określono by mianem „pokoi przesłuchań". Komisarz zastanawiał się, co sprawiło, że użyła mniej groźnego określenia, ale o tym też nie miał ochoty rozmawiać.

— Zejdę na parter — rzekł, wstając. Wyciągnął rękę i zapytał: — Mógłbym dostać klucze?

Claudia Griffoni rozłożyła bezradnie ręce.

— Drzwi nie są zamknięte na klucz. Gdy tylko tam weszła, usiadła, wyjęła z torebki książkę i zaczęła czytać. Nie mogłam tego zrobić, nie mogłam zamknąć drzwi na klucz. — Brunetti uśmiechnął się do niej, spodobał mu się ten przejaw słabości. — Poza tym Giuffrè jest na dole i gdyby próbowała wyjść, musiałaby przejść obok niego.

— W porządku, Claudio. Chyba powinna pani iść do domu i trochę się przespać. Dzięki. I dziękuję, że pani pojechała tam ze mną.

Griffoni uniosła wzrok i zapytała, nie umiejąc ukryć zdenerwowania:

— Nadal panu dzwoni w uszach?

— Nie. A pani?

— Niezupełnie. Ale ciche brzęczenie zostało. Jest znacznie cichsze, niż było, ale wciąż je słyszę.

— Niech się pani trochę wyśpi, a rano pojedzie do szpitala i powie im, co się stało. Może będą mogli coś na to poradzić.

— Dzięki, Guido, pojadę — odparła i sięgnęła ręką do wyłącznika lampy na biurku. Wstała. Brunetti pomógł jej włożyć płaszcz i zaczekał na nią przy drzwiach gabinetu.

W milczeniu zeszli razem po schodach. Kiedy Griffoni pożegnała się z nim na parterze, komisarz ruszył ku pojedynczemu światłu docierającemu od drzwi jednego z pokoi w głębi korytarza.

Zatrzymał się i zajrzał do środka. Franca Marinello zerknęła znad książki.

— Dzień dobry — powiedział. — Przepraszam, że musiała pani na mnie czekać.

— Och, nic się nie stało. Teraz już mało sypiam, no i miałam przy sobie książkę, więc to bez znaczenia.

— Ale w domu na pewno byłoby pani wygodniej.

— Tak, oczywiście. Pomyślałam jednak, że panu chyba będzie zależało na tym, byśmy porozmawiali dziś w nocy.

— Owszem, zależy mi na tym — potwierdził, wchodząc do pokoju.

Marinello wskazała mu ruchem głowy krzesło naprzeciw, jakby byli u niej w salonie, i Brunetti usiadł na nim. Zamknęła książkę i położyła ją na stole, lecz grzbiet okładki był niewidoczny, więc komisarz nie miał pojęcia, co to za lektura.

Żona Catalda widziała jego spojrzenie.

— To *Kronika* Psellosa — wyjaśniła, kładąc dłoń na książce. Brunetti rozpoznał autora i tytuł, ale do tego tylko ograniczała się jego wiedza. — Traktuje o upadku — dodała.

Było późno, prawie czwarta, i komisarz miał wielką ochotę pójść spać. Ani pora, ani okazja nie sprzyjały rozmowie o książkach.

— Chciałbym, jeśli można, porozmawiać z panią o wydarzeniach tego wieczoru — odparł z powagą.

Marinello obróciła się w bok, jakby próbowała rozejrzeć się wokół niego.

— Czy nie powinien tu siedzieć ktoś z magnetofonem lub przynajmniej stenograf? — zapytała lekkim tonem, w nadziei, że zabrzmi to niczym żart.

— Sądzę, że powinien, lecz to może poczekać. Chciałbym, żeby najpierw porozmawiała pani ze swoim adwokatem.

— Czyż nie o tym jednak marzy każdy policjant?

— Nie wiem, o czym pani mówi — odparł, tracąc cierpliwość, zbyt zmęczony, by to ukryć.

— O podejrzanym, który pragnie z nim porozmawiać bez nagrywania i bez adwokata?

— Nie jestem pewien, o co jest pani podejrzana — stwierdził, starając się to powiedzieć lekkim tonem, choćby dla zmiany nastroju, i uświadomił sobie, że nie zdołał. — I nic, co teraz pani mówi, nie ma większej wartości po prostu dlatego, że nie jest nagrywane i filmowane, tak więc zawsze będzie pani mogła się tego wyprzeć.

— Niestety bardzo pragnę to powiedzieć — wyznała. Brunetti zauważył, że zrobiła się poważna, wręcz ponura, ale na jej twarzy nie było tego widać. Tylko głos o tym świadczył.

— W takim razie byłbym wdzięczny, gdyby mi pani powiedziała.

— Dziś wieczorem zabiłam człowieka, *commissario*.

— Wiem. Byłem tego świadkiem, *signora*.

— Jak pan tłumaczy to, co się stało? — zapytała tak, jakby prosiła go o opinię o wspólnie obejrzanym filmie.

— Obawiam się, że to bez znaczenia. Liczy się to, co się stało.

— Ale pan to widział. Zastrzeliłam go.

Poczuł ogarniającą go falę zmęczenia. Wspiął się po drabinie i dostał do zbiornika, widział dłoń Pucettiego z łuszczącą się skórą i krew na bandażach. Przyglądał się też, jak ona strzela i zabija człowieka, i był zbyt zmęczony, by znieść tę gadaninę.

— Widziałem też, jak pani do niego mówiła, a on za każdym razem reagował inaczej.

— Co pan w takim razie wówczas widział?

— Widziałem, jak spogląda na nas, jakby go pani ostrzegła o naszej obecności, a potem powiedziała pani coś i on dał pani broń. I wtedy, gdy już trzymała pani pistolet, zobaczyłem, jak robi zamach ręką, jakby zamierzał panią uderzyć.

— Bo też miał zamiar to zrobić. Proszę nie mieć co do tego wątpliwości.

— Może mi pani wyjaśnić dlaczego?

— A jak pan myśli?

— *Signora*, to, co myślę lub czego nie myślę, nie ma niestety znaczenia. Liczy się fakt, że oboje z commissario Griffoni widzieliśmy, iż miał zamiar panią uderzyć.

Marinello zaskoczyła go, mówiąc:

— Szkoda, że jeszcze pan go nie przeczytał.

— Słucham?

— *Fasti*: „Ucieczka Króla". Wiem, że to drugorzędne

dzieło, ale paru innych pisarzy uznało je za interesujące. Chciałabym, żeby cieszyło się zainteresowaniem, na które zasługuje.

— *Signora* — warknął Brunetti, odsuwając ze złością krzesło i wstając. — Zbliża się czwarta rano i jestem zmęczony. Zmęczony przebywaniem na zimnie przez większość nocy i, proszę się nie obrazić, zabawą w literackiego kotka i myszkę z panią. — Chciał być w domu, w ciepłym łóżku, pogrążony we śnie, bez brzęczenia w uszach i bez jakichkolwiek i czyichkolwiek prowokacji.

Na jej twarzy jak maska nie było widać, jak bardzo ją to ubodło.

— Cóż, w takim razie — powiedziała z westchnieniem. — Myślę, że w takim razie zaczekam do rana i zadzwonię do prawnika mojego męża. — Przysunęła książkę bliżej siebie, spojrzała mu w oczy i dodała: — Dziękuję, że przyszedł pan ze mną porozmawiać, *commissario*. Dziękuję też za nasze poprzednie rozmowy. — Podniosła książkę. — Chyba dobrze robi mi świadomość, że mężczyznę może ciekawić we mnie nie tylko moja twarz.

Zerknąwszy na niego po raz ostatni i rozciągnąwszy usta w czymś na kształt uśmiechu, powróciła do swojej lektury.

Brunetti cieszył się, że odwróciła od niego spojrzenie. Nie wiedział bowiem, co mógłby na to odpowiedzieć, o co mógłby zapytać.

Życzył jej dobrej nocy, wyszedł z pokoju i wrócił do domu.

Rozdział 27

Spał. Paola, która właśnie miała wyjść na uczelnię, próbowała obudzić go o dziewiątej, ale udało jej się jedynie przesunąć go na drugą stronę łóżka. Jakiś czas później zadzwonił telefon, ale jego sygnał nie przeniknął tam, dokąd trafił w swoim śnie Brunetti, do miejsca, gdzie Pucetti miał dwie zdrowe ręce, Guarino nie leżał martwy w błocie, a Terrasini na marmurowej posadzce i gdzie Franca Marinello była piękną trzydziestoparoletnią kobietą, której uśmiech ożywiał całą twarz.

Zbudził się po jedenastej, wyjrzał przez okno i zobaczył, że pada deszcz. Znowu zasnął. Kiedy przebudził się ponownie, świeciło słońce i przez pierwsze sekundy zastanawiał się, czy nadal śpi i czy to sen. Leżał nieruchomo przez co najmniej minutę, po czym powoli wysunął rękę spod kołdry, uradowany, że słyszy szelest pościeli. Próbował pstryknąć palcami, ale zdołał jedynie wywołać odgłos trących o siebie opuszek. Ale usłyszał go wyraźnie, bez brzęczenia, i wtedy zrzucił z siebie kołdrę, zachwycony szmerem ześlizgującej się z łóżka tkaniny.

Wstał, uśmiechnął się do słońca i pogodził z tym, że

musi się ogolić i wziąć prysznic, lecz przede wszystkim — napić się kawy.

Zabrał ją ze sobą do łóżka i postawił spodek i filiżankę na stoliku nocnym. Zrzuciwszy z nóg pantofle, wsunął się z powrotem pod kołdrę i sięgnął ręką, by ze stosu leżących obok książek wyciągnąć swój stary egzemplarz Owidiusza. Znalazł go dwa dni temu, ale nie miał czasu na lekturę. *Fasti.* Co ona mówiła o „królu"? Przejrzał spis treści i znalazł pod datą 24 lutego odpowiedź: uroczystość Regifugium, upamiętniająca „Ucieczkę Króla". Podciągnął kołdrę, przełożył książkę do drugiej ręki i wypił łyk kawy. Odstawił filiżankę i zaczął czytać.

Po pierwszym akapicie rozpoznał tę opowieść: wydawało mu się, że przedstawił ją również Plutarch. Czy to nie Szekspir posłużył się nią w jakimś dramacie? Nikczemny Tarkwiniusz, ostatni król Rzymu, wypędzony ze swojego królestwa przez pospólstwo; na jego czele kroczył szlachetny Brutus, wstrząśnięty śmiercią pięknej Lukrecji, którą skłonił do popełnienia samobójstwa gwałt zadany jej przez jeszcze bardziej nikczemnego syna władcy, grożącego zhańbieniem jej męża.

Przeczytał ten fragment jeszcze raz, po czym delikatnie zamknął książkę i umieścił ją obok siebie na kołdrze. Dopił kawę, ułożył się niżej na łóżku i spojrzał przez okno sypialni na bezchmurne niebo.

Antonio Terrasini, bratanek szefa camorry. Antonio Terrasini, aresztowany za gwałt. Antonio Terrasini, sfotografowany przez człowieka, który później został zastrzelony w upozorowanym rabunku, a zdjęcie trafiło do rąk mężczyzny uśmierconego w podobny sposób. Antonio Terrasini, z pozoru kochanek żony człowieka związanego jakoś z pierwszą ofiarą. Antonio Terrasini, zastrzelony przez tę samą kobietę.

Wyglądając przez okno, Brunetti przemieszczał tych ludzi i fakty po planszy swojej pamięci, poszturchiwał ich tu i ówdzie przypomnianym sobie szczegółem, a następnie odsuwał na bok jedną ewentualność, żeby zastąpić ją nowym domysłem, który ustawiał ich w nowej konfiguracji.

Przypomniał sobie scenę przy karcianym stole: dłoń mężczyzny na jej biodrze i spojrzenie, które mu wtedy posłała; jego dłonie na jej piersiach i jej kamienny bezruch mimo wrażenia, że cała aż się kurczy w sobie pod jego dotknięciem. Gdy strzeliła do niego, była odwrócona bokiem do komisarza, ale jej twarz i tak niewiele mogła wyrazić. Zatem słowa: jakie słowa wywołały najpierw gniew tego człowieka, potem go stłumiły, a następnie znowu rozpaliły?

Brunetti sięgnął po telefon i wybrał domowy numer swoich teściów. Odebrała jedna z sekretarek. Przedstawił się i poprosił o połączenie z hrabiną. Przez lata zorientował się, że szybkość, z jaką go łączono, wiąże się chyba z użyciem przez niego ich tytułów.

— Tak, Guido? — zapytała.

— Czy mógłbym wstąpić do was w drodze do pracy i z tobą porozmawiać?

— Przyjdź, kiedy tylko chcesz, mój drogi.

Odwrócił się, by spojrzeć na zegar przy łóżku, i ze zdumieniem stwierdził, że jest już po pierwszej.

— Będę mniej więcej za pół godziny, o ile ta pora ci odpowiada.

— Oczywiście, oczywiście. W takim razie czekam na ciebie.

Gdy skończyła rozmowę, komisarz odkrył kołdrę i poszedł wziąć prysznic. Potem się ogolił. Zanim wyszedł z domu, otworzył lodówkę i znalazł resztki lasagne. Postawił ją na kuchennym blacie, wyjął z szafki widelec i zjadł prawie wszystko. Wrzucił widelec do zlewu, owinął folią ogołocony półmisek i włożył go z powrotem do lodówki.

Dziesięć minut później zadzwonił do drzwi *palazzo* i został zaprowadzony do gabinetu hrabiny przez jakiegoś człowieka w ciemnym garniturze, którego nie rozpoznał.

Gdy wszedł, hrabina pocałowała go na powitanie, zapytała, czy ma ochotę napić się kawy, nalegała, aż się zgodził, i poprosiła mężczyznę, który towarzyszył Brunettiemu, by przyniósł im obojgu kawę i *biscotti*.

— Nie możesz przecież iść do pracy, nie wypiwszy kawy. — Zasiadła jak zwykle w swoim głębokim fotelu, który pozwalał jej cieszyć się widokiem na Canal Grande, i pochyliła się, by poklepać siedzenie fotela obok.

— O co chodzi? — zapytała, gdy na nim usiadł.

— O Francę Marinello.

Nie wyglądała na zaskoczoną.

— Ktoś zadzwonił i powiedział mi o tym — oświadczyła ponurym tonem, który złagodniał, gdy dodała: — Biedna dziewczyna.

— Co dokładnie? — zapytał Brunetti; zastanawiał się, kto do niej telefonował, ale nie chciał pytać.

— Że była zamieszana w jakiś akt przemocy w kasynie i została zabrana na przesłuchanie przez policję. — Hrabina czekała na wyjaśnienia zięcia, a gdy milczał, zapytała: — Wiesz o tym?

— Tak.

— Co się stało?

— Strzeliła do pewnego mężczyzny.

— I zabiła go?

— Tak.

Hrabina Falier zamknęła powieki i komisarz słyszał jej szept, który mógł być modlitwą. Wydawało mu się, że padło słowo „dentysta", ale to przecież nie miało sensu. Jego teściowa otworzyła oczy i spojrzała mu prosto w twarz.

— Opowiedz mi, co się stało — poprosiła głosem, który odzyskał swą zwykłą siłę.

— Była w kasynie z mężczyzną. Groził jej, a ona go zastrzeliła.

Hrabina zastanowiła się nad tym i zapytała:

— Byłeś tam?

— Owszem, ale z uwagi na tego człowieka, nie na nią.

— Czy to był ten Terrasini? — zapytała, znowu po długim wahaniu.

— Tak.

— I jesteś pewien, że to Franca do niego strzelała?

— Byłem tego świadkiem.

Hrabina zamknęła oczy i pokręciła głową.

Rozległo się pukanie do drzwi i tym razem do gabinetu weszła kobieta. Ubrana była statecznie i oficjalnie, choć nie miała na sobie białego fartuszka. Postawiła na stoliku przed nimi dwie filiżanki kawy, miseczkę z kostkami cukru, dwie małe szklanki z wodą oraz talerz z herbatnikami, skinęła głową hrabinie i wyszła.

Gospodyni wręczyła Brunettiemu filiżankę, poczekała, aż wrzuci do kawy dwie kostki cukru, po czym podniosła swoją kawę, którą wypiła bez cukru. Odstawiła filiżankę na spodek i rzekła:

— Poznałam ją... lata temu... gdy przyjechała tu na studia. Ruggero, mój kuzyn, miał syna, który był najbliższym przyjacielem jej ojca. Byli też spokrewnieni z jej matką — zaczęła, po czym mruknęła z rozdrażnieniem i umilkła. — Przecież to, czy jesteśmy spokrewnieni, nie ma znaczenia, prawda? Gdy przyjechała tu studiować, syn Ruggera zadzwonił do mnie i zapytał, czy będę miała na nią oko. — Hrabina podniosła *biscotto*, ale odłożyła go na talerz nietknięty.

— Orazio powiedział, że się zaprzyjaźniłyście.

— Owszem — odparła natychmiast hrabina i próbowała się uśmiechnąć. — I nadal się przyjaźnimy. — Brunetti milczał i jego teściowa mówiła dalej. — Paola odeszła z domu — dodała, po czym się uśmiechnęła. — Wyszła za ciebie. Minęło wiele lat, ale chyba nadal brakowało mi córki w domu. Franca jest oczywiście młodsza od Paoli, więc może raczej brakowało mi wnuczki. A w każdym razie młodej osoby. — Przerwała na moment i dodała: — Prawie nikogo tutaj nie znała i była wówczas szalenie nieśmiałą osobą; człowiek tak bardzo chciał jej pomóc. — Zerknęła na zięcia i zapytała: — Nie sądzisz, że nadal taka jest?

— Nieśmiała?

— Tak.

— Sądzę, że tak — rzekł Brunetti, jakby nie był świadkiem, jak Franca Marinello zabija człowieka z pistoletu poprzedniego wieczoru. Nie wiedząc, co jeszcze powiedzieć, zdołał jedynie wymyślić słowa podziękowania: — Dziękuję, że posadziłaś mnie naprzeciw niej. Nie mam z kim porozmawiać o książkach. To znaczy oprócz ciebie. — Potem, chcąc oddać sprawiedliwość swojej żonie, dodał: — Przynajmniej o tych, które lubię.

Twarz hrabiny pojaśniała.

— Tak właśnie powiedział Orazio. I dlatego to zrobiłam.

— Dziękuję ci — powtórzył.

— Ale przyszedłeś tu służbowo, prawda? Nie z powodu książek.

— Zgadza się — potwierdził, choć nie było to w pełni prawdą.

— Co musisz wiedzieć? — zapytała hrabina.

— Wszystko, co możesz mi wyjawić i co mogłoby nam pomóc — odparł. — Znałaś tego człowieka? Terrasiniego?

— Tak. Nie. To znaczy nigdy go nie spotkałam, a Franca nigdy o nim nie mówiła. Mówili za to inni ludzie.

— Twierdzili, że są kochankami? — zapytał Brunetti; bał się, że na taką szczerość jest jeszcze za wcześnie, ale chciał wiedzieć.

— Owszem.

— Wierzyłaś w to?

Jej spojrzenie było równie chłodne co spokojne.

— Nie chcę odpowiadać na to pytanie — odparła z zaskakującą mocą. — To moja przyjaciółka.

Brunetti pomyślał o tym, co wcześniej szepnęła, i szczerze zakłopotany zapytał:

— Mówiłaś coś o jakimś dentyście?

Hrabina była naprawdę zaskoczona.

— Mam rozumieć, że o tym nie wiesz?

— Nie. Nic nie wiem o niej ani o dentyście. — To drugie było prawdą.

— Chodzi o dentystę, który oszpecił jej twarz — wyjaśniła, tylko wzmagając jego zakłopotanie. Ponieważ wciąż miał taką samą minę, hrabina ciągnęła z ożywieniem: — Mogłabym zrozumieć, gdyby to j e g o zastrzeliła. Ale było już za późno. Ktoś już to zrobił. — To powiedziawszy, umilkła i spojrzała na drugi brzeg kanału.

Brunetti rozsiadł się w fotelu i położył obie dłonie na jego poręczach.

— Nic z tego nie rozumiem. — Twarz jego teściowej pozostała obojętna, więc rzekł: — Wyjaśnij mi, proszę.

Hrabina też rozparła się w fotelu, naśladując jego pozycję. Przez jakiś czas przyglądała się twarzy zięcia, jakby próbowała zdecydować, jak mu to powiedzieć i ile wyjawić.

— Niedługo po ślubie oboje z Mauriziem, którego znam niemal od zawsze, zaplanowali wyjazd na wakacje... przypuszczam, że był to rodzaj podróży poślubnej. Gdzieś w tropiki, teraz już nie pamiętam dokąd. Mniej więcej na tydzień przed terminem wylotu Franca zaczęła mieć problemy z zębami mądrości. Jej dentysta był na wczasach, więc jakaś przyjaciółka z uczelni poleciła jej stomatologa, do którego chodziła w Dolo. Nie, nie w Dolo; gdzieś w okolicy. Franca poszła do niego, a on stwierdził, że trzeba usunąć oba zęby. Zrobił prześwietlenie i powiedział, że to nie będzie trudne, że mógłby to zrobić w swoim gabinecie.

Hrabina spojrzała na zięcia, po czym na moment zamknęła oczy.

— Więc poszła tam pewnego ranka, a on wyrwał oba zęby, dał jej jakieś środki przeciwbólowe oraz antybiotyk na wypadek zakażenia i powiedział, że za trzy dni może jechać na wakacje. Nazajutrz czuła ból, ale gdy zatelefonowała do dentysty, powiedział, że to normalne, i kazał jej zwiększyć dawkę środków przeciwbólowych. Ponieważ następnego dnia nie było poprawy, poszła do niego z wizytą, a on zapewnił, że wszystko w porządku, i dał jej kolejne środki przeciwbólowe. I polecieli na wakacje. Na jakąś wyspę.

Milczała tak długo, że Brunetti w końcu zapytał:

— Co się stało?

— Infekcja trwała, ale Franca była młoda i zakochana... oboje byli zakochani. Wiem, że to prawda... i nie chciała psuć wspólnych wakacji, więc dalej łykała tabletki, a gdy ból nie ustępował, brała następne.

Tym razem komisarz siedział w milczeniu i czekał na dalszy ciąg opowieści.

— Po pięciu dniach pobytu na wyspie miała zapaść i zawieźli ją do lekarza... opieka medyczna tam pozostawiała wiele do życzenia. Doktor stwierdził zakażenie w jamie ustnej, którego nie był w stanie leczyć, więc Maurizio wynajął samolot i zawiózł ją do Australii. Sądził, że tam najszybciej Franca otrzyma pomoc. Chyba do Sydney. — Potem, w zamyśleniu, dodała: — To i tak bez znaczenia.

Podniosła szklankę z wodą, wypiła połowę i odstawiła na stolik.

— Franca miała jakieś paskudne zakażenie. Najwyraźniej przeniosło się ono z zębodołów do tkanek w szczęce i twarzy. — Hrabina ukryła twarz w dłoniach, jakby starała się ją ochronić przed własnymi słowami. — Lekarze nie mieli wyboru. Musieli interweniować, próbując ratować, co się dało. Była to jedna z tych infekcji odpornych na antybiotyki, a może Franca była na nie uczulona. Teraz naprawdę nie pamiętam. — Hrabina odsłoniła twarz i spojrzała na zięcia. — Kiedyś, przed wielu laty, opowiedziała mi o tym. Słuchanie tej opowieści było potwornym przeżyciem. Franca była taką śliczną dziewczyną. Zanim to się stało. Ale oni musieli tyle zniszczyć. Żeby ją uratować.

— To wszystko wyjaśnia — rzekł speszony komisarz.

— Oczywiście — odparła gwałtownie hrabina. — Myślisz, że c h c i a ł a b y tak wyglądać? Na miły Bóg... sądzisz, że którakolwiek z kobiet chciałaby tego?

— Nie wiedziałem — odparł Brunetti.

— Jasne, że nie wiedziałeś. I nikt inny o tym nie wie.

— Ale ty wiesz.

Hrabina pokiwała ze smutkiem głową.

— Niestety. Gdy oboje wrócili, Franca wyglądała tak jak teraz. Zadzwoniła do mnie i poprosiła o spotkanie, a ja bardzo się ucieszyłam. Minęły miesiące od ich wyjazdu i wiedziałam tylko to, co Maurizio powiedział mi przez telefon: że bardzo chorowała, ale nie zdradził na co. Kiedy ona do mnie zadzwoniła, wyjaśniła, że miała straszny wypadek i żebym nie była zaszokowana, kiedy ją zobaczę. — Po chwili dodała: — Przynajmniej próbowała mnie przygotować. Ale na coś takiego trudno być przygotowanym, prawda? — zapytała hrabina, lecz Brunetti nie miał na to żadnej odpowiedzi.

Wyczuwał, że mówiąc o tym, matka Paoli przywołuje wszystkie wspomnienia.

— Byłam w szoku i nie potrafiłam tego ukryć. Wiedziałam, że nigdy nie chciałaby czegoś takiego zrobić. A była taką piękną dziewczyną, Guido: nie wyobrażasz sobie nawet, jak piękną.

Zdjęcie w magazynie ilustrowanym dało mu pewne pojęcie o jej urodzie, tak więc wiedział o tym.

— Popłakałam się. Nie mogłam się pohamować; po prostu się popłakałam. I Franca musiała mnie pocieszać. Pomyśl tylko... wróciła w takim stanie, a to ja się załamałam. — Hrabina umilkła i zamrugała parę razy, ale udało się jej powstrzymać łzy. — Chirurdzy w Australii zrobili, co mogli. Zakażenie trwało zbyt długo.

Komisarz spojrzał przez okno i przyglądał się budynkom po drugiej stronie kanału. Gdy znowu popatrzył na teściową, po policzkach spływały jej łzy.

— Współczuję, *mamma* — rzekł, zupełnie nieświadom tego, że nazwał ją tak po raz pierwszy w życiu.

Hrabina otrząsnęła się.

— Ja też współczuję, Guido, tak bardzo jej współczuję.

— I co zrobiła?

— Co przez to rozumiesz? Próbowała żyć dalej, ale już na zawsze została z tą twarzą i przypuszczeniami, jakie ludzie snuli na jej temat.

— Nikomu nie powiedziała?

Hrabina pokręciła głową.

— Powiedziała mnie i poprosiła, bym nikomu nie mówiła. I do dzisiaj dotrzymywałam słowa. Wiedziałam o tym tylko ja i Maurizio, i Australijczycy, którzy ocalili jej życie. — Westchnęła i wyprostowała się w fotelu. — Bo trzeba to powiedzieć: oni uratowali jej życie.

— A co z tym dentystą? — zapytał Brunetti, po czym dodał: — Jak zginął?

— Ostatecznie okazało się, że wcale nie był stomatologiem — odparła niemal gniewnym głosem — a tylko jednym z *odontotecnici*, o których stale się czyta: robią protezy, po czym rozpoczynają własną działalność jako dentyści i robią to, dopóki nie zostaną przyłapani, ale nie ponoszą żadnych konsekwencji. — Komisarz zauważył, jak jej dłonie zaciskają się mocno na poręczach fotela.

— Chcesz powiedzieć, że nie został aresztowany?

— W końcu tak — odparła zmęczonym głosem. — To samo stało się z innym pacjentem. Ten zmarł, więc inspektorzy z ULSS wkroczyli do gabinetu i stwierdzili, że wszystko tam... instrumenty i meble... może być źródłem infekcji. To cud, że pozbawił życia tylko jedną osobę i że ktokolwiek z jego pozostałych pacjentów przeżył. Tym razem więc rzeczywiście trafił za kratki. Dostał sześć lat, ale proces trwał dwa lata... a on oczywiście odpowiadał z wolnej stopy... miał więc siedzieć cztery lata, ale wypuścili go w ramach *indulto.*

— I co się potem działo?

— Wygląda na to, że wrócił do pracy — odparła z goryczą, jaką rzadko słyszał w jej głosie.

— Do pracy?

— Jako *odontotecnico,* nie stomatolog.

Brunetti zamknął oczy na myśl o tym idiotyzmie. To mogło się zdarzyć tylko w tym kraju.

— Ale nie dane mu było skrzywdzić wielu osób — dodała obojętnie.

— Dlaczego?

— Ktoś go zabił. W Montebellunie... przeprowadził się tam, żeby otworzyć nowy gabinet. Było włamanie i ktoś zabił technika i zgwałcił jego żonę.

Komisarz pamiętał tę sprawę. Dwa lata temu, morderstwo, którego nigdy nie wyjaśniono.

— Został zastrzelony, nieprawdaż? — zapytał.

— Tak.

— Rozmawiałaś z nią kiedyś o tym?

Hrabina zrobiła okrągłe oczy.

— Po co? Żeby zapytać, czy poczuła się lepiej, bo on zginął? — Spostrzegła, jak zaszokowało go jej pytanie, i złagodziła ton, mówiąc: — Czytałam o tym i rozpoznałam jego nazwisko, ale nie potrafiłam jej o to zapytać.

— Czy kiedykolwiek rozmawiałaś z nią o tym... o nim?

— Raz, chyba tuż po tym, gdy został skazany. W każdym razie wiele lat temu.

— Co powiedziałaś?

— Zapytałam, czy czytała o jego skazaniu i o tym, że pójdzie do więzienia, a ona odparła, że tak.

— I?

— I zapytałam, co o tym myśli. — Nie czekając na kolejne pytanie zięcia, hrabina ciągnęła: — Powiedziała, że to nie ma żadnego znaczenia. Ani dla niej, ani dla żadnej z osób, które skrzywdził. A na pewno nie dla osoby, którą pozbawił życia.

— Myślisz, że to znaczyło, iż mu przebaczyła? — zapytał po długim namyśle Brunetti.

Hrabina posłała mu długie, refleksyjne spojrzenie.

— Możliwe — odparła, po czym dodała oziębie: — Ale mam nadzieję, że nie.

Rozdział 28

Niedługo potem Brunetti wyszedł i stojąc w *calle* obok *palazzo*, zatelefonował do Griffoni, która poinformowała go, że rano signora Marinello opuściła komendę w towarzystwie swojego adwokata. Akta sprawy znajdowały się na dole, ale obiecała, że za kilka minut zadzwoni i poda mu numer Franki Marinello. Czekając na jej telefon, szedł w stronę przystani Cà Rezzonico, skąd mógł popłynąć *vaporetto*.

Griffoni zadzwoniła z informacją o numerze *telefonino* zabójczyni, zanim komisarz dotarł do *imbarcadero*. Wyjaśnił jej, że chce porozmawiać z Marinello o wczorajszej nocy, a komisarz zapytała:

— Czemu do niego strzeliła?

— Widziała pani przecież — odparł Brunetti. — Widziała pani, jak zamierzył się do ciosu.

— Oczywiście, że widziałam — przyznała Griffoni. — Ale nie o to mi chodzi. Mam na myśli ten trzeci strzał. Przecież on już leżał, na litość boską, z dwoma kulami w brzuchu, a ona znowu do niego strzeliła. Tego właśnie nie rozumiem.

Brunettiemu wydawało się, że on rozumie, ale tego nie powiedział.

— I właśnie dlatego chcę z nią porozmawiać. — Wrócił pamięcią do sceny zabójstwa: gdy spojrzał wtedy na Griffoni, stała przy poręczy, widziała więc Marinello i Terrasiniego z innej perspektywy.

— Ile z tego, co się stało, pani widziała?

— Widziałam, jak wyciągnął pistolet, potem wręczył go jej, a następnie zamachnął się, żeby ją uderzyć.

— Słyszała pani coś?

— Nie, stałam za daleko, a tamci dwaj szli po schodach w naszą stronę. Nie zauważyłam, by coś mówił, a ona stała do mnie tyłem. A pan coś słyszał?

Komisarz nie słyszał, więc zaprzeczył, po czym dodał:

— Musi być jakiś powód, że zrobił to, co zrobił.

— I powód, że ona zrobiła to, co zrobiła — dodała Griffoni.

— Tak, oczywiście. — Podziękował jej za informację i się rozłączył.

Franca Marinello odebrała po drugim sygnale i sprawiała wrażenie zaskoczonej telefonem komisarza.

— Czy to znaczy, że muszę wrócić do komendy? — zapytała.

— Nie, *signora*. Chciałbym jednak przyjść i porozmawiać z panią.

— Rozumiem. — Nastąpiła długa przerwa, po której Marinello, nie wdając się w wyjaśnienia, powiedziała: — Myślę, że byłoby lepiej, gdybyśmy spotkali się gdzie indziej.

Brunetti pomyślał o jej mężu.

— Jak pani sobie życzy.

— Mogłabym się z panem spotkać za dwadzieścia minut — zaproponowała. — Czy odpowiadałoby panu Campo Santa Margherita?

— Oczywiście — odparł, zaskoczony wyborem tak skromnej dzielnicy. — Gdzie dokładnie?

— Naprzeciwko apteki znajduje się *gelateria.*

— Causin — podpowiedział komisarz.

— Za dwadzieścia minut?

— Świetnie.

Gdy przybył na miejsce, Marinello siedziała już przy stoliku w głębi lodziarni. Ujrzawszy, że wchodzi do środka, wstała i Brunettiego jeszcze raz uderzyła widoczna w jej wyglądzie sprzeczność. Od szyi w dół wyglądała jak każda ubrana w swobodnym stylu trzydziestoparolatka. Obcisłe czarne dżinsy, drogie buty, jasnożółty kaszmirowy sweter i wzorzysty jedwabny szalik. Jednak gdy tylko skierował wzrok wyżej, wszystko się zmieniło i patrzył na twarz typową dla podstarzałych żon amerykańskich polityków: o zbyt napiętej skórze, zbyt szerokich ustach oraz skórze wokół oczu naciągniętej tu i ówdzie przez troskliwych chirurgów.

Podał jej dłoń, znowu zwracając uwagę na siłę jej uścisku.

Usiedli, zjawiła się kelnerka, a on nie potrafił zdecydować, czego chce się napić.

— Poproszę o herbatę rumiankową — powiedziała Marinello i nagle wydało mu się, że to jedyny możliwy

336

wybór. — Skinął głową i kelnerka podeszła z powrotem do lady.

Nie bardzo wiedząc, jak rozpocząć rozmowę, zapytał:

— Często tu pani bywa? — Zrobiło mu się głupio, że zaczął od tak idiotycznego pytania.

— Latem tak. Mieszkamy dość blisko. Bardzo lubię lody — odparła i wyjrzała przez duże okno. — I uwielbiam ten plac. Jest tak... nie znam odpowiedniego słowa... tak pełen życia; tutaj zawsze jest tyle osób. — Spojrzała na niego i dodała: — Przypuszczam, że tak samo wyglądało tu przed wieloma laty, że mieszkali tu zwykli ludzie.

— Ma pani na myśli *campo* czy to miasto? — zapytał Brunetti.

— Pewnie jedno i drugie — odparła z namysłem. — Maurizio opowiada, jaka była kiedyś Wenecja, ale ja nigdy jej taką nie widziałam. Można by chyba powiedzieć, że znam ją tylko jako cudzoziemka, i to niezbyt długo.

— Cóż — przyznał komisarz — być może niezbyt długo według weneckiej miary. — Uznał, że poświęcili wystarczająco dużo czasu na grzeczności, rzekł więc: — W końcu przeczytałem Owidiusza.

— No cóż... — odpowiedziała tylko, po czym zauważyła: — Gdyby przeczytał go pan wcześniej, przypuszczalnie niczego by to nie zmieniło.

Zastanawiał się, co by to miało zmienić, ale zamiast zadać to pytanie, poprosił:

— Zechce mi pani powiedzieć coś więcej?

Powrót kelnerki odwrócił ich uwagę. Przyniosła dużą

337

tacę z dzbankiem z herbatą i słoiczkiem miodu oraz fili
żankami. Ustawiła to wszystko na stoliku, mówiąc:

— Przypomniałam sobie, że lubi pani ją pić z miodem,
signora.

— To bardzo miło z pani strony — odparła Marinello
pogodnym głosem. Kelnerka odeszła; żona Catalda podniosła pokrywkę dzbanka, kilka razy poruszyła torebkami
z herbatą, po czym z powrotem zakryła dzbanek. — Gdy
to piję, zawsze myślę o Piotrusiu Króliku — powiedzia
ła, podnosząc dzbanek. — Jego matka dawała mu to, gdy
chorował. — Marinello kilka razy zamieszała napar w naczyniu.

Brunetti czytał kiedyś tę książkę swoim dzieciom i pamiętał, że rzeczywiście tak było, ale nic nie powiedział.

Wlała herbatę do filiżanek, dodała łyżeczkę miodu do
swojej i podsunęła słoiczek Brunettiemu. Komisarz dodał
trochę do swojej herbaty, próbując sobie przypomnieć, czy
stara signora Królik też słodziła napar z rumianku miodem.

Wiedział, że herbata jest jeszcze za gorąca, więc nie
tknął filiżanki i postanowiwszy nie wracać do rozmowy
o Owidiuszu, zapytał:

— Jak go pani poznała?

— Kogo? Antonia?

— Tak.

Marinello zamieszała zawartość swojej filiżanki ły
żeczką i odłożyła ją na spodek, po czym spojrzała na Brunettiego.

— Jeżeli panu o tym powiem, to będę musiała powiedzieć wszystko, prawda?

— Chciałbym, żeby pani to zrobiła — odparł komisarz.
— Więc dobrze — zgodziła się i powróciła do mieszania herbaty. Uniosła wzrok, potem znowu spojrzała na filiżankę i w końcu powiedziała: — Mój mąż utrzymuje wiele kontaktów służbowych. — Brunetti milczał. — Część z nich z... cóż, z ludźmi, o których... o których wolałby, żebym nic nie wiedziała. — Marinello spojrzała, by się upewnić, czy komisarz słucha, i mówiła dalej: — Kilka lat temu nawiązał współpracę... — Urwała w pół zdania. — Nie, to chyba zbyt swobodne określenie, a raczej za mało konkretne. Wynajął firmę prowadzoną przez ludzi, o których wiedział, że są przestępcami, choć to, do czego ją zatrudnił, nie było niezgodne z prawem. — Wypiła łyk, dodała miodu i wymieszała go z herbatą. — Później dowiedziałam się — zaczęła, a komisarz zauważył, że nie wyjaśniła, jak dowiedziała się tego, co właśnie miała mu powiedzieć — że to się wydarzyło przy kolacji. Poszedł na nią z najważniejszym z nich; świętowali zawarcie kontraktu lub porozumienia czy też jak tam je nazywali. Nie chciałam z nim pójść i Maurizio powiedział im, że jestem chora. Nie potrafił wymyślić innego usprawiedliwienia, które by ich nie uraziło. Ale oni zrozumieli, w czym rzecz, i poczuli się dotknięci. — Marinello spojrzała na niego i dodała: — Pan pewnie ma większe doświadczenie w kontaktach z tymi ludźmi niż ja, więc nie muszę panu tłumaczyć, jak ważny jest dla nich szacunek otoczenia. — Widząc, jak skinął głową, stwierdziła: — Myślę, że po części zaczęło się to tam, na tym spotkaniu. — Wzruszyła ramionami i dodała: — Sądzę, że to nie ma znaczenia, ale

człowiek lubi wszystko rozumieć. — Nagle powiedziała: — Niech pan pije swoją herbatę, *commissario*. Nie powinien pan pozwolić, żeby wystygła. — A więc *commissario*, pomyślał Brunetti. Zrobił, jak kazała, i wypił trochę: przypomniało mu się jego dzieciństwo i leżenie w łóżku z przeziębieniem lub grypą.

— Gdy im powiedział, że jestem chora, człowiek, który go zaprosił, zapytał, co się stało... tamtego dnia miałam kolejną wizytę u stomatologa. — Spojrzała na komisarza, jakby chciała sprawdzić, czy zrozumiał znaczenie tej informacji, a on skinął głową. — To wszystko wiązało się z tą drugą sprawą. — Wypiła kolejny łyk herbaty. — Maurizio musiał wyczuć ich złość, bo powiedział im więcej, niż powinien, a przynajmniej dostatecznie dużo, by pojęli, co się stało. Pewnie Antonio o to zapytał. — Znowu spojrzała na Brunettiego i lodowatym głosem stwierdziła: — Antonio potrafił być uroczy i bardzo miły.

Brunetti milczał.

— Tak więc Maurizio opowiedział im przynajmniej po części, co się stało. A potem powiedział coś... — Zawahała się i zapytała: — Czytał pan kiedyś sztukę o Beckecie i Henryku którymś tam?

— Drugim — podpowiedział komisarz.

— Więc zna pan fragment o tym, jak król pyta swoich rycerzy, czy ktoś uwolni go od tego nieznośnego klechy lub mówi coś w tym rodzaju?

— Owszem, znam. — Jako historyk amator chciał dodać, że ta opowieść miała przypuszczalnie charakter

340

apokryficzny, ale uznał, że to chyba nie jest stosowny moment.

Marinello spojrzała w swą filiżankę i zaintrygowała go, mówiąc:

— Rzymianie byli o wiele bardziej bezpośredni. — Potem ciągnęła, jakby w ogóle nie wspomniała o Rzymianach: — Myślę, że właśnie tak to się stało. Maurizio opowiedział im o pseudodentyście i tym, co zrobił, że siedział w więzieniu. Przypuszczam też, że narzekał, iż w tym kraju nie ma sprawiedliwości. — Brunetti miał wrażenie, że Marinello powtarza coś, czego nauczyła się na pamięć lub co mówiła... przynajmniej w myślach... wiele razy. Spojrzała na niego i cichszym głosem dodała: — Ludzie zawsze tak mówią, nieprawdaż? — Popatrzyła na swą filiżankę, podniosła ją, ale nie zbliżyła do ust. — Sądzę, że tego tylko było trzeba Antoniowi... pretekstu, by kogoś skrzywdzić. Lub zrobić coś jeszcze gorszego. — Gdy odstawiała filiżankę na spodek, rozległ się cichy brzęk.

— Powiedział coś pani mężowi?

— Nic. I jestem pewna, że Maurizio myślał, że na tym koniec.

— Nie wspomniał o tej rozmowie? — zapytał Brunetti i widząc jej zmieszaną minę, wyjaśnił: — Chodzi o pani męża.

Była bezgranicznie zdumiona.

— Nie, oczywiście, że nie. On nie wie, że ja wiem cokolwiek na ten temat — odparła, po czym o wiele wolniej i ciszej dodała: — I właśnie o to w tym wszystkim chodzi.

— Rozumiem. — Tylko tyle Brunetti zdołał wymyślić w odpowiedzi, choć miał wrażenie, że rozumie coraz mniej.

— Kilka miesięcy później ten dentysta został zabity. Gdy to się stało, oboje byliśmy w Stanach Zjednoczonych, ale dowiedzieliśmy się po powrocie do domu. Policjanci z Dolo przyszli zapytać nas o tę sprawę, ale gdy Maurizio wyjaśnił, że byliśmy w Ameryce, dali nam spokój. — Komisarz myślał, że Marinello skończyła, ale potem, zmienionym głosem, dodała: — I ta żona. — Zamknęła oczy i długo milczała. — Oczywiście to była sprawka Terrasiniego — stwierdziła swobodnym tonem.

Oczywiście, pomyślał Brunetti.

— Powiedział pani mężowi, co zrobił? — zapytał, zastanawiając się, czy usłyszy zaraz opowieść o szantażu i czy właśnie z tego powodu Franca Marinello przyszła porozmawiać z nim do komendy.

— Nie. Powiedział o tym m n i e. Zadzwonił i poprosił o spotkanie... nie pamiętam już nawet pod jakim pretekstem — odparła. — Wyjaśnił, że jest jednym ze wspólników mojego męża — dodała złośliwym tonem. — Kazałam mu przyjść do naszego mieszkania. I wtedy mi powiedział.

— Co dokładnie?

— O tym, co się stało. Że Maurizio, przynajmniej jego... czyli Antonia... zdaniem, dał jasno do zrozumienia, czego oczekuje, i on to zrobił. — Marinello spojrzała na Brunettiego i komisarz odniósł wrażenie, że powiedziała już wszystko, co miała do powiedzenia, i czeka na jego ko-

342

mentarz. — Ale to przecież niemożliwe — dodała, starając się, by jej słowa zabrzmiały przekonująco.

Brunetti odczekał chwilę, po czym zapytał:

— Uwierzyła mu pani?

— Że go zabił?

— Tak.

Gdy już miała odpowiedzieć, od strony *campo* doleciał radosny pisk dziecka i tam skierowała swój wzrok. Nie patrząc na komisarza, odparła:

— To dziwne: widziałam go po raz pierwszy w życiu, ale nie przyszło mi do głowy, by wątpić w jego słowa.

— Uwierzyła pani, że mąż go o to poprosił?

Jeżeli Brunetti spodziewał się, że będzie zaszokowana tym pytaniem, to się rozczarował. Jeśli już, to w jej głosie pobrzmiewało znużenie.

— Nie. Maurizio nie mógłby tego zrobić — stwierdziła głosem, którym usiłowała odsunąć od siebie wątpliwości lub zapobiec dalszej dyskusji.

Spojrzała z powrotem na komisarza.

— Co najwyżej mógł o tym mówić; tylko w ten sposób mogli się dowiedzieć, nieprawdaż? — Aż przykro było słuchać jej głosu, gdy zapytała: — Jak inaczej Antonio mógłby poznać nazwisko dentysty? — Marinello odczekała jakiś czas, po czym oświadczyła: — Ale Maurizio, bez względu na to, jak bardzo mógł tego pragnąć, o nic takiego by go nie poprosił.

— Rozumiem. Czy kiedy przyszedł się z panią zobaczyć, mówił coś jeszcze? — zapytał tylko Brunetti.

— Powiedział, że Maurizio z pewnością nie chciałby,

żebym o tym wiedziała. Początkowo sugerował, że mój mąż poprosił ich o to wprost, ale gdy spostrzegł... musi pan zrozumieć, że Antonio nie był głupcem... iż nie mogę w to uwierzyć, zmienił wersję i stwierdził, że to mogła być tylko sugestia, ale mój mąż podał im nazwisko. Pamiętam, że zapytał, czy sądzę, iż Maurizio zrobiłby to z jakiegoś innego powodu. — Komisarz myślał, że Marinello skończyła, ale wtedy dorzuciła: — I ta żona.

— Czego chciał?

— Chciał mnie, *commissario* — odparła głosem, w którym pobrzmiewała gwałtowna irytacja. — Znałam go przez dwa lata i wiem, że był człowiekiem o... — zawiesiła głos, szukając odpowiednich słów — o odrażających upodobaniach. — Gdy Brunetti nie zareagował na te słowa, dodała: — Niczym syn Tarkwiniusza, *commissario*. Niczym syn Tarkwiniusza.

— Czy Terrasini groził, że powiadomi policję? — zastanawiał się głośno komisarz, choć wydawało się to nieprawdopodobne, zwłaszcza że wówczas przyznałby się do popełnienia zabójstwa.

— Ależ nie, nic podobnego. Powiedział, że mój mąż na pewno nie chciałby, żebym wiedziała, co zrobił. Że żaden mężczyzna nie chciałby, żeby jego żona wiedziała o czymś takim. — Marinello obróciła głowę i Brunetti zauważył, jak mocno napięta jest skóra na jej szyi. — Twierdził, że Maurizio ponosi odpowiedzialność za to, co się stało. — Pokręciła głową. — Jak już mówiłam, Antonio nie był głupcem — zaznaczyła, po czym dodała ponuro: — Chodził do katolickich szkół. Prowadzonych przez jezuitów.

— Więc?

— Więc żeby Maurizio nie dowiedział się, że wiem, co się stało, Antonio zaproponował, byśmy się dogadali. Tego właśnie słowa użył: „dogadali".

— Jak syn Tarkwiniusza z Lukrecją? — zapytał Brunetti.

— Właśnie — odparła bardzo znużonym głosem. — Gdybym przystała na warunki tej ugody, Maurizio nigdy by się nie dowiedział, że wiem, iż powiedział tym ludziom o dentyście lub że podsunął Antoniowi Terrasiniemu myśl, żeby zabić... cóż... zrobić to, co zrobił. I nazwisko. — Ułożyła obie dłonie na ściankach dzbanka z herbatą, jakby nagle jej zmarzły.

— No i?

— No i żeby ocalić honor męża... — zaczęła, a gdy spostrzegła jego minę, powiedziała: — Tak, *commissario*, jego honor, i pozwolić mu dalej wierzyć, że go szanuję i kocham... bo tak jest, było i zawsze będzie... cóż, mogłam to zagwarantować w jeden sposób. — Zdjęła dłonie z ciepłego dzbanka i złożyła je równo na stoliku przed sobą.

— Rozumiem — rzekł Brunetti.

Franca Marinello wypiła łapczywie resztę herbaty, nie zawracając sobie głowy dolewaniem miodu.

— Uważa pan, że to dziwne?

— Nie jestem pewien, czy „dziwne" to właściwe słowo, *signora* — odparł wymijająco komisarz.

— Zrobiłabym wszystko, żeby ratować honor mojego męża, *commissario*, nawet gdyby rzeczywiście k a z a ł im to zrobić — powiedziała tak gwałtownie, że dwie kobiety siedzące przy stoliku koło drzwi odwróciły się, by na nich spojrzeć. — W Australii przez cały czas był przy mnie. Cały dzień spędzał w szpitalu, a potem, gdy wpuścili go do środka, w moim pokoju. Zostawił swoje firmy i był ze mną. Jego syn dzwonił i mówił mu, że musi wrócić, ale Maurizio został ze mną. Trzymał mnie za rękę i mył, gdy wymiotowałam. — Mówiła to cicho, z wielką pasją. — A potem, gdy ten koszmar się skończył, po tych wszystkich operacjach, nie przestał mnie kochać. — Pobiegła spojrzeniem daleko, na antypody. — Swoją twarz zobaczyłam po raz pierwszy w szpitalnej łazience; musiałam tam pójść, bo w moim pokoju nie było lustra. Maurizio kazał wszystkie ściągnąć i początkowo, gdy zdjęto mi bandaże, nie zwróciłam na to uwagi. Potem jednak zaczęłam się nad tym zastanawiać i zapytałam go, dlaczego nie ma lustra. — Roześmiała się cicho; jej śmiech miał piękne, melodyjne brzmienie. — A on na to, że tego nie zauważył, że być może w szpitalnych pokojach w Australii nie mają luster. Tamtego wieczoru, gdy wyszedł, poszłam do łazienki. I ujrzałam to — powiedziała, wskazując dłonią na swą twarz.

Oparła łokieć na stoliku i przycisnęła do ust trzy palce, wpatrując się w tamto lustro na drugim końcu świata.

— To było potworne. Zobaczyć tę twarz i nie móc się uśmiechnąć, zmarszczyć brwi ani zrobić jakiegokolwiek grymasu. — Odsunęła dłoń od twarzy. — I na początku szokujące było to, jak patrzyli na mnie ludzie. Nie mogli się powstrzymać: na mój widok na ich twarzach pojawiał się wyraz ponurego szoku, a potem, już po chwili, purytańska dezaprobata, choćby nie wiem jak usilnie starali się ją ukryć lub zamaskować. „*La super liftata*" — powiedziała i Brunetti wyczuł w jej głosie wściekłość. — Wiem, że tak mnie nazywają.

Komisarz sądził, że skończyła, lecz się pomylił.

— Nazajutrz powiedziałam mężowi, co ujrzałam w lustrze, a on odparł, że to bez znaczenia. Wciąż pamiętam, jak machnął ręką i rzekł „*sciochezze*", jakby ta twarz była we mnie rzeczą najmniej istotną. — Franca Marinello odsunęła od siebie filiżankę. — I wierzę, że tak właśnie myślał i że nadal tak myśli. Dla niego wciąż jestem tą młodą kobietą, z którą się ożenił.

— A podczas ostatnich dwóch lat? — zapytał Brunetti.

— Co pan ma na myśli? — zapytała gniewnie.

— Nigdy niczego nie podejrzewał?

— Co? Że Antonio był moim... jak mam go nazywać?... moim kochankiem?

— Chyba nie — stwierdził komisarz. — Podejrzewał coś?

— Mam nadzieję, że nie — odparła natychmiast Marinello. — Ale nie wiem, co wie ani czy dopuszcza do siebie myśl o tym. Wiedział, że spędzam czas z Terrasinim i sądzę... sądzę, że bał się zapytać. A ja przecież nie mogłam mu nic powiedzieć, prawda? — Rozsiadła się wygodnie na swoim krześle i skrzyżowała ręce. — Czyż to wszystko nie jest banalne? Staruszek z młodą żoną. To oczywiste, że ona weźmie sobie młodego kochanka.

— „I tak po obu stronach prosta prawda znika*" — zaskoczył sam siebie tymi słowami Brunetti.

— Słucham?

— Przepraszam, tak mawia moja żona — odparł komisarz, nie wdając się w wyjaśnienia i sam nie wiedząc, jak przywołał ten cytat. — Mogłaby mi pani opowiedzieć o ubiegłej nocy? — zapytał.

— Naprawdę niewiele jest do powiedzenia — odparła Marinello, znowu bardzo znużonym głosem. — Wyznaczył mi tam spotkanie, a ja przywykłam do wykonywania jego poleceń. Więc poszłam.

— A pani mąż?

— Sądzę, że przywykł do tego tak samo jak ja — odparła. — Powiedziałam mu, że wychodzę, a on o nic mnie nie pytał.

— Przecież do rana nie dotarła pani do domu, prawda?

— Niestety do tego Maurizio też przywykł. — Jej głos był ponury.

Komisarz mógł tylko westchnąć, po czym zapytał:

— Co się stało?

Marinello wsparła głowę na splecionych dłoniach.

— Dlaczego miałabym to panu mówić, *commissario*?

— Dlatego, że prędzej czy później będzie pani musiała to komuś powiedzieć, a ja dobrze nadaję się na powiernika — odparł szczerze i odniósł wrażenie, że wyraz jej oczu złagodniał.

---

* Z *Sonetu 138* W. Szekspira w przekładzie Stanisława Barańczaka (przyp. tłum.).

— Wiedziałam, że każdy, kto tak bardzo lubi dzieła Cycerona, musi być dobrym człowiekiem — powiedziała.

— Nie jestem nim — oświadczył, także szczerze. — Ale jestem ciekaw odpowiedzi i jeśli będzie to możliwe... w granicach prawa... to chciałbym pani pomóc.

— Cyceron przez całe życie kłamał, czyż nie?

Brunetti w pierwszym odruchu chciał uznać te słowa za zniewagę, ale potem uświadomił sobie, że to pytanie, nie porównanie.

— Ma pani na myśli sprawy sądowe?

— Tak. Wypaczał sens zeznań, na pewno przekupywał wszystkich świadków, którym mógł wręczyć pieniądze, mijał się z prawdą i przypuszczalnie próbował wszystkich tanich sztuczek stosowanych od stuleci przez prawników. — Marinello wydawała się zadowolona z tej listy zarzutów.

— Ale nie w życiu prywatnym — zauważył Brunetti. — Być może był próżny i słaby, ale w sumie był chyba uczciwym i odważnym człowiekiem.

Żona Catalda przyglądała się bacznie twarzy komisarza, ważąc jego słowa.

— Pierwszą rzeczą, którą powiedziałam Terrasiniemu, było to, że jest pan z policji i że przyszedł go pan aresztować. Antonio zawsze nosił przy sobie broń. Znałam go już wystarczająco dobrze... — zaczęła i po tych słowach zrobiła długą pauzę, jakby wsłuchiwała się w ich echo, po czym ciągnęła dalej: — ...by wiedzieć, że spróbuje jej użyć. Ale potem zobaczył pana... myślę, że zobaczył was oboje, z bronią w dłoniach... i powiedziałam, że to bezcelowe, że prawnicy jego rodziny mogą go wyciągnąć z wszelkich kłopotów. — Franca Marinello zacisnęła usta i Brunetti zdumiał się tym, jak bardzo nieprzyjemny był ten grymas. — Uwierzył mi lub był tak zdezorientowany, że nie wiedział, co zrobić, więc gdy mu kazałam oddać broń, usłuchał.

Trzasnęły drzwi frontowe i oboje spojrzeli w ich stronę, ale okazało się, że to tylko kobieta z wózkiem próbująca wyjść z lodziarni. Jedna z kobiet siedzących przy stoliku koło drzwi wstała, przytrzymała je i młoda matka znalazła się na zewnątrz.

Brunetti popatrzył z powrotem na Marinello.

— Co mu pani wtedy powiedziała?

— Mówiłam panu, że znałam go już wystarczająco dobrze, nieprawdaż?

— Tak.

— Więc powiedziałam, że myślę, iż jest gejem, że pieprzy się jak ciota i pewnie pożąda mnie dlatego, że tak naprawdę nie wyglądam jak kobieta. — Czekała na jego reakcję, ale Brunetti milczał, więc dodała: — To oczywiście nie było prawdą. Ale znałam go i wiedziałam, co zrobi. — Jej głos, już od dawna wyzbyty emocji, się zmienił i z niemal naukową obojętnością wyjaśniła: — Antonio reagował na opór w jeden jedyny sposób: przemocą. Wiedziałam, co uczyni, więc strzeliłam do niego. — Przerwała, lecz gdy komisarz wciąż milczał, dodała: — A gdy upadł, uzmysłowiłam sobie, że chyba go nie zabiłam, więc strzeliłam mu w twarz. — Gdy to mówiła, jej oblicze pozostało niewzruszone.

— Rozumiem — rzekł w końcu Brunetti.

— I zrobiłabym to jeszcze raz, *commissario*. Zrobiłabym to jeszcze raz. — Kusiło go, żeby zapytać dlaczego, ale wiedział, że nie jest już zdolna powstrzymać się od wyjaśnień. — Mówiłam panu: miał odrażające upodobania.

I nie powiedziała już nic więcej.

Rozdział 29

— Cóż — stwierdziła Paola — dałabym jej medal. —
Brunetti położył się do łóżka niedługo po kolacji, mówiąc,
że jest zmęczony, i nie tłumacząc, czym się tak zmęczył.
Paola położyła się parę godzin później, zasnęła natychmiast,
by zbudzić się o trzeciej w nocy u boku czuwającego w bez-
ruchu męża, który odtwarzał w pamięci wszystkie zdarzenia
z poprzedniego dnia. Przypominał sobie rozmowy z hrabiną, z komisarz Griffoni, a potem z Francą Marinello.

Opowieść o tym wszystkim trochę trwała, w jego głos
od czasu do czasu wplatało się docierające z różnych części
miasta bicie dzwonów, na które żadne z nich nie zwraca-
ło uwagi. Komisarz mógł wyjaśniać, teoretyzować, próbo-
wać to sobie wyobrazić, ale pamięcią stale powracał do
określenia, którego wcześniej szukał i wreszcie znalazł:
„odrażające upodobania".

— Panie na wysokości — powiedziała Paola, gdy powtórzył te słowa. — Nie wiem, co to mogło znaczyć.
I chyba nie chcę wiedzieć.

— Czy inna kobieta pozwoliłaby, żeby coś takiego
trwało dwa lata? — zapytał w końcu Brunetti, choć od razu
wiedział, że uderzył w niewłaściwą strunę.

Zamiast odpowiedzieć, Paola włączyła lampę nocną i odwróciła się do męża.

— O co chodzi?

— O nic. Chcę tylko zobaczyć twarz człowieka zdolnego do zadawania takich pytań.

— Jakich pytań? — zdziwił się oburzony Brunetti.

— Czy inna kobieta p o z w o l i ł a b y, żeby coś takiego trwało dwa lata.

— Cóż w tym złego? — zapytał. — Mam na myśli to pytanie.

Paola przesunęła się nieco w dół łóżka i naciągnęła kołdrę na ramiona.

— Po pierwsze, zakładasz w nim, że istnieje coś takiego jak kobiecy umysł, że w tych okolicznościach wszystkie kobiety zareagowałyby w taki sam sposób. — Wsparła się nagle na łokciu i dodała: — Pomyśl o strachu, Guido. Pomyśl o tym, co się z nią działo przez dwa lata. Ten człowiek był mordercą, a ona wiedziała, co zrobił z dentystą i jego żoną.

— Wierzysz w to, że uważała, iż musi się poświęcić, żeby podtrzymać złudzenia męża? — zapytał, dumny z siebie i z tego, że tak sformułował swoje pytanie. Próbował na nim poprzestać, ale mu się nie udało. — Co z ciebie za feministka, że bronisz czegoś takiego?

Paoli trudno było przez chwilę znaleźć słowa, choć otworzyła już usta. W końcu powiedziała:

— Spójrz na ambonę, z której słychać to kazanie.

— Co to ma niby znaczyć?

— To nie m a nic znaczyć, mój drogi. Znaczy natomiast to, że ty, zwłaszcza w tej materii, nie możesz występować w roli orędownika feminizmu. Pozwolę ci na wiele, pozwolę ci w innych sytuacjach i innych okolicznościach być orędownikiem czego tylko zechcesz, nawet feminizmu, ale nie w tej sprawie.

— Nie wiem, o czym mówisz — rzekł, choć obawiał się, że jest inaczej.

Paola odkryła kołdrę i usiadła twarzą do niego.

— Mówię o gwałcie — odparła i zanim zdołał się odezwać, dodała: — I nie patrz tak na mnie, jakbym nagle stała się histeryczką, bojącą się, że każdy mężczyzna, do którego się uśmiechnę, wyskoczy z tej szafy, albo zakładającą, że każdy komplement jest wstępem do napaści.

Brunetti odwrócił się i włączył lampkę nocną po swojej stronie łóżka. Uznał, że jeżeli ta dyskusja miała trwać długo — a na to się zanosiło — powinien chyba dobrze widzieć swoją żonę.

— Dla nas to nie to samo, mój drogi, a wy, mężczyźni, po prostu nie chcecie lub nie potraficie tego dostrzec.

Zrobiła pauzę po tych słowach i komisarz skorzystał z okazji, żeby powiedzieć:

— Jest czwarta rano, a ja nie chcę słuchać przemówienia, dobrze?

Bał się, że to ją rozjuszy, wywołało jednak odwrotny skutek. Paola położyła dłoń na jego ręce.

— Wiem, wiem — odparła. — Chcę jedynie, żebyś spróbował spojrzeć na to jak na sytuację, gdy kobieta zgodziła się na seks z mężczyzną, z którym nie chciała go uprawiać. — Zastanawiała się chwilę, po czym dodała: — Rozmawiałam z nią tylko kilka razy. To moja matka ją lubi... uwielbia ją tak naprawdę... a jej opinia mi wystarczy.

— A jaka jest opinia twojej matki na jej temat?

— Że Franca by nie skłamała. Jeżeli więc powiedziała, że uczyniła to wbrew własnej woli... a myślę, że „odrażające upodobania" świadczą o tym wystarczająco dobitnie... to był to gwałt. Nawet jeżeli to trwało dwa lata i nawet jeżeli powodowała nią chęć ochrony poczucia godności męża. — Ponieważ wyraz jego twarzy się nie zmienił, Paola dodała znacznie serdeczniejszym tonem: — Pracujesz w wymiarze sprawiedliwości w tym kraju, Guido, więc wiesz, co by się stało, gdyby poszła na policję i gdyby którykolwiek z tych faktów wywleczono w sądzie. Co by się stało z tym staruszkiem i z nią.

Paola przerwała i spojrzała na męża, ale on postanowił nie odpowiadać ani nie oponować.

— W naszej kulturze panują bardzo prymitywne wyobrażenia o seksie — dodała.

— Myślę, że w naszym społeczeństwie panują bardzo prymitywne wyobrażenia o wielu rzeczach — odparł Brunetti, żeby poprawić nastrój, ale gdy tylko to powiedział, uświadomił sobie, jak mocno w to wierzy, więc na niewiele się to zdało.

I właśnie wtedy Paola powiedziała:

— Cóż, dałabym jej medal.

Komisarz westchnął, wzruszył ramionami, po czym sięgnął ręką do wyłącznika lampy.

Kiedy poczuł ucisk, zorientował się, że Paola cały czas trzymała dłoń na jego ręce.

— Co masz zamiar zrobić? — zapytała.

— Mam zamiar iść spać — odparł.

— A rano? — zapytała, gasząc swoją lampę.

— Pójdę pogadać z Pattą.

— I co mu powiesz?

Brunetti przewrócił się na prawy bok, chociaż żeby to zrobić, musiał uwolnić rękę z dłoni Paoli. Podniósł się i poklepał kilka razy swą poduszkę, po czym podciągnął się na łóżku, żeby móc położyć lewą dłoń na ręce żony.

— Nie wiem.

— Naprawdę?

— Naprawdę — odparł, a potem oboje zasnęli.

Gazety dorwały się do tego tematu i nie chciały odpuścić. Drążyły go zawzięcie, ponieważ kryło się w nim to, co uwielbiali ich czytelnicy: bogacze przyłapani na złym prowadzeniu się; młoda żona przyłapana z kochankiem, przemoc, seks i śmierć. W drodze do komendy Brunetti znowu zobaczył zdjęcie młodej Franki Marinello; tak naprawdę zobaczył wiele jej zdjęć i zastanawiał się, jak to możliwe, że prasa zdołała znaleźć ich aż tyle i tak szybko. Czyżby sprzedały je jej koleżanki ze studiów? Jej krewni? Znajomi? Gdy dotarł do gabinetu, otworzył gazety i poznał tę historię w wersji prezentowanej w każdej z nich.

Wśród kłębowiska słów znajdowały się kolejne fotografie Marinello w rozmaitych rolach towarzyskich odgrywanych w ostatnich kilku latach, roiło się też od spekulacji na temat tego, co skłoniło atrakcyjną młodą kobietę do ingerencji „w jej naturalny wygląd" — ich autorzy ledwie się powstrzymywali od sformułowania „w dar od Boga" — żeby w efekcie wyglądać tak, jak wyglądała. Przeprowadzono wywiady z psychologami; jeden z nich stwierdził, że Franca Marinello jest symbolem konsumpcyjnego społeczeństwa, ciągle niezadowolonego ze swojego stanu posiadania, ciągle poszukującego jakiegoś symbolicznego osiągnięcia, by potwierdzić własną wartość; podczas gdy drugi psycholog, w „L'Osservatore Romano", kobieta, uznał to za smutny przykład tego, jak kobiety są zmuszane podejmować wszelkie próby kuracji odmładzających lub zwiększenia własnej atrakcyjności, żeby zyskać aprobatę mężczyzn. Czasami, stwierdziła pani psycholog ze źle skrywaną złośliwą satysfakcją, próby te się nie udają, choć to niepowodzenie rzadko służy za dostateczną przestrogę dla wciąż skłonnych dążyć do przemijającego celu, jakim jest piękno cielesne.

Inny dziennikarz snuł domysły na temat charakteru stosunków łączących Francę Marinello z Terrasinim, którego przestępczą przeszłość roztrząsano na kolejnych stronach. Wiele niewymienionych z nazwiska osób twierdziło, że stali się dobrze znaną parą i widywano ich w najlepszych restauracjach miasta, a często także w kasynie.

Wyglądało na to, że Cataldo został wybrany do odegrania roli zdradzanego męża. Przedsiębiorca, były członek rady miejskiej, szanowany przez znajomych biznesmenów z Veneto, zakończył poprzedni, trzydziestopięcioletni związek małżeński, aby poślubić Francę Marinello, kobietę o ponad trzydzieści lat młodszą. Zarówno on, jak i Marinello odmówili komentarza, nie wydano też nakazu jej aresztowania. Policja nadal przesłuchiwała świadków i czekała na wyniki sekcji zwłok.

Brunetti, jeden ze świadków przestępstwa, z pewnością nie został jeszcze przesłuchany, okazało się też, gdy zadzwonił do Griffoni i Vasca, że ich także nie przesłuchano. Nie mógł się powstrzymać przed zadaniem głośnego pytania:

— A kto, u diabła, ma nas przesłuchać?

Złożył gazety i zdając sobie sprawę, że to jedynie gest protestu — gest pretensjonalny i nieznaczący — cisnął je do kosza na śmieci i dzięki temu poczuł się lepiej. Patta przyszedł dopiero po obiedzie, ale wówczas signorina Elettra zadzwoniła do Brunettiego i komisarz zszedł na parter.

Sekretarka Patty siedziała przy biurku i gdy się zjawił, powiedziała:

— Widzę, że nie znalazłam wystarczająco dużo informacji o niej i o Terrasinim. Albo nie znalazłam ich wystarczająco szybko.

— Więc czytała pani gazety?

— Zajrzałam do nich i stwierdziłam, że są bardziej odrażające niż zwykle.

— Jak on się miewa? — zapytał Brunetti, wskazując skinieniem głowy drzwi gabinetu Patty.

— Właśnie skończył rozmawiać z komendantem, więc podejrzewam, że będzie chciał pana widzieć.

Brunetti zapukał do drzwi i wszedł do środka, wiedząc, że nastrój Patty zazwyczaj można było wyczuć po pierwszej nucie.

— Ach, Brunetti — rzekł *vice-questore* na widok komisarza. — Wejdź.

358

Cóż, nut było więcej niż jedna, ale wszystkie w tonacji molowej, to zaś znaczyło, że Patta jest przygaszony i coś knuje, że nie ma pewności, czy ujdzie mu to na sucho, a tym bardziej, czy może liczyć na pomoc podwładnego.

— Pomyślałem, że pewnie zechce pan ze mną rozmawiać, *vice-questore* — rzekł Brunetti maksymalnie uległym głosem.

— Owszem — odparł wylewnie Patta i skinieniem dłoni przywołał go do krzesła, poczekał, aż komisarz usiądzie na nim wygodnie, i powiedział: — Chciałbym, żebyś mi opowiedział o tym incydencie w kasynie.

Brunetti robił się coraz bardziej niespokojny: tak zawsze działał na niego uprzejmy Patta.

— Byłem tam z powodu tego człowieka, Terrasiniego. Jego nazwisko wypłynęło — komisarz uznał, że lepiej nie wspominać o zdjęciu przesłanym mu przez majora, wiedząc, że Patta nigdy nie zainteresuje się tym na tyle, by zapytać — w moim śledztwie w sprawie śmierci Guarina. Szef ochrony kasyna zadzwonił do mnie z informacją, że Terrasini się u nich zjawił, więc tam popłynąłem. Razem z commissario Griffoni.

Patta siedział niemal w królewskiej pozie za swoim biurkiem. Skinął głową i rzekł:

— Rozumiem. Mów dalej.

— Niedługo po naszym przybyciu Terrasiniemu nagle skończyła się dobra passa i gdy zanosiło się, że może wszcząć awanturę, doszło do interwencji szefa ochrony i jego pomocnika, którzy wyprowadzili go z sali gier. — Patta znowu skinął głową, doskonale rozumiejąc, jak ważną rzeczą było usunięcie wichrzyciela z centrum uwagi. — Przy stoliku towarzyszyła mu kobieta i ona podążyła za nimi — Brunetti zamknął oczy, jakby odtwarzał tę scenę w myślach, po czym ciągnął: — Ochroniarze sprowadzili go na pierwszy podest schodów i chyba sądzili, że nie przysporzy im kłopotów, bo puścili go i czekali, by sprawdzić, czy ochłonął. Potem ruszyli po schodach z powrotem do sal gier. — Komisarz spojrzał na Pattę, który lubił, gdy jego rozmówcy patrzyli na niego. — I wtedy, z niezrozumiałego dla mnie powodu, Terrasini wyciągnął pistolet i wycelował go w nas albo w dwóch ochroniarzy... nie wiem w kogo. — To z pewnością było prawdą: nie wiedział, do kogo mafioso mierzył z pistoletu. — Oboje z Griffoni mieliśmy już w dłoniach broń i gdy ją zobaczył, pewnie się rozmyślił, bo opuścił rękę oddając pistolet signorze Marinello. — Brunettiemu dodał otuchy fakt, że Patta nie dostrzegł nic niezwykłego w tym, iż mówi o niej tak oficjalnie. Ciągnął dalej: — Po czym... zaledwie kilka sekund później... odwrócił się ku niej i podniósł rękę, jakby miał zamiar ją uderzyć. Nie spoliczkować, tylko walnąć z całej siły zaciśniętą pięścią. Widziałem to.

Patta wyglądał na człowieka słuchającego znanej już sobie historii.

— I wówczas ona strzeliła do niego. Upadł, a ona strzeliła jeszcze raz. — Patta o to nie zapytał, ale komisarz i tak dodał: — Nie wiem, dlaczego to zrobiła, *vice-questore*.

— To wszystko?

— Wszystko, co widziałem, panie komendancie — odparł Brunetti.

— Powiedziała coś? — zapytał Patta i komisarz był gotów odpowiedzieć, lecz jego zwierzchnik sprecyzował: — Gdy rozmawiał pan z nią w kasynie? O tym, dlaczego to zrobiła?

— Nie, *vice-questore* — odparł szczerze Brunetti.

Patta rozparł się w fotelu i założył nogę na nogę, pokazując czarną jak smoła i gładszą niż jedwab skarpetkę.

— Chyba rozumiesz, że musimy zachować w tej sprawie ostrożność.

— Oczywiście, *vice-questore*.

— Rozmawiałem z Griffoni i ona potwierdza twoją wersję, czy raczej ty potwierdzasz jej. Powiedziała dokładnie to, co ty, że on oddał jej broń, a potem zamachnął się na nią.

Brunetti skinął głową.

— Rozmawiałem dziś z jej mężem — oświadczył Patta i komisarz zamaskował zdumienie cichym kaszlnięciem. — Znamy się od lat — wyjaśnił zastępca komendanta. — Z Lions Club.

— Oczywiście — rzekł Brunetti głosem pełnym podziwu dla członków tej organizacji. — Co powiedział?

— Że jego żona wpadła w panikę, ujrzawszy, że Terrasini zamierza ją uderzyć — odparł Patta, po czym w zaufaniu pozwalającym komisarzowi poczuć się chwilowo członkiem ich klubu, wyjaśnił: — Możesz sobie wyobrazić, co by się stało z jej twarzą, gdyby ktoś ją uderzył. Mogłaby się rozpaść. — Brunetti z wściekłości na te słowa po-

361

czuł skurcz żołądka, potem jednak uświadomił sobie, że Patta powiedział to zupełnie poważnie i rozumiał dosłownie. Po chwili namysłu zmuszony był pogodzić się z tym, że jego przełożony przypuszczalnie ma rację. Patta mówił dalej: — A gdy leżał na ziemi, spostrzegła, że wyciąga rękę ku jej nodze. Jej mąż powiedział, że właśnie dlatego znowu do niego strzeliła. — Potem *vice-questore* zwrócił się z pytaniem do komisarza: — Widziałeś to?

— Nie, panie komendancie. Patrzyłem na nią. Myślę też, że i tak nie zobaczyłbym tego z mojej perspektywy. — To wyjaśnienie nie miało sensu, lecz Patta chciał wierzyć w to, co usłyszał, a Brunetti nie widział powodu, by mu w tym przeszkadzać.

— Griffoni powiedziała dokładnie to samo — stwierdził samorzutnie zastępca komendanta.

Jakiś przewrotny chochlik zachęcił komisarza do pytania:

— Co panowie wspólnie postanowili?

Patta słyszał pytanie, ale nie zawarte w nim słowa, i odparł:

— Myślę, że to, co się stało, jest całkiem jasne, a ty?

— Tak sądzę, *vice-questore*.

— Czuła się zagrożona i broniła się w jedyny znany sobie sposób — wyjaśnił Patta i Brunetti nagle nabrał pewności, że to samo powiedział komendantowi. — A ten człowiek, Antonio Terrasini... poprosiłem signorinę Elettrę, żeby się czegoś o nim dowiedziała, i po raz kolejny uczyniła to w niezwykle szybkim tempie... w rejestrze karnym ma na swoim koncie sporo aktów przemocy.

— O! — wykrzyknął komisarz, po czym zapytał: — Więc można będzie postawić zarzuty?

Patta odrzucił ten pomysł błyskawicznym ruchem ręki niczym natrętną muchę.

— Nie, to na pewno nie jest konieczne — odparł *vice--questore*, po czym wpadając w patos, dodał: — Z pewnością dość już wycierpieli. — Przypuszczalnie tą drugą częścią liczby mnogiej był mąż Franki Marinello i Brunetti pomyślał, jak prawdziwe są jego słowa. Wycierpieli.

Wstał i rzekł:

— Cieszę się więc, że to załatwione.

Patta obdarzył go jednym ze swych rzadkich uśmiechów i komisarz zdumiał się, jak zawsze w takich sytuacjach, tym, jak urodziwym jest mężczyzną.

— Czy w takim razie napiszesz raport? — zapytał zastępca komendanta.

— Oczywiście, *vice-questore* — odparł Brunetti, przepełniony wyjątkowym pragnieniem wykonania rozkazu swego szefa. — Pójdę na górę i zaraz to zrobię.

— Dobrze — rzekł Patta i przysunął do siebie jakieś dokumenty.

Na górze Brunetti przypomniał sobie, że nie ma komputera, ale nie potrafił się tym zbytnio przejąć. Napisał sprawozdanie, ani krótkie, ani długie, z tego, co wydarzyło się w kasynie wieczorem dwa dni wcześniej. Ograniczył się do opisania, co widział, wspominając o France Marinello w pasywny sposób, jako osobie, która szła po schodach za Terrasinim i której ten wręczył pistolet. W relacji komisarza zaczęła odgrywać czynną rolę dopiero wtedy, gdy gangster podniósł na nią rękę, i wówczas Brunetti opisał jej reakcję. Nie wspomniał, że widział, jak mówiła coś Terrasiniemu, ani o tym, że pytała go o Owidiusza. Nie odniósł się też do ich spotkania w lodziarni.

Gdy pisał, zadzwonił telefon.

— Mówi Bocchese — powiedział starszy technik, kiedy komisarz podniósł słuchawkę.

— Słucham — rzekł, nie przestając pisać.

— Właśnie przysłali mi pocztą elektroniczną protokoły z sekcji zwłok tego gościa, który został zastrzelony w kasynie.

— Tak?

— Miał we krwi sporo alkoholu i coś jeszcze, czego nie potrafią zidentyfikować. Być może ekstazę, może coś podobnego. Ale coś miał. Robią następne badania.

— A ty? Znalazłeś coś?

— Przysłali mi kule i przyjrzałem się im. Goście w Mestre przysłali mi wcześniej zdjęcia kuli, którą wyciągnęli z błota w tym zbiorniku w Margherze. Jeżeli one do siebie nie pasują, to idę na emeryturę i otwieram sklep z antykami.

— I to właśnie zamierzasz robić na emeryturze?

— Nie ma potrzeby — odparł technik. — Znam już tyle osób w tej branży, że nie muszę sobie zawracać głowy sklepem. Dzięki temu nie muszę płacić podatków.

— No jasne.

— Nadal mam sprawdzać tego, jak mu tam, tego gościa od ciężarówek z Tessery?

— Jeśli możesz, sprawdź.

— To potrwa parę dni. Będę musiał wydębić od nich zdjęcia kul.

— Postaraj się, Bocchese. To może być trop.

— W porządku, skoro pan tak twierdzi. Coś jeszcze?

Brunetti wiedział, że jest jeszcze sprawa dentysty i jego wciąż niewyjaśnionego zabójstwa. Gdyby policja odkryła związek między jego śmiercią i tym pistoletem, to mogłaby skojarzyć z nim Terrasiniego, nieprawdaż?

— Nie, to wszystko — odparł i odłożył słuchawkę.

26,00 zł

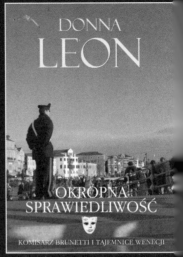

25,00 zł

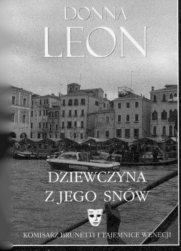

28,00 zł

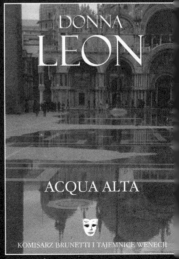

29,00 zł

Opracowanie redakcyjne
Beata Wyrzykowska

Korekta
Beata Wyrzykowska
Janina Zgrzembska

Projekt okładki
Tomasz Lec

Zamówienia prosimy kierować:
— telefonicznie: 800 42 10 40 (linia bezpłatna)
— faksem: 12 430 00 96 (czynnym całą dobę)
— e-mailem: nsb@wl.net.pl
— księgarnia internetowa: www.noirsurblanc.pl

Printed in Poland
Oficyna Literacka Noir sur Blanc Sp. z o.o., 2012
ul. Frascati 18, 00-483 Warszawa

Skład i łamanie
DINKOGRAF
Druk i oprawa
Zakład Graficzny Colonel, spółka akcyjna